# よくわかる社労士 合格テキスト

## 4 雇用保険法

労務士講座◉編著

# はじめに

ここ最近の社労士試験の出題傾向をみてみると、選択式については、年度により難易度に変動はあるものの、「覚えた事柄から単純・反射的に選ぶ性質の問題」から「知識をフル活用して推測しつつ、選択語群の語句を消去法で絞り込まないと正解を選べない高度な問題」まで出題内容が多岐にわたっています。単にテキスト中の語句や数字等を記憶しているだけでは、すべての科目において基準点（３点）をクリアするための得点ができるとは言えない試験になってきているといえます。

また、択一式については、「組合せ問題」と「正解の個数問題」という出題形式は定着しており、とくに「正解の個数問題」については、１問にかける時間が長くなるため、非常に負荷が高くなっています。事例形式の問題も増え、「実務と直結した内容の出題を。」という意図も感じられるようになっています。

これらの傾向に対応するためには、素早く確実に出題の意図を読み取り判断していく能力が求められるので、基本事項の反復を徹底し、早い時期にそのレベルでの対策を仕上げておき、時間的に余裕をもって応用問題等の細かい知識の対応に時間を割けるようにしておくことが必要でしょう。

本書は、社労士試験に確実に合格するための「本格学習テキスト」というコンセプトをもっており、条文や通達、判例など、多くの情報を、社労士本試験問題を解く際に使いやすいよう、コンパクトにまとめています。

今回の改訂では、直近の法改正事項に対応するために本文内容の加筆・修正を行い、直近の本試験の出題傾向にも対応できるよう内容の見直しも行いました。

本書を利用したみなさんが、社労士試験に合格されることを、ＴＡＣ社会保険労務士講座一同、願ってやみません。

令和６年10月吉日

TAC社会保険労務士講座

# 法改正ポイント講義

**ここでは、2025（令和7）年度の社労士本試験に関連する、主要な法改正内容を紹介していきます。まずは、法改正内容の概要をつかんでおきましょう。詳細は、テキスト本文でじっくり学習していきましょう。**

## 1 教育訓練給付金の拡充

【令和６年10月１日施行】

1．特定一般教育訓練給付金

特定一般教育訓練を修了し、その訓練に係る資格を取得し、かつ、訓練修了日の翌日から起算して原則１年以内に雇用保険の一般被保険者等として雇用された、または一般被保険者等として雇用されていて、特定一般教育訓練修了日の翌日から起算して原則１年以内にその訓練に係る資格を取得した場合、本体給付に加え教育訓練経費の10％（上限５万円）の追加給付が行われることとなりました。

2．専門実践教育訓練給付金

専門実践教育訓練修了後の賃金が受講開始前の賃金と比較して５％以上上昇した場合は、本体給付及び訓練に係る資格取得の場合の追加給付に加え教育訓練経費の10％（年間上限８万円）の追加給付が行われることとなりました。

➡ 第２章第４節で学習します。

## 2 教育訓練支援給付金の給付率引下げ

【令和７年４月１日施行】

教育訓練支援給付金の給付率が、基本手当の80％から60％に引き下げられることとなりました。

➡ 第２章第４節で学習します。

## 3 就業促進手当の見直し

【令和７年４月１日施行】

1．就業手当が廃止されることとなりました。

2．就業促進定着手当の給付上限が、従来の「支給残日数の40％（早期再就職者：30％）」から「一律支給残日数の20％」に引き下げられることとなりました。

第２章第４節で学習します。

## 4 高年齢雇用継続給付の最大給付率引下げ

【令和７年４月１日施行】

高年齢雇用継続給付の最大給付率が、支給対象月の賃金の15％から10％に引き下げられることとなりました。

第２章第４節で学習します。

## 5 出生後休業支援給付の創設

【令和７年４月１日施行】

子の出生直後の一定期間以内に、被保険者とその配偶者がそれぞれ14日以上の育児休業を取得した場合、被保険者の休業期間について28日間を限度に、通常の育児休業給付に「休業開始時賃金の13％相当額」を上乗せして受けられる出生後休業支援給付の仕組みが創設されました。

第２章第５節で学習します。

## 6 育児時短就業給付の創設

【令和７年４月１日施行】

被保険者が、２歳未満の子を養育するために、時短勤務をしている場合に、時短勤務中に支払われた賃金額の10％を受けられる育児時短就業給付の仕組みが創設されました。

第２章第５節で学習します。

## 7 自己都合退職者が、教育訓練等を自ら受けた場合の給付制限解除

【令和７年４月１日施行】

離職期間中や離職日前１年以内に、自ら雇用の安定及び就職の促進に資する教育訓練を受けた場合には、給付制限が解除されることとなりました。

第２章第６節で学習します。

# 本書の構成

本書は本試験で確実に合格できるだけの得点力を養うことに重点を置き、試験対策において必要とされる知識を整理、体系化して理解することができるよう構成しています。

**囲み条文**
選択式試験で狙われやすい条文等を囲んでいます。記載内容の重要度は★の数で表しており、★★★のものは、必ず確認しておきましょう。赤字は過去の本試験で論点となったキーワードや、これから出題が予想される重要語句です。それ以外の重要語句は黒太字にしています。

**重要度**
A、B、Cの３段階です。
A 試験頻出・改正点等の重要事項。必ずおさえる。
B 頻出箇所ではないが、おさえておきたい。合否の分かれ目。
C A、Bを優先とし、余裕があれば、見ておく。

※サンプル紙面です。実際の紙面とは異なる場合があります。

## ❷ 待期（法21条） 重要度 A

★★★

**基本手当**は、**受給資格者**が当該**基本手当**の**受給資格**に係る**離職後最初に公共職業安定所**に**求職の申込みをした日以後**において、**失業している日**（**疾病又は負傷のため職業に就くことができない日を含む**。）が**通算して７日に満たない間**は、支給しない。R元-選AB

**概要**

基本手当は、離職後最初に公共職業安定所に出頭し求職の申込みを行った日以後、失業している期間が通算７日に達するまでは、支給されない。この通算７日の期間を待期という。

公共職業安定所における失業（傷病のため職業に就くことができない場合を含む。）の認定があって初めて失業の日又は疾病若しくは負傷のため職業に就くことができない日として認められるものであるから、失業（傷病のため職業に就くことができない場合を含む。）の認定は待期の７日についても行われなければならない。H29-2A

（行政手引51102）

**Check Point!**

- □ 待期期間は継続してではなく通算して７日である。
- □ 傷病のために職業に就くことができない状態であっても待期は完成する。
- □ 待期は、１受給期間内に１回をもって足りるので、受給期間内に就職して新たな受給資格を取得することなく再び失業した場合には、最初の離職後において既に待期を満了している者については再び要求されない。（同上）
- □ 待期は、離職日から進行するのではなく、求職の申込みをした日から進行する。（行政手引51101）

**趣旨・沿革・概要**
条文等の趣旨、沿革、概要をまとめています。難解な条文等も、ここを読み込めばスムーズに理解できます。

**Check Point!**
本試験頻出事項などを箇条書きでまとめています。

**問題チェック** 過去の本試験問題から典型的な出題パターンを知るのに最適な問題をピックアップしています。確かな得点力を養うことができます。

・下線：問題のポイントになる論点には、下線を引いています。下線の引かれている箇所に注意しながらテキストを読み込むことで、日頃から問題文を「正しく」読む習慣をつけることができます。

・Advice：講師の視点で解答テクニック等を記載しています。

第１章 第２節　被保険者

**問題チェック** H7-1B

都道府県又は市町村の事業に雇用される者について雇用保険の適用を除外するためには、都道府県知事にあっては直接に、市町村長にあっては都道府県知事を経由して、雇用保険法を適用しないことについて厚生労働大臣に申請をし、その承認を受けることを要する。

**解答** ×　　法6条6号、則4条1項

市町村の事業に雇用される者について雇用保険の適用を除外するためには、当該市町村の長が法を適用しないことについて、都道府県労働局長に申請し、厚生労働大臣の定める基準によって、その承認を受けることが必要である（厚生労働大臣の承認ではなく、都道府県労働局長の承認を受ける必要がある）。

参考（兼営の場合）

事業主が適用事業に該当する部門（以下「適用部門」という。）と暫定任意適用事業に該当する部門（以下「非適用部門」という。）とを兼営している場合は、次によって取り扱う。

⑴**それぞれの部門が独立した事業と認められる場合**は、適用部門のみが適用事業となる。 H30-7イ R4-2C

⑵一方が他方の一部門にすぎず、**それぞれの部門が独立した事業と認められない場合**であって、主たる業務が適用部門であるときは、当該事業主の行う事業全体が適用事業となる。

（行政手引20106）

（一定期間５人未満になる場合）

のかきの養殖事業において、収穫期の７～８ヵ月間は、６～７人の労働者を雇用間は、１～２人の労働者を雇用するような事業所のように、年間を通じて事業が、事業が季節の影響を強く受け、一定期間雇用労働者が５人未満に減少するである場合には「常時５人以上」とは解されず、当該事業は暫定任意適用事業解される。

（昭和53.9.22雇保発32号）

**参考**

本文に関連する通達、判例等をまとめています。補足的な内容でもあるため、まずは本文を優先して読んでいきましょう。

**適用事業の保険関係**

用事業の事業主が、その事業に使用される労働者の２分の１以上の雇用保険の加入の申請をし、厚生労働大臣の認可があった場合に大臣の認可があった日に、雇用保険に係る保険関係が成立する。

任意適用事業の事業主は、その事業に使用される労働者の２分の１以上が希望するときは、雇用保険の加入の申請をしなければならない。

（徴収法附則２条）

**各種アイコン**

●**過去問番号** R6-1D

過去10年分の本試験出題実績です。

●**改正** 改正

直近の改正点で重要なところに付しています。

**巻末資料編について**

過去の本試験での出題実績こそ少ないものの、今後も出題可能性があるものを巻末資料編としてまとめています。まずは本文の学習を優先したうえで、余裕がある方は読み込んでおいてください。

# 本書の効果的な活用法

「よくわかる社労士」シリーズは、社労士試験の完全合格を実現するための、実践的シリーズです。条文ベースの学習を通して、本試験問題への対応力をスムーズにつけていくことができます。

## ◉よくわかる社労士シリーズ

### 『合格テキスト』全10冊＋別冊

### 『合格するための過去10年本試験問題集』全4冊

『合格テキスト』をご利用いただく際は、常に姉妹書『合格するための過去10年本試験問題集』の内容を引き合わせながら使用すると、学習効果が倍増します。

- **この問題文の論点は何か？**
- **この問題文の正誤を判断するために必要な要素は何か？**
- **この問題文の空欄には選択語群のうち、どうしてその語句等が適当とされるのか？**

を考えながら、本書を精読することで皆さんの受験勉強が「単に記憶する作業」から「問題文を比較考量して正解を選んでいく行動」へ変化していきます。

本書を最大限に活用して、「確実に合格ラインをこえる解答能力をつけて合格する」という能動的な学習スタイルを身につけていきましょう。

## ◉よくわかる社労士シリーズを活用した学習法

### ①まず、『合格するための過去10年本試験問題集』で、試験問題に目を通す。

**Check Point!**

- どんな問題文かをざっくりつかむことを意識する。
- 解けなくても気にしない！

### ②『合格テキスト』を科目ごとに読み込む。

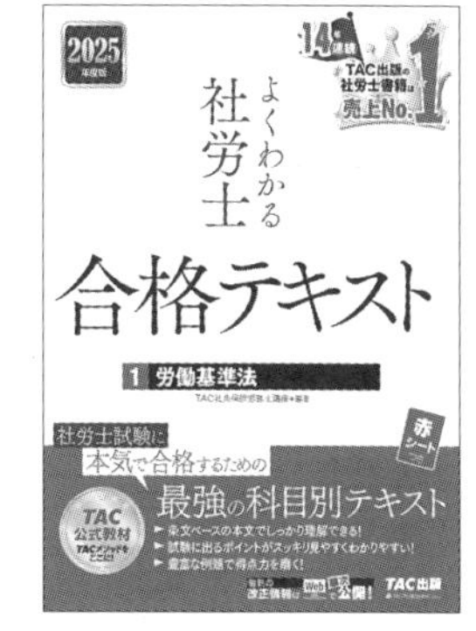


**Check Point!**

- 「過去問番号」が登場する都度、『合格するための過去10年本試験問題集』で該当問題を確認！
  本文の記載内容が、本試験でどのように出題されているかを同時並行で確認することができます。

- 論点を過去問番号の横に、一言で簡潔にメモ！
  テキストの記載内容を自分の知識に落とし込むには、この方法がとても効果的です。この書き込みを見れば問題文がなんとなく思い浮かぶようになると、解答力が格段にアップします。

によって決定すべきもので、
となく一個の事業とし、場所
業とすること。H26-1D
は、原則としてそれぞれ別個の
「場所的観念で決定しない」×
にする部門が存する場合に、
働者、労務管理等が明確に区
定めることによって労働基準

こうして全科目、ていねいに学習をしていけば、問題がスラスラ解けるようになる知識が身につきます。本シリーズをフル活用して、合格の栄冠を勝ち取っていきましょう。

# 本試験の傾向

過去10年間の出題項目は、次のようになっています。★が選択式試験、☆が択一式試験となっています。

| | H27 | H28 | H29 | H30 | R元 | R2 | R3 | R4 | R5 | R6 |
|---|---|---|---|---|---|---|---|---|---|---|
| 総　則 | | ★ | | | ☆ | | | | | |
| 適用事業 | | | | ☆ | | | | ☆ | | |
| 被保険者及び適用除外 | ☆ | | | ☆ | | ★☆ | ☆ | | ☆ | ★☆ |
| 被保険者の種類等 | | | ★☆ | | ☆ | ★☆ | | ☆ | | |
| 適用事業所に関する届出 | | ☆ | | | | ★☆ | | | | |
| 被保険者に関する届出 | | ☆ | ☆ | | | | | ★☆ | | ☆ |
| 失業等給付の種類 | | | ☆ | | | | | | | |
| 基本手当の受給資格要件 | ☆ | | ☆ | ★ | ☆ | | ★ | | | ☆ |
| 基本手当の受給手続 | | ☆ | | | ☆ | ☆ | ★ | | ☆ | ☆ |
| 基本手当日額 | | | | ☆ | ☆ | | | ★ | ☆ | |
| 基本手当の受給期間及び給付日数 | ☆ | ☆ | ☆ | ☆ | ★ | | ☆ | ☆ | ★ | |
| 延長給付 | ☆ | | | | | ☆ | | | ☆ | ★ |
| 一般被保険者に対する求職者給付 | | ☆ | | | | ☆ | | | ★ | ☆ |
| 高年齢被保険者に対する求職者給付 | ★ | | ☆ | | | | | ☆ | | |
| 短期雇用特例被保険者に対する求職者給付 | | | | | | | ☆ | | | |
| 日雇労働被保険者に対する求職者給付 | ★ | | | | | | | | ★ | |
| 就職促進給付 | | ★ | | ☆ | ☆ | ☆ | | | ☆ | ☆ |
| 教育訓練給付 | ★☆ | ☆ | ☆ | | ☆ | | ☆ | ★ | ☆ | |
| 雇用継続給付 | ☆ | | ☆ | ★☆ | ★☆ | | | ☆ | | ☆ |
| 育児休業等給付 | ☆ | | ☆ | | ★ | | ☆ | ☆ | ☆ | ★ |
| 通　則 | ★☆ | ☆ | ★☆ | | ☆ | | ☆ | | | ☆ |
| 不正受給による給付制限 | | | | | | ☆ | ☆ | | | ☆ |
| その他の給付制限 | | ☆ | ☆ | | | ☆ | | | | |
| 雇用保険二事業 | | ☆ | ★☆ | | ☆ | ☆ | | | | ☆ |
| 費用の負担 | | ★☆ | ☆ | | ☆ | | | | | |
| 不服申立て | | | | ☆ | ☆ | ☆ | | | | ☆ |
| 雑則等 | | ☆ | | | | ☆ | | ☆ | | |

# 目 次

はじめに ／ (3)　法改正ポイント講義 ／ (4)　本書の構成 ／ (6)
本書の効果的な活用法 ／ (8)　本試験の傾向 ／ (10)

第1章　総則・適用事業・被保険者等 ／ 1
第1節　総則・適用事業 ／ 3
1 総　則 …… 4
❶目的 A …… 4
❷管掌 A …… 5
❸労働政策審議会への諮問 B …… 6
❹離職・失業の定義 A …… 6
2 適用事業 …… 8
❶強制適用事業 A …… 8
❷暫定任意適用事業 A …… 9

第2節　被保険者 ／ 13
1 被保険者及び適用除外 …… 14
❶被保険者の定義 A …… 14
❷適用除外 A …… 18
2 被保険者の種類等 …… 23
❶種類 C …… 23
❷一般被保険者 B …… 23
❸高年齢被保険者 A …… 23
❹短期雇用特例被保険者 A …… 28
❺日雇労働被保険者 A …… 30
❻被保険者資格の確認 A …… 35

第3節　届　出 ／ 37
1 適用事業所に関する届出 …… 38
❶適用事業所設置（廃止）届 A …… 38
❷事業主事業所各種変更届 A …… 40
❸代理人選任・解任届 B …… 40
2 被保険者に関する届出 …… 42
❶被保険者に関する届出のまとめ A …… 42
❷日雇労働被保険者以外の被保険者に関する届出 A …… 43
❸日雇労働被保険者に関する届出等 A …… 55

第2章　失業等給付及び育児休業等給付／57
第1節　失業等給付及び育児休業等給付の種類／59
1 失業等給付の種類 …… 60
❶失業等給付の種類 A …… 60
❷求職者給付 A …… 61
❸就職促進給付 A …… 62
❹教育訓練給付 A …… 62
❺雇用継続給付 A …… 63
2 育児休業等給付の種類 …… 64
❶育児休業等給付 A …… 64

第2節　基本手当／65
1 基本手当の受給資格要件 …… 66
❶受給資格要件 A …… 66
❷受給資格要件の緩和 A …… 67
❸被保険者期間 A …… 72
2 基本手当の受給手続 …… 77
❶失業の認定 A …… 77
❷失業の認定日 A …… 83
❸基本手当の支給 A …… 87
3 基本手当日額 …… 89
❶賃金 A …… 89
❷賃金日額 A …… 90
❸基本手当日額 A …… 95
❹自動的変更 A …… 98
4 基本手当の受給期間及び給付日数 …… 100
❶受給期間 A …… 100
❷待期 A …… 112
❸所定給付日数 A …… 113
5 延長給付 …… 128
❶種類 C …… 128
❷訓練延長給付 A …… 128
❸個別延長給付 A …… 130
❹広域延長給付 A …… 133
❺全国延長給付 A …… 134
❻地域延長給付 A …… 135
❼延長給付に関する調整 A …… 136

## 第3節　基本手当以外の求職者給付／139


1 一般被保険者に対する求職者給付 ……… 140
❶ 技能習得手当 A ……… 140
❷ 寄宿手当 A ……… 141
❸ 傷病手当 A ……… 143
2 高年齢被保険者に対する求職者給付 ……… 148
❶ 高年齢求職者給付金 A ……… 148
3 短期雇用特例被保険者に対する求職者給付 ……… 153
❶ 特例一時金 A ……… 153
4 日雇労働被保険者に対する求職者給付 ……… 159
❶ 普通給付 A ……… 159
❷ 特例給付 A ……… 164
❸ 併給調整 A ……… 167


## 第4節　求職者給付以外の失業等給付／169


1 就職促進給付 ……… 170
❶ 就業促進手当の種類 A ……… 170
❷ 再就職手当 A ……… 172
❸ 就業促進定着手当 A ……… 177
❹ 常用就職支度手当 A ……… 180
❺ 移転費 A ……… 183
❻ 求職活動支援費 A ……… 186
2 教育訓練給付 ……… 192
❶ 教育訓練給付金制度 A ……… 192
❷ 支給要件 A ……… 193
❸ 支給要件期間 A ……… 196
❹ 支給額 A ……… 197
❺ 支給申請手続 A ……… 204
❻ 教育訓練支援給付金 A ……… 212
3 雇用継続給付 ……… 216
❶ 高年齢雇用継続給付 A ……… 216
❷ 高年齢雇用継続基本給付金 A ……… 217
❸ 高年齢再就職給付金 A ……… 226
❹ 介護休業給付金 A ……… 232


## 第5節　育児休業等給付／239


1 育児休業給付 ……… 240
❶ 育児休業給付金 A ……… 240
❷ 出生時育児休業給付金 A ……… 252

**2 出生後休業支援給付** …… 259
❶出生後休業支援給付金 A …… 259
**3 育児時短就業給付** …… 264
❶育児時短就業給付金 A …… 264

## 第6節　給付通則／269

**1 通　則** …… 270
❶受給権の保護 A …… 270
❷未支給の失業等給付 A …… 271
❸不正利得の返還命令等 A …… 272
**2 不正受給による給付制限** …… 274
❶求職者給付の給付制限 A …… 274
❷就職促進給付の給付制限 A …… 275
❸教育訓練給付の給付制限 A …… 276
❹雇用継続給付の給付制限 A …… 276
❺育児休業等給付の給付制限 A …… 277
**3 その他の給付制限** …… 280
❶その他の給付制限まとめ A …… 280
❷就職拒否等による給付制限 A …… 281
❸離職理由による給付制限 A …… 284

## 第3章　その他／289

**1 雇用保険二事業** …… 290
❶事業等の利用 A …… 290
❷雇用安定事業 A …… 290
❸能力開発事業 A …… 291
❹職業訓練受講給付金の支給 A …… 291
**2 費用の負担** …… 295
❶国庫負担 A …… 295
❷保険料 B …… 297
❸子ども・子育て支援納付金 A …… 298
**3 不服申立て** …… 299
❶労審法による不服申立て A …… 299
❷行政不服審査法による不服申立て A …… 302
**4 雑則等** …… 304
❶時効 A …… 304
❷事業主の責務 B …… 304
❸罰則 B …… 308

## 資料編／311

### 第1章　総則・適用事業・被保険者


1 船員に関する給付事務等 …… 312
2 在宅勤務者に係る事業所勤務労働者との同一性 …… 312
3 31日以上雇用されることが見込まれる者 …… 312
4 雇用関係に中断がある事例 …… 313
5 適用除外 …… 313
6 季節的に雇用される者の意義 …… 313
7 船員について …… 313
8 一般被保険者等に切り替えない者 …… 313
9 日雇労働被保険者であった者に係る被保険者期間の特例 …… 314
10 資格喪失日 …… 315
11 臨時的・一時的に週所定労働時間が20時間未満となる場合 …… 316
12 離職証明書の記載事項 …… 316


### 第2章　失業等給付


1 雇用継続交流採用職員であった期間 …… 316
2 認定手続 …… 316
3 自己の労働による収入 …… 317
4 遡及適用期間の特例 …… 317
5 個別延長給付・初回受給率 …… 319
6 広域延長給付・初回受給率 …… 320
7 全国延長給付・受給率等 …… 320
8 地域延長給付・「厚生労働省令で定める基準」 …… 320
9 移転費の支給額 …… 321


### 第3章　その他


1 雇用安定事業 …… 321
2 能力開発事業 …… 322

● 索引／324
● 条文索引／328

## 凡例

**本書において、法令名等は以下のように表記しています。**

| | | |
|---|---|---|
| **法** | → | 雇用保険法 |
| **法附則** | → | 雇用保険法附則 |
| **令** | → | 雇用保険法施行令 |
| **令附則** | → | 雇用保険法施行令附則 |
| **則** | → | 雇用保険法施行規則 |
| **則附則** | → | 雇用保険法施行規則附則 |
| **厚労告** | → | 厚生労働省告示 |
| **徴収法** | → | 労働保険の保険料の徴収等に関する法律 |
| **徴収法附則** | → | 労働保険の保険料の徴収等に関する法律附則 |
| **労審法** | → | 労働保険審査官及び労働保険審査会法 |
| **行審法** | → | 行政不服審査法 |
| **労働施策総合推進法** | → | 労働施策の総合的な推進並びに労働者の雇用の安定及び職業生活の充実等に関する法律 |
| **求職者支援法** | → | 職業訓練の実施等による特定求職者の就職の支援に関する法律 |
| **官民人事交流法** | → | 国と民間企業との間の人事交流に関する法律 |
| **行政手引** | → | 職業安定行政手引(雇用保険編) |
| **雇保発** | → | 職業安定局雇用保険課長名通達 |
| **職発** | → | 厚生労働省(旧労働省)職業安定局長名で発する通達 |

# 第1章

# 総則・適用事業・被保険者等

第1節　総則・適用事業

第2節　被保険者

第3節　届　出

# 第1章 第1節

# 総則・適用事業

## 1 総　則

❶ 目的

❷ 管掌

❸ 労働政策審議会への諮問

❹ 離職・失業の定義

## 2 適用事業

❶ 強制適用事業

❷ 暫定任意適用事業

# 総　則

## ① 目的（法1条、法3条）重要度A ★★★

Ⅰ　**雇用保険**は、**労働者**が**失業した場合**及び**労働者**について**雇用の継続が困難となる事由**が生じた場合に**必要な給付**を行うほか、**労働者**が**自ら職業に関する教育訓練を受けた場合**並びに**労働者**が**子を養育する**ための**休業**及び**所定労働時間を短縮**することによる**就業**をした場合に**必要な給付**を行うことにより、**労働者の生活及び雇用の安定を図る**とともに、**求職活動を容易**にする等その**就職を促進**し、あわせて、**労働者**の**職業の安定**に資するため、**失業の予防、雇用状態の是正及び雇用機会の増大、労働者**の**能力の開発及び向上**その他**労働者**の**福祉の増進を図る**ことを目的とする。改正　H28-選ABC

Ⅱ　**雇用保険**は、Ⅰの目的を達成するため、**失業等給付**及び**育児休業等給付**を行うほか、**雇用安定事業及び能力開発事業**を行うことができる。改正

**概要**

雇用保険では、保険給付として「失業等給付」及び「育児休業等給付」が支給されており、このうち失業等給付は、求職者給付、就職促進給付、教育訓練給付及び雇用継続給付で構成されている。

また、附帯事業として雇用保険二事業が行われており、当該事業は、雇用安定事業及び能力開発事業で構成されている。

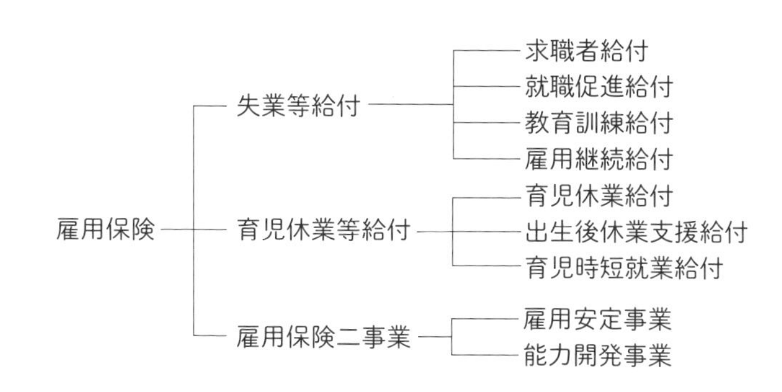


## ② 管掌（法2条、法81条、令1条、則1条1項、2項） 重要度 A

★★★

Ⅰ　**雇用保険**は、**政府**が**管掌**する。

Ⅱ　**雇用保険**の**事務の一部**は、政令で定めるところにより、**都道府県知事**が**行うこととすることができる**。

Ⅲ　**雇用保険法**に定める**厚生労働大臣**の**権限**は、厚生労働省令で定めるところにより、**その一部**を**都道府県労働局長**に**委任することができる**。

Ⅳ　Ⅲの規定により**都道府県労働局長**に**委任**された**厚生労働大臣**の**権限**は、厚生労働省令で定めるところにより、**公共職業安定所長**に**委任することができる**。

Ⅴ　ⅢⅣの規定により、法第7条［被保険者に関する届出］、第9条第1項［被保険者資格の得喪の確認］、第37条の5第1項、第2項及び第4項［高年齢被保険者の特例に係る申出・通知］並びに第38条第2項［短期雇用特例被保険者該当・不該当の確認］の規定による**厚生労働大臣**の**権限**は、**都道府県労働局長**に**委任**され、その**委任**された**権限**は、更に**公共職業安定所長**に**委任**されている。

Ⅵ　Ⅱの規定により、法第63条第1項第1号に掲げる**能力開発事業**のうち職業能力開発促進法に規定する計画に基づく**職業訓練**を行う**事業主**及び職業訓練の推進のための活動を行う同法第13条［認定職業訓練の実施］に規定する**事業主等**（中央職業能力開発協会を除く。）

に対する**助成**の事業の実施に関する事務は、**法定受託事務**として、**都道府県知事**が行うこととする。

**概要**

雇用保険に関する事務の所轄は次の通りである。

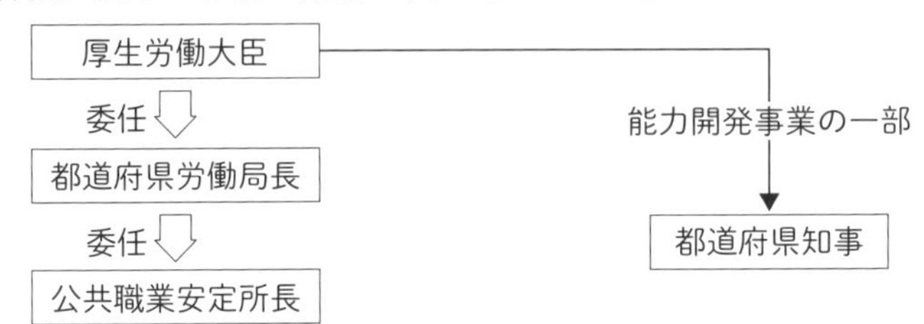


**参考** 雇用保険に関する事務（労働保険徴収法施行規則第１条第１項に規定する労働保険関係事務を除く。）のうち、都道府県知事が行う事務は、雇用保険法第５条第１項に規定する適用事業の事業所の所在地を管轄する都道府県知事が行う。 R元-4A　（則１条３項）

## ③ 労働政策審議会への諮問（法72条） 重要度 B

★★

Ⅰ　**厚生労働大臣**は、**雇用保険法**の施行に関する**重要事項について決定**しようとするときは、**あらかじめ**、**労働政策審議会**の**意見を聴か**なければならない。 R4-7C

Ⅱ　**労働政策審議会**は、**厚生労働大臣**の**諮問**に応ずるほか、必要に応じ、**雇用保険事業の運営**に関し、**関係行政庁**に**建議**し、又はその**報告を求める**ことができる。

## ④ 離職・失業の定義（法4条2項、3項） 重要度 A

★★★

Ⅰ　**雇用保険法**において「**離職**」とは、**被保険者**について、**事業主との雇用関係**が**終了**することをいう。

Ⅱ　**雇用保険法**において「**失業**」とは、**被保険者**が**離職**し、**労働の意思及び能力**を**有するにもかかわらず**、**職業に就く**ことが**できない状態**にあることをいう。

**Check Point!**

□ 雇用保険法における「失業」とは、単に職業に就いていない状態を指すのではなく、労働の意思及び能力を有するにもかかわらず、職業に就くことができない状態にあることをいう。

### 1. 雇用関係

「雇用関係」とは、民法第623条の規定による雇用関係のみでなく、労働者が事業主の支配を受けて、その規律の下に労働を提供し、その提供した労働の対償として事業主から賃金、給料その他これらに準ずるものの支払を受けている関係をいう。（行政手引20004）

参考 雇用保険法における「労働者」とは、事業主に雇用され、事業主から支給される賃金によって生活している者、及び事業主に雇用されることによって生活しようとする者であって現在その意に反して就業することができないものをいう。（同上）

### 2. 労働の意思

「労働の意思」とは、就職しようとする積極的な意思をいう。すなわち、安定所に出頭して求職の申込みを行うのはもちろんのこと、受給資格者自らも積極的に求職活動を行っている場合に労働の意思ありとするものである。（行政手引51202）

### 3. 労働の能力

「労働の能力」とは、労働（雇用労働）に従事し、その対価を得て自己の生活に資し得る精神的・肉体的及び環境上の能力をいうのであり、受給資格者の労働能力は、安定所において本人の体力、知力、技能、経歴、生活環境等を総合してその有無を判断するものである。（行政手引51203）

### 4. 職業に就くことができない状態

「職業に就くことができない状態」とは、安定所が受給資格者の求職の申込みに応じて最大の努力をしたが就職させることができず、また、本人の努力によっても就職できない状態をいう。（行政手引51204）

# 適用事業

## ① 強制適用事業（法５条１項） 重要度A ★★★

**雇用保険法**においては、**労働者が雇用される事業**を**適用事業**とする。

**Check Point!**

□ 労働者を１人でも雇用する事業については、原則として、雇用保険の適用事業となる。
なお、雇用保険の適用事業には、日本人以外の事業主が日本国内において行う事業（外国人経営の事業）も含まれる。 R4-2D （行政手引20051）

**・「事業」「事業主」の意義**

「事業」とは、反復継続する意思をもって業として行われるものをいうが、法において事業とは、一の経営組織として独立性をもったもの、すなわち、一定の場所において一定の組織のもとに有機的に相関連して行われる一体的な経営活動がこれに当たる。

したがって、事業とは、経営上一体をなす本店、支店、工場等を総合した企業そのものを指すのではなく、個々の本店、支店、工場、鉱山、事務所のように、一つの経営組織として独立性をもった経営体をいう。 R4-2E

「事業主」とは、当該事業についての法律上の権利義務の主体となるものをいい、したがって、雇用関係については、雇用契約の一方の当事者となるものである。事業主は、自然人であると、法人であると又は法人格がない社団若しくは財団であるとを問わない。法人又は法人格がない社団若しくは財団の場合は、その法人又は社団若しくは財団そのものが事業主であって、その代表者が事業主となるのではない。また、事業主が数事業を行っている場合、各事業の責任者は事業主ではなく、委任を受けて事業主の代理人となり得るにとどまる。 R4-2A

なお、雇用保険に係る保険関係及び労災保険に係る保険関係の成立している事業のうち建設の事業については、徴収法第８条の規定による請負事業の一括が行われた場合であっても、被保険者に関する届出の事務等、法の規定に基づく事務については、元請負人、下請負人がそれぞれ別個の事業主として処理しなければならない。 R4-2B （行政手引20002）

参考 事業主は、雇用保険法の規定により行うべき被保険者に関する届出その他の事務を、その事業所ごとに処理しなければならない。雇用保険に関する事務をその事業所ごとに処理するとは、例えば、資格取得届、資格喪失届等を事業所ごとに作成し、これらの届出等は個々の事業所ごとにその事業所の所在地を管轄する公共職業安定所の長に提出すべきであるという趣旨である。したがって、現実の事務を行う場所が個々の事業所である必要はなく、例えば、本社において事業所ごとに書類を作成し、事業主自らの名をもって提出することは差し支えない。この場合には、各届書の事業所欄には必ず個々の事業所の所在地を記載し、事業主住所氏名欄には、その本社の所在地及び事業主の氏名を記載するものである。 H30-7ア （則３条、行政手引22001）

## ② 暫定任意適用事業（法附則２条１項、令附則２条） 重要度A

★★★

次のⅰⅱに掲げる事業（**国、都道府県、市町村**その他これらに準ずるものの事業、**法人**である事業主の事業及び**常時５人以上の労働者を雇用する事業**を**除く**。）は、当分の間、第５条第１項［適用事業］の規定にかかわらず、**任意適用事業**とする。

ⅰ **土地の耕作**若しくは**開墾又は植物の栽植、栽培、採取**若しくは**伐採**の事業その他**農林の事業**

ⅱ **動物の飼育**又は**水産動植物の採捕**若しくは**養殖の事業**その他**畜産、養蚕又は水産の事業**（**船員が雇用される事業**を**除く**。）

**Check Point!**

□ 次の３つの要件を満たす事業が暫定任意適用事業となる。

① 個人経営（法人、国、地方公共団体等が経営する事業でない）

② 農林水産業（船員が雇用される事業を除く）

③ 常時５人未満の労働者を雇用

### 1. 法人

「法人」とは、私法人、公法人、特殊法人、公益法人、営利法人（会社）等を問わず、法人格のある社団、財団のすべてが含まれる。 （行政手引20104）

### 2. 常時５人以上

「常時５人以上」とは、一の事業において雇用する労働者の数が年間を通じて５人以上であることをいう。したがって、ごく短期間のみ行われる事業、あるいは一定の季節にのみ行われる事業（いわゆる季節的事業）は、通常「常時５人以上」には該当しない。また、労働者の退職等により労働者の数が５人未満となった場合であっても、事業の性質上速やかに補充を要し、事業の規模等からみて５人未満の状態が一時的であると認められるときは、５人以上として取り扱う。また、事業主が数事業を行っている場合においては、その個々の事業について５人以上であるか否かを判断する。

「５人」の計算に当たっては、**雇用保険法の適用を受けない労働者も含めて計算する**。したがって日雇労働者も含めて計算する。ただし、法の適用を受けない労働者のみを雇用する事業主の事業については、その数のいかんにかかわらず、適用事業として取り扱う必要はない。 H30-7ウ

（行政手引20105）

参考 （兼営の場合）
事業主が適用事業に該当する部門（以下「適用部門」という。）と暫定任意適用事業に該当する部門（以下「非適用部門」という。）とを兼営している場合は、次によって取り扱う。

(1)**それぞれの部門が独立した事業と認められる場合**は、適用部門のみが適用事業となる。

H30-7イ R4-2C

(2)一方が他方の一部門にすぎず、**それぞれの部門が独立した事業と認められない場合**であって、主たる業務が適用部門であるときは、当該事業主の行う事業全体が適用事業となる。

（行政手引20106）

（一定期間５人未満になる場合）
個人経営のかきの養殖事業において、収穫期の７～８ヵ月間は、６～７人の労働者を雇用し、他の期間は、１～２人の労働者を雇用するような事業所のように、年間を通じて事業は行われるが、事業が季節の影響を強く受け、一定期間雇用労働者が５人未満に減少することが通例である場合には「常時５人以上」とは解されず、当該事業は暫定任意適用事業に当たると解される。

（昭和53.9.22雇保発32号）

## 3. 暫定任意適用事業の保険関係

暫定任意適用事業の事業主が、その事業に使用される労働者の２分の１以上の同意を得て、雇用保険の加入の申請をし、厚生労働大臣の認可があった場合には、厚生労働大臣の認可があった日に、雇用保険に係る保険関係が成立する。

また、暫定任意適用事業の事業主は、その事業に使用される労働者の２分の１以上が希望するときは、雇用保険の加入の申請をしなければならない。

（徴収法附則２条）

## 問題チェック H15-1A

個人経営の水産の事業で、年間を通じて事業は行われるが、季節の影響を強く受け、繁忙期の８か月間は７人の労働者を雇用し、残りの４か月間は２人の労働者を雇用するのが通例である場合、暫定任意適用事業となる。

**解答** ○　法附則２条１項２号、令附則２条、行政手引20105、昭和53.9.22雇保発32号

設問の場合は、常時５人以上とは解されず、設問の事業は暫定任意適用事業に当たると解される。

# 第1章 第2節

# 被保険者

## 1 被保険者及び適用除外

❶ 被保険者の定義

❷ 適用除外

## 2 被保険者の種類等

❶ 種類

❷ 一般被保険者

❸ 高年齢被保険者

❹ 短期雇用特例被保険者

❺ 日雇労働被保険者

❻ 被保険者資格の確認

# 被保険者及び適用除外

## ① 被保険者の定義（法４条１項）重要度A ★★★

**雇用保険法**において「**被保険者**」とは、**適用事業**に**雇用される労働者**であって、第６条各号［**適用除外**］**に掲げる者以外**のものをいう。

**Check Point!**

□ 同時に２以上の雇用関係にある労働者については、原則として、当該２以上の雇用関係のうち一の雇用関係についてのみ被保険者となる。

### 1．労働者性の判断を要する場合

#### (1) 取締役及び社員、監査役、協同組合等の社団又は財団の役員

① 株式会社の取締役は、原則として、被保険者としない。取締役であって同時に会社の部長、支店長、工場長等従業員としての身分を有する者は、**報酬支払等の面からみて労働者的性格の強い者であって、雇用関係があると認められるものに限り被保険者となる**。H30-2C

② **代表取締役は被保険者とならない**。R6-1A　（行政手引20351）

**参考**（監査役）
監査役については、会社法上、従業員との兼職禁止規定（会社法335条２項）があるので、被保険者とならない。ただし、名目的に監査役に就任しているに過ぎず、常態的に従業員として事業主との間に明確な雇用関係があると認められる場合はこの限りでない。
R5-1A

（合名会社等の社員）
合名会社、合資会社又は合同会社の社員は株式会社の取締役と同様に取り扱い、原則として被保険者とならない。

（有限会社の取締役）
有限会社の取締役は、株式会社の取締役と同様に取り扱い、会社を代表する取締役については、被保険者としない（なお、平成18年５月１日の会社法施行に伴い、現在は、新たに有限会社を設立することはできない。）。

（農業協同組合等の役員）
農業協同組合、漁業協同組合等の役員は、雇用関係が明らかでない限り被保険者とならない。その他の法人又は法人格のない社団若しくは財団（例：NPO法人）の役員は、雇用関係が明らかでない限り被保険者とならない。H27-1A H30-2D　（同上）
（企業組合の組合員）
中小企業等協同組合法に基づく企業組合の組合員は、組合との間に中小企業等協同組合法

に基づく組合関係が存在することはもちろんであるが、次の２つの要件を満たしている場合で、企業組合と組合員との間において組合関係とは別に雇用関係も存在することが明らかに認められる場合は、被保険者となる。R6-1D

(1) 組合と組合員との間に使用従属の関係があること。すなわち、組合員が組合の行う事業に従事し、組合に労働を提供する場合に、組合員以外の者で組合の行う事業に従事する者と同様に組合の支配に服し、その規律の下に労働を提供していること。

(2) 組合との使用従属関係に基づく労働の提供に対し、その対償として賃金が支払われていること。（行政手引20351）

### (2) 旅館、料理店、飲食店、その他接客業又は娯楽場の事業に雇用される者

事業主との間に雇用関係のない者（場所又は衣類の賃借の料金、食費等その者の稼働に関係なく当該事業主に一定額を支払い、自営業若しくは自前と認められる者を含む。）は、被保険者とならないが、その他の者は、雇用関係の存在する限り、被保険者となる。（同上）

### (3) 家事使用人

家事使用人は被保険者とならない。ただし、適用事業に雇用されて**主として家事以外の労働に従事することを本務とする者**は、家事に使用されることがあっても被保険者となる。R5-1B（同上）

### (4) 同居の親族

**個人事業の事業主と同居している親族は、原則として被保険者としない。**

（同上）

参考（同居の親族・被保険者としない場合）
法人の代表者と同居している親族については、通常の被保険者の場合の判断と異なるものではないが、形式的には法人であっても、**実質的には**代表者の個人事業と同様と認められる場合（例えば、個人事業が税金対策等のためにのみ法人としている場合、株式や出資の全部又は大部分を当該代表者やその親族のみで保有して取締役会や株主総会等がほとんど開催されていないような状況にある場合のように、**実質的に**法人としての活動が行われていない場合）があり、この場合は、個人事業主と同居の親族の場合と同様、原則として被保険者としない。（同上）

（同居の親族・被保険者として取り扱う場合）R5-1C
同居の親族であっても、次の条件を満たすものについては、被保険者として取り扱う。
①業務を行うにつき、**事業主の指揮命令に従っていることが明確**であること。
②**就業の実態**が当該事業所における**他の労働者と同様**であり、賃金もこれに応じて支払われていること。
③事業主と利益を一にする地位（取締役等）にないこと。（同上）

### (5) 在宅勤務者

在宅勤務者（労働日の全部又はその大部分について事業所への出勤を免除され、かつ、自己の住所又は居所において勤務することを常とする者をいう。）については、**事業所勤務労働者との同一性**が確認できれば原則として被保険者となりうる。H30-2A（同上）

### (6) 生命保険会社の外務員等

生命保険会社の外務員、損害保険会社の外務員、証券会社の外務員、金融

会社、商社等の外務員等については、その職務の内容、服務の態様、給与の算出方法等の実態により判断して雇用関係が明確である場合は、被保険者となる。H27-1E　(行政手引20351)

⑺　**授産施設の作業員**

授産施設は、身体上若しくは精神上の理由又は世帯の事情により就業能力の限られている者、雇用されることが困難な者等に対して、就労又は技能の習得のために必要な機会及び便宜を与えて、その自立を助長することを目的とする社会福祉施設であり、その作業員（**職員は除く**。）は、原則として、被保険者とならない。H30-2E　(同上)

## 2. 労働者の特性・状況を考慮して判断する場合

⑴　**2以上の事業主の適用事業に雇用される者**

同時に2以上の雇用関係にある労働者については、原則として、当該2以上の雇用関係のうち**一の雇用関係**（原則として、**その者が生計を維持するに必要な主たる賃金を受ける**雇用関係とする。）**についてのみ被保険者となる**。

(行政手引20352)

**参考**（在籍出向等）
適用事業に雇用される労働者が、その雇用関係を存続したまま他の事業主に雇用されること（いわゆる在籍出向）となったことにより、又は事業主との雇用関係を存続したまま労働組合の役職員となったこと（いわゆる在籍専従）により同時に2以上の雇用関係を有することとなった場合については、その者が**生計を維持するに必要な主たる賃金を受ける一の雇用関係すなわち主たる雇用関係についてのみ、その被保険者資格を認める**こととなる。
ただし、その者につき、主たる雇用関係がいずれにあるかの判断が困難であると認められる場合、又はこの取扱いによっては雇用保険の取扱い上、引き続き同一の事業主の適用事業に雇用されている場合に比し著しく差異が生ずると認められる場合には、その者の選択するいずれか一の雇用関係について、被保険者資格を認めることとしても差し支えない。
(同上)

（無断欠勤のままの再就職）
被保険者が前事業所を無断欠勤したまま他の事業主の下に再就職したため、同時に2以上の事業主の適用事業に雇用されることとなった場合は、いずれの雇用関係について被保険者資格を認めるかを、上記⑴及び（在籍出向等）に準じて判断し、新たな事業主との雇用関係が主たるものであると認められるときには、喪失日の確認が困難なことから、後の事業主の下に雇用されるに至った日の前日を前の事業主との雇用関係に係る離職日として取り扱う。(同上)

⑵　**引き続き長期にわたり欠勤している者**

労働者が長期欠勤している場合であっても、雇用関係が存続する限り賃金の支払を受けていると否とを問わず被保険者となる。H30-2B　R6-1C

上記の期間は、基本手当の所定給付日数等を決定するための基礎となる**算定基礎期間に算入**される。R3-3C　(同上)

### (3) 退職金制度のある適用事業に雇用される者

求職者給付及び就職促進給付の内容を上回るような退職金制度のある適用事業に雇用される者であっても、被保険者となる。 （行政手引20352）

### (4) 国外で就労する者

適用事業に雇用される労働者が事業主の命により日本国の領域外において就労する場合の被保険者資格は、次のとおりである。

| | |
|---|---|
| ① その者が日本国の領域外に**出張**して就労する場合 | **被保険者となる** |
| ② その者が日本国の領域外にある適用事業主の支店、出張所等に**転勤**した場合 | **被保険者となる** |
| ③ その者が日本国の領域外にある他の事業主の事業に**出向**し、雇用された場合 | 国内の出向元事業主との**雇用関係が継続している限り被保険者となる** |

上記①②③により被保険者とされる者については、特段の事務処理は必要なく、従前の適用事業に雇用されているものとして取り扱う。なお、**現地で採用**される者は**国籍のいかんにかかわらず被保険者とならない**。 （同上）

### (5) 在日外国人

日本国に在住する外国人は、外国公務員及び外国の失業補償制度の適用を受けていることが立証された者を除き、国籍（無国籍を含む。）のいかんを問わず被保険者となる。 （同上）

**参考** (ワーキング・ホリデー制度による入国者)
ワーキング・ホリデー制度による入国者は、主として休暇を過ごすことを目的として入国し、その休暇の付随的な活動として旅行資金を補うための就労が認められるものであることから、被保険者とならない。 R5-1D （同上）

(外国人技能実習生)
諸外国の青壮年労働者が、我が国の産業職業上の技術・技能・知識を習得し、母国の経済発展と産業育成の担い手となるよう、日本の民間企業等に技能実習生（在留資格「技能実習１号イ」、「技能実習１号ロ」、「技能実習２号イ」及び「技能実習２号ロ」の活動に従事する者）として受け入れられ、技能等の修得をする活動を行う場合には、受入先の事業主と雇用関係にあるので、被保険者となる。 R5-1E
ただし、入国当初に雇用契約に基づかない講習〔座学（見学を含む）により実施され、実習実施期間の工場の生産ライン等商品を生産するための施設における機械操作教育や安全衛生教育は含まれない。〕が行われる場合には、当該講習期間中は受入先の事業主と雇用関係にないので、被保険者とならない。 （同上）

### (6) 船員

適用事業に雇用される船員は被保険者となる。なお、船員については、船員でない労働者と同様、１週間の所定労働時間が20時間未満である船員については、被保険者として取り扱わない。 （同上）

**参考**（事業主に雇用されつつ自営業を営む者等）
適用事業の事業主に雇用されつつ自営業を営む者又は他の事業主の下で委任関係に基づきその事務を処理する者（雇用関係にない法人の役員等）については、当該適用事業の事業主の下での就業条件が被保険者となるべき要件を満たすものである場合には、被保険者として取り扱う。 R6-1B （行政手引20352）

## ② 適用除外（法6条、法43条4項、則3条の2、平成22年厚労告154号） 重要度A

★★★

次に掲げる者については、雇用保険法は、適用しない。

i　**1週間の所定労働時間**が**20時間未満である者**（第37条の5第1項［**高年齢被保険者の特例**］の規定による申出をして**高年齢被保険者となる者**及び雇用保険法を適用することとした場合において第43条第1項に規定する**日雇労働被保険者**に該当することとなる者を**除く**。） R2-選A R6-選E

ii　**同一の事業主の適用事業に継続して31日以上雇用されることが見込まれない者**（**前2月の各月**において**18日以上同一の事業主の適用事業に雇用された者**及び**日雇労働者**であって第43条第1項各号［**日雇労働被保険者**となる要件］のいずれかに該当するものに該当することとなる者を**除く**。） R2-選B

iii　**季節的に雇用される者**であって、次のいずれかに該当するもの（**日雇労働被保険者**に該当することとなる者を**除く**。）

ⓘ　**4箇月以内の期間を定めて雇用される者**

ⓘⓘ　**1週間の所定労働時間が20時間以上30時間未満である者** R6-選E

iv　学校教育法第1条、第124条又は第134条第1項の**学校の学生又は生徒**であって、iからiiiに掲げる者に準ずるものとして厚生労働省令で定める次のⓘからⓘⓥの者以外のもの

ⓘ　**卒業を予定している者**であって、**適用事業**に**雇用**され、**卒業した後も引き続き当該事業に雇用**されることとなっているもの

ⓘⓘ　**休学中の者**

ⓘⓘⓘ　**定時制の課程に在学する者**

ⅳ ⅰからⅲに準ずる者として**厚生労働省職業安定局長**が定めるもの

ⅴ **船員法第1条に規定する船員**（船員法に規定する予備船員とみなされる者を含む。以下「船員」という。）であって、**漁船**（政令で定めるものに限る。）に乗り組むため雇用される者（**1年を通じて船員として適用事業に雇用**される場合を**除く**。）

ⅵ **国、都道府県、市町村**その他これらに準ずるものの事業に雇用される者のうち、離職した場合に、他の法令、条例、規則等に基づいて支給を受けるべき**諸給与の内容**が、**求職者給付及び就職促進給付の内容を超えると認められる者**であって、厚生労働省令で定めるもの

**Check Point!**

- □ いわゆるパートタイム労働者や登録型派遣労働者についても、週所定労働時間が20時間以上であり、同一の事業主の適用事業に継続して31日以上雇用されることが見込まれる場合は、被保険者となる。
- □ 国家公務員又は行政執行法人の職員の場合は、適用除外の承認手続は特に要しない。

### 1. 上記ⅰについて

「1週間の所定労働時間」とは、就業規則、雇用契約書等により、その者が通常の週に勤務すべきこととされている時間をいう。この場合の「通常の週」とは、祝祭日及びその振替休日、年末年始の休日、夏季休暇等の特別休日（すなわち、週休日その他概ね1か月以内の期間を周期として規則的に与えられる休日以外の休日）を含まない週をいう。（行政手引20303）

**参考**（1週間の所定労働時間の算定方法）

①4週5休制等の週休2日制等1週間の所定労働時間が短期的かつ周期的に変動し、通常の週の所定労働時間が一通りでないときは、1週間の所定労働時間は、それらの平均（加重平均）により算定された時間とし、また、所定労働時間が1か月の単位で定められている場合には、当該時間を12分の52で除して得た時間を1週間の所定労働時間とする。R3-1BC

②①の場合において、夏季休暇等のため、特定の月の所定労働時間が例外的に長く又は短く定められているときは、当該特定の月以外の通常の月の所定労働時間を12分の52で除して得た時間を1週間の所定労働時間とする。このとき、通常の月の所定労働時間が一通りでないときは、上記①に準じてその平均を算定すること。

また、所定労働時間が1年間の単位でしか定められていない場合には、当該時間を52

で除して得た時間を1週間の所定労働時間とする。
なお、労使協定等において「1年間の所定労働時間の総枠は○○時間」と定められている場合のように、所定労働時間が1年間の単位で定められている場合であっても、さらに、週又は月を単位として所定労働時間が定められている場合には、上記によらず、当該週又は月を単位として定められた所定労働時間により1週間の所定労働時間を算定すること。 R3-1D

③雇用契約書等により1週間の所定労働時間が定まっていない場合やシフト制などにより直前にならないと勤務時間が判明しない場合については、勤務実績に基づき平均の所定労働時間を算定すること。 R3-1A
また、雇用契約書等における1週間の所定労働時間と実際の勤務時間に常態的に乖離がある場合であって、当該乖離に合理的な理由がない場合は、原則として実際の勤務時間により判断する。具体的には、事業所における入職から離職までの全期間を平均して1週間あたりの通常の実際の勤務時間が概ね20時間以上に満たず、そのことについて合理的な理由がない場合は、原則として1週間の所定労働時間は20時間未満であると判断し、被保険者とならない。 R3-1E （行政手引20303）

## 2. 上記ⅱについて

同一の事業主の適用事業に継続して**31日以上**雇用される見込みがない者は適用除外とされるが、日雇労働被保険者になることはある。また、後述するが、日雇労働者であって、前2月の各月において18日以上同一の事業主の適用事業に雇用された者は一般被保険者、高年齢被保険者又は短期雇用特例被保険者となる。

なお、当初の雇入れ時に31日以上雇用されることが見込まれない場合であっても、雇入れ後において、雇入れ時から31日以上雇用されることが見込まれることとなった場合には、その時点から一般被保険者又は高年齢被保険者となる。派遣労働者についても同様に取り扱う。 H27-1B （同上）

**参考** 次の⑴から⑶のいずれかに該当する場合は、雇用保険法でいう「同一の事業主」とし、被保険者資格は存続するものとして、取り扱うこととされている。

⑴株式会社が会社更生法による更生手続開始決定を受けた場合のように、単に会社の名称、組織等に形式的変更がなされたにとどまる場合 （行政手引22701、22702）

⑵以下①又は②のように、新事業主が旧事業主の権利義務を会社法等によって包括承継する場合
①会社が合併（吸収合併でも新設合併でもよい）した場合
②個人事業主に相続があった場合 （行政手引22702）

⑶事業の譲渡の場合のように、新旧両事業の資本金、資金、人事、事業の内容等に密接な関係があり、新旧両事業に実質的な同一性が認められる場合 （同上）

## 3. 上記ⅲについて

次の者は、適用除外とされるが、これらに該当するものであっても日雇労働被保険者になることはある。

| **季節的**に雇用される者で、かつ、**4箇月以内**の期間を定めて雇用されるもの | あるいは | **季節的**に雇用される者で、かつ、週所定労働時間が**20時間以上30時間未満**であるもの |
|---|---|---|

### 4. 上記ivについて

**昼間学生**（学校教育法に規定する学校等の学生又は生徒等であって大学の夜間学部及び高等学校の夜間等の定時制の課程の者等以外のもの）については、**夜間等において就労した場合を含めて**、適用除外とされるが、以下の者については適用される。 R6-1E

① 卒業見込証明書を有する者であって、卒業前に就職し、**卒業後も引き続き当該事業に勤務する予定のもの**

② **休学中**の者（この場合は、その事実を証明する文書の提出を求める。） H27-1C

③ 事業主の命により又は事業主の承認を受け（雇用関係を存続したまま）、大学院等に在学する者（社会人大学院生など）

④ その他一定の出席日数を課程終了の要件としない学校に在学する者であって、当該事業において同種の業務に従事する他の労働者と同様に勤務し得ると認められるもの（この場合は、その事実を証明する文書の提出を求める。）

（行政手引20303）

### 5. 上記ⅴについて

政令で定める漁船（特定漁船以外の漁船）に乗り組むために雇用される船員については、**１年を通じて適用事業に雇用される場合を除き**適用除外とされる。

**参考** 漁業に関する試験、調査、指導、練習又は取締業務に従事する漁船等の「特定漁船」については、１年間を通じて稼働するため適用される。また、特定漁船以外の漁船に乗り組む船員であっても、１年を通じて船員として雇用される場合には適用される。

（令２条、行政手引20303）

### 6. 上記viについて

国、都道府県、市町村等の事業に雇用される者で雇用保険法が適用除外されるものは、次の通りである。

なお、都道府県等又は市町村等の事業に雇用される者について、雇用保険の適用除外の承認申請がなされた場合には、**承認申請がなされた日**から当該者には雇用保険法が適用されず、承認しない旨の決定があったときは、その**承認申請がなされた日**にさかのぼって雇用保険法が適用される。 R2-1C （則４条２項）

<table>
<tr><th></th><th>適用除外の要件</th><th>手　続</th></tr>
<tr><td>国・行政執行法人の事業に雇用される者※1</td><td rowspan="3">離職時に支給を受けるべき諸給与＞求職者給付・就職促進給付</td><td>承認は不要 H27-1D</td></tr>
<tr><td>都道府県等の事業に雇用される者</td><td>都道府県等の長が申請し厚生労働大臣の承認を受ける</td></tr>
<tr><td>市町村等の事業※2に雇用される者</td><td>市町村等の長が申請し都道府県労働局長の承認を受ける（当該承認は厚生労働大臣の定める基準による）</td></tr>
</table>

※1　非常勤職員であって、国家公務員退職手当法の規定により職員とみなされない者を除く。

※2　学校等が法人である場合には、その事務所を除く。　（則4条1項）

## 問題チェック H7-1B

都道府県又は市町村の事業に雇用される者について雇用保険の適用を除外するためには、都道府県知事にあっては直接に、市町村長にあっては都道府県知事を経由して、雇用保険法を適用しないことについて厚生労働大臣に申請をし、その承認を受けることを要する。

**解答** ×　法6条6号、則4条1項

市町村の事業に雇用される者について雇用保険の適用を除外するためには、当該市町村の長が法を適用しないことについて、都道府県労働局長に申請し、厚生労働大臣の定める基準によって、その承認を受けることが必要である（厚生労働大臣の承認ではなく、都道府県労働局長の承認を受ける必要がある）。

# 被保険者の種類等



## ❶ 種類 重要度 C

★

雇用保険法の被保険者は、その就労の実態に応じて、次の４種類に分類される。

ｉ　一般被保険者

ⅱ　高年齢被保険者

ⅲ　短期雇用特例被保険者

ⅳ　日雇労働被保険者

## ❷ 一般被保険者（法60条の2,1項1号） 重要度 B

★★

**被保険者**のうち、**高年齢被保険者**、**短期雇用特例被保険者**及び**日雇労働被保険者以外**のものを**一般被保険者**という。

## ❸ 高年齢被保険者 重要度 A

### 1 高年齢被保険者（法37条の2,1項）

★★★

**65歳以上**の被保険者（第38条第１項に規定する**短期雇用特例被保険者**及び第43条第１項に規定する**日雇労働被保険者**を**除く**。）を**高年齢被保険者**という。

・高年齢被保険者に該当することとなるケース

(1)　**65歳に達した日以後に被保険者として雇用された場合**

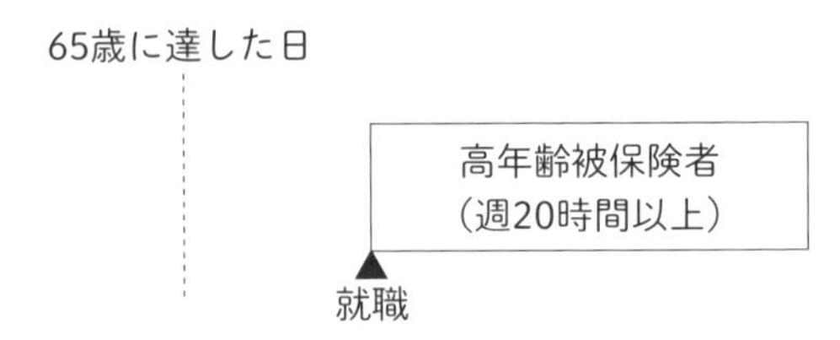


(2)　**65歳に達した日以後に雇用された者で雇用された時点では被保険者の要件を満たさず、その後に被保険者の要件を満たした場合**

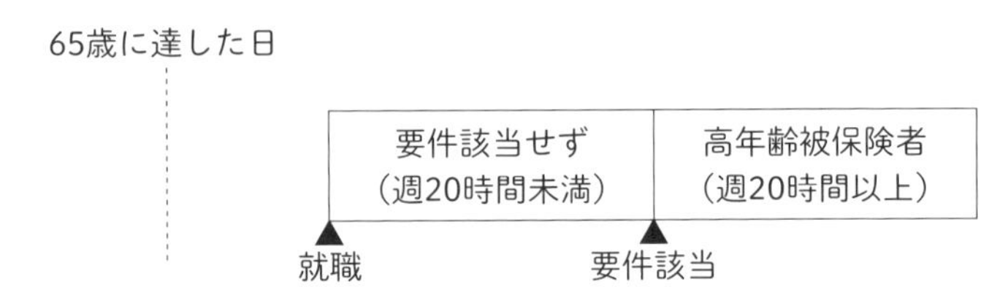


(3)　**一般被保険者が65歳に達した日前から引き続いて65歳に達した日以後において雇用されるに至った場合**

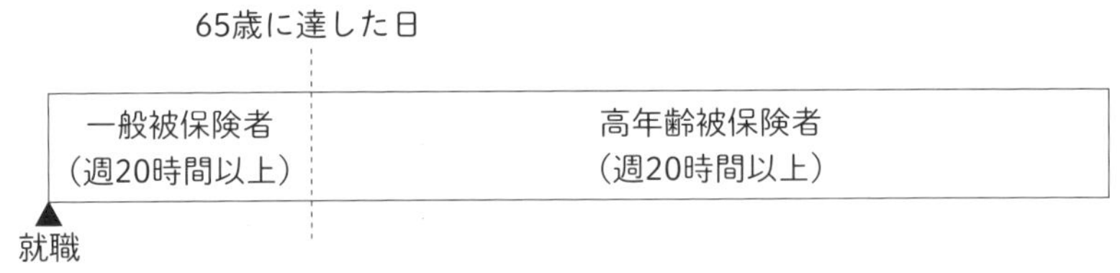


(4)　**65歳に達した日前から雇用されていても一般被保険者でなかった者が65歳に達した日以後に被保険者の要件を満たした場合**

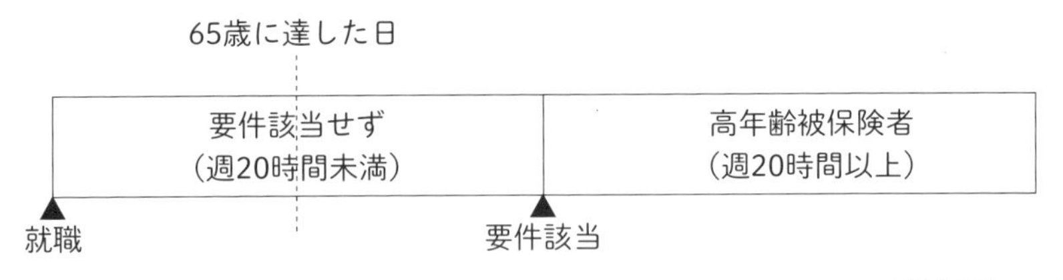


（行政手引20401）

## 2 高年齢被保険者の特例（法37条の5、則1条5項1号カッコ書、則65条の6,4項、則65条の7、則65条の8,1項、5項）

★★★

Ⅰ　次に掲げる要件のいずれにも該当する者は、一定の事項を記載した届書に労働契約に係る契約書、労働者名簿、賃金台帳その他の当該事項を証明することができる書類を添えて、**個人番号登録届**と併せて**管轄公共職業安定所の長**に提出することによって、**厚生労働大臣に申し出て**、当該**申出を行った日**から高年齢被保険者（**特例高年齢被保険者**）となることができる。

ⅰ　**二以上の事業主の適用事業に雇用される65歳以上**の者であること。R4-1E

ⅱ　**一の事業主**の適用事業における1週間の所定労働時間が**20時間未満**であること。

ⅲ　**二の事業主**の適用事業（**申出を行う労働者の一の事業主の適用事業における**1週間の所定労働時間が**5時間以上**であるものに限る。）における1週間の所定労働時間の合計が**20時間以上**であること。R4-1C

Ⅱ　Ⅰの規定により**高年齢被保険者となった者**は、Ⅰⅰⅱⅲの要件を満たさなくなったときは、**当該事実のあった日の翌日から起算して10日以内**に、一定の事項を記載した届書に当該要件を満たさなくなったことの事実及びその事実のあった年月日を証明することができる書類を添えて**管轄公共職業安定所の長**に提出することによって、**厚生労働大臣に申し出**なければならない。R4-1C

Ⅲ　ⅠⅡの規定による申出を行った労働者については、第9条第1項の規定による**確認**が行われたものとみなす。

Ⅳ　**厚生労働大臣**は、Ⅰ又はⅡの規定による申出があったときは、Ⅰⅲの**二の事業主**に対し、当該労働者が被保険者となったこと又は被保険者でなくなったことを**通知**しなければならない。

Ⅴ　事業主は、Ⅰ又はⅡの申出を行おうとする者から当該申出を行うために**必要な証明**を求められたときは、**速やかに証明**しなければならない。

**概要**

複数の事業主に雇用される65歳以上の労働者（Ⅰの要件に該当する場合に限る）が、**本人の申出に基づき**、高年齢被保険者（特例高年齢被保険者）となることができることとされた（令和4年1月1日施行）。

なお、特例高年齢被保険者となろうとする者又はなった者について合算した週の所定労働時間等の就業状況を、その雇用する事業主が把握し、各種の手続を行うことは困難であるため、通常事業主がその事業所を管轄する公共職業安定所に対して行う雇用保険に関する事務について、当該**労働者本人が本人の住居所を管轄する公共職業安定所に対して行う**こととされている。

また、高年齢求職者給付金に係る賃金日額の算定においては、**離職した適用事業において支払われた賃金のみ**を算定基礎とし、特例高年齢被保険者に係る**介護休業給付及び育児休業等給付**については、**全ての事業所において休業や時短就業をしていること**が要件とされ、さらに、原則として**雇用安定事業等**における各種助成金の**算定対象としない**こととされた。R4-1A

### 1. 被保険者資格を取得する日

特例高年齢被保険者となる日は申出を行った日であり、遡及による資格確認は行わない。

（行政手引1070）

### 2. 被保険者資格を喪失する日

特例高年齢被保険者は、二の事業主の適用事業の両方又はいずれか一方を**離職した日の翌日**又は**死亡した日の翌日**に被保険者資格を喪失する。

なお、労働条件の変更等により、一の事業主の適用事業における週所定労働時間が5時間未満又は20時間以上となった場合や二の事業主の適用事業における週所定労働時間の合計が20時間未満となった場合においては、当該**事実のあった日**において被保険者資格を喪失する。

（行政手引1080）

### 3. 確認請求による確認の取扱い

特例高年齢被保険者としての被保険者資格の取得及び喪失は、本人からの申出を契機として行われるものであるため、法第8条の規定に基づく確認の請求を行うことはできない。

（行政手引1360）

### 4. 上記Ⅱの申出について

(1)　上記Ⅱの申出を行う者は、特例高年齢被保険者の要件を満たさなくなった理由が**離職**であるときは、上記Ⅱに係る届書に、上記Ⅱに規定する書類のほか、次の①②に掲げる者の区分に応じ、当該①②に定める書類を添えなければならない。ただし、当該届書を提出する際に当該特例高年齢被保険者が**離職票の交付を希望しないとき**は、この限りでない。

| | |
|---|---|
| ① ②に該当する者以外の者 | 離職証明書及び賃金台帳その他の離職の日前の賃金の額を証明することができる書類 |
| ② 第35条各号に掲げる者又は第36条各号に掲げる理由により離職した者（倒産・解雇等離職者） | ①に定める書類及び第35条各号に掲げる者であること又は第36条各号に掲げる理由により離職したことを証明することができる書類 |

(2) **特例高年齢被保険者を雇用する事業主**は、当該特例高年齢被保険者が、**死亡**その他のやむを得ない理由として職業安定局長が定めるものにより特例高年齢被保険者でなくなったときは、当該事実のあった日の翌日から起算して10日以内に、上記Ⅱに係る届書を提出しなければならない。

（則65条の8,2項、4項）

## 5. 三以上の事業主と雇用契約を結んでいた場合の取扱い

三以上の事業主（事業主a、b、c）でそれぞれの事業主との雇用契約が5時間以上20時間未満である場合、このうち二の事業主（事業主a、b）によって特例高年齢被保険者資格を取得し、そのうちの一の事業主（事業主b）で離職しても、残る二の事業主（事業主a、c）で週の所定労働時間の合計が20時間以上となるのであれば、引き続き特例高年齢被保険者として取り扱う。（行政手引1230）

**参考**（特例高年齢被保険者に対する転勤届の特例）

1. 特例高年齢被保険者は、その雇用される事業主の一の事業所から他の事業所に転勤したときは、当該事実のあった日の翌日から起算して10日以内に、一定の事項を記載した届書に労働者名簿その他の転勤の事実及びその事実のあった年月日を証明することができる書類を添えて管轄公共職業安定所の長に提出しなければならない。この場合において、当該特例高年齢被保険者を雇用する事業主については、第13条第1項［転勤届］の規定は、適用しない。
2. 事業主は、1.の規定による届出をしようとする者から当該届出をするために必要な証明を求められたときは、速やかに証明しなければならない。（則65条の10,1項、3項）

（特例高年齢被保険者に対する個人番号変更届の特例）
特例高年齢被保険者は、その個人番号が変更されたときは、速やかに、個人番号変更届を管轄公共職業安定所の長に提出しなければならない。この場合において、当該特例高年齢被保険者を雇用する事業主については、第14条［個人番号変更届］の規定は、適用しない。（則65条の11）

（特例高年齢被保険者に対する休業開始時賃金証明書の特例）

1. 特例高年齢被保険者は、法第61条の4第1項に規定する介護休業を開始したときは介護休業給付金支給申請書の提出をする日までに、法第61条の7第1項に規定する育児休業（同一の子について**2回以上**の法第61条の7第1項に規定する育児休業をした場合にあっては、**初回**の育児休業に限る。）を開始したときは育児休業給付受給資格確認票・（初回）育児休業給付金支給申請書又は**育児休業給付受給資格確認票・出生時育児休業給付金支給申請書**の提出をする日までに、休業開始時賃金証明書に労働者名簿、賃金台帳その他の当該休業を開始した日及びその日前の賃金の額並びに雇用期間を証明することができる書類を添えて管轄公共職業安定所の長に提出しなければならない。この場合において、当該特例高年齢被保険者を雇用する事業主については、第14条の２第１項［休業開始時賃金証明書］の規定は、適用しない。

２．公共職業安定所長は、1.の規定により休業開始時賃金証明書の提出を受けたときは、当該休業開始時賃金証明書に基づいて作成した休業開始時賃金証明票を当該特例高年齢被保険者に交付しなければならない。

３．事業主は、1.の規定による届出をしようとする者から当該届出をするために必要な証明を求められたときは、速やかに証明しなければならない。

（則65条の12,1項、３項、４項）

（特例高年齢被保険者に対する雇用安定事業等の特例）
第４章［雇用安定事業等］において、特例高年齢被保険者は、この省令に別段の定めがある場合を除き、第３条に規定する被保険者でないものとみなす。（則65条の14）

# ④ 短期雇用特例被保険者

## （法38条1項、平成22年厚労告154号） 重要度A

**被保険者**であって、**季節的に雇用される**もののうち次のⅰⅱのいずれにも**該当しない者**（**日雇労働被保険者**を**除く**。）を**短期雇用特例被保険者**という。

ⅰ　**４箇月以内**の期間を定めて雇用される者

ⅱ　**１週間の所定労働時間**が**20時間以上30時間未満**である者

**概要**

次の要件をすべて満たした者が短期雇用特例被保険者となる。

(1)　季節的に雇用される者であること
(2)　**４箇月以内**の期間を定めて雇用される者ではないこと
(3)　週所定労働時間が**30時間以上**であること
(4)　日雇労働被保険者ではないこと

### 1．定められた期間を超えて引き続き同一の事業主に雇用されるに至った場合

**４箇月**以内の期間を定めて季節的に雇用される者が、その定められた期間を超えて引き続き同一の事業主に雇用されるに至ったときは、その**定められた期間を超えた日から被保険者資格を取得**する。R2-選E

**【例1】** 例えば、季節的業務に3箇月契約で雇用された者が引き続き雇用されるに至った場合は、4箇月目の初日から被保険者資格を取得する。

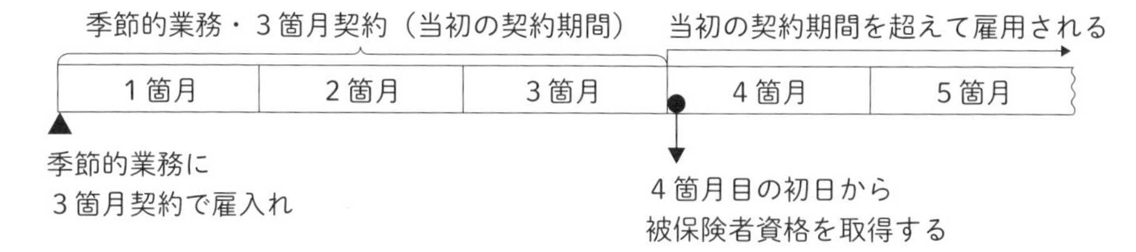


**【例2】** ただし、当初定められた期間を超えて引き続き雇用される場合であっても、当初の期間と新たに予定された雇用期間が通算して**4箇月**を超えない場合には、被保険者資格を取得しない。R2-選E

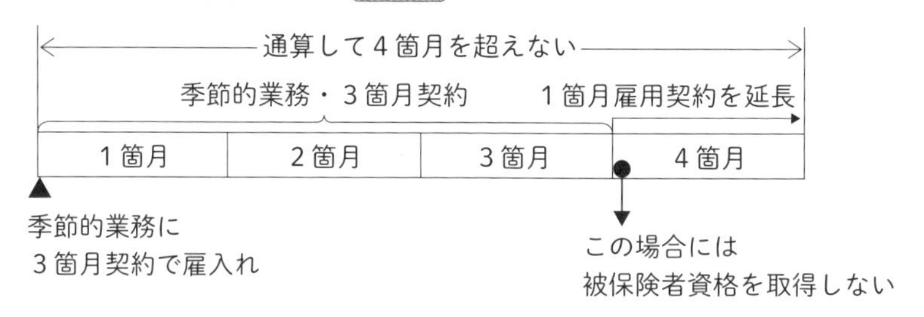


（行政手引20555）

## 2. 一般被保険者等への切替

短期雇用特例被保険者が、**同一の事業主に引き続いて1年以上雇用**されるに至ったときは、その**1年以上雇用されるに至った日**（**切替日**）**以後**は、次のようになる。

なお、短期雇用特例被保険者の場合、受給要件の緩和が認められる期間（疾病、負傷、出産等により引き続き30日以上賃金の支払いを受けることができなかった期間）があったときは、当該賃金の支払いを受けることができなかった期間を除いた雇用期間が1年以上となった日が切替日となる。（行政手引20451）

⑴ **切替日に65歳未満の者は、一般被保険者となる。**

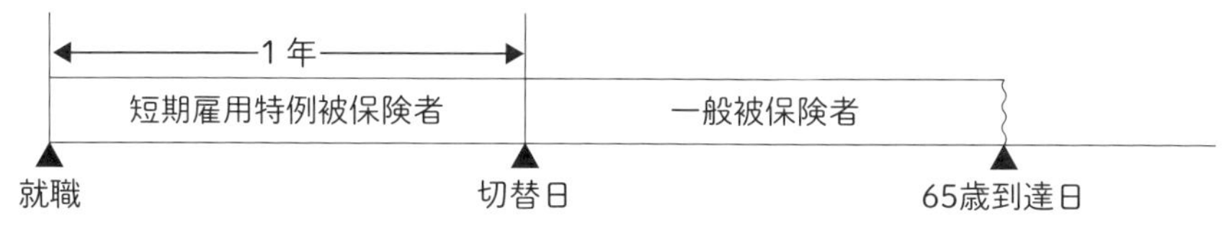

⑵　**切替日に65歳以上である者は、高年齢被保険者となる。**

**【例１】**

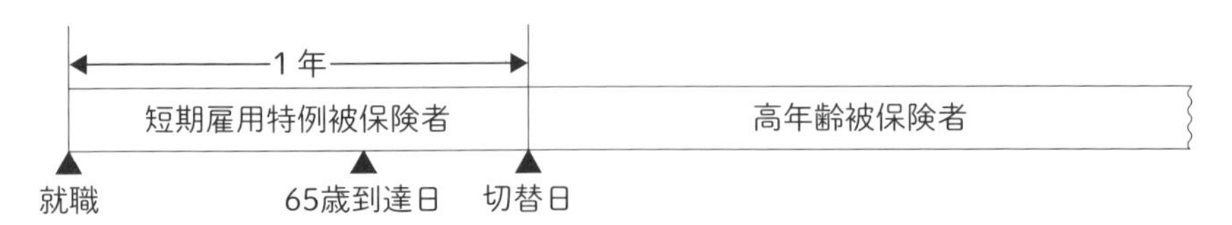


**【例２】**

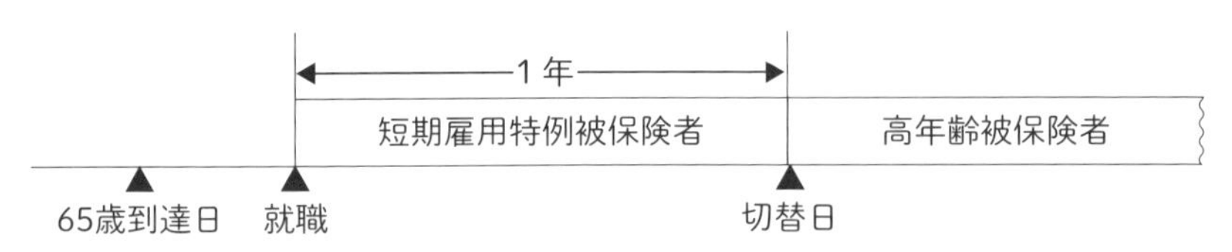


（行政手引20451）

**問題チェック** H10-1E

短期雇用特例被保険者が、引き続いて１年以上雇用されるに至ったときであっても、その１年の期間内に、勤めていた株式会社が合併した場合又は会社更生法による更生手続開始決定を受けた場合は、同一の事業主に引き続いて１年以上雇用されていると認められないため、一般被保険者に切り替わらない。

**解答** ×　行政手引20451、22701、22702

会社が合併した場合又は更生手続開始の決定を受けた場合は、雇用保険法の規定における「同一の事業主」とされる。したがって、設問の場合、同一の事業主に引き続き１年以上雇用されていると認められ、一般被保険者に切り替わる可能性がある。

# ⑤ 日雇労働被保険者 重要度A

## 1 日雇労働者（法42条、法43条２項）

★★★

**日雇労働者**とは、次のｉⅱのいずれかに該当する労働者〔**前２月の各月**において**18日以上同一の事業主の適用事業に雇用された者**及び**同一の事業主の適用事業**に**継続して31日以上雇用された者**（**公共職業安定所長**による**日雇労働被保険者資格継続の認可**を受けた者を**除く**。）を除く。〕をいう。

i　**日々雇用される者**
ii　**30日以内の期間を定めて雇用される者**

**概要**

日雇労働者の要件をまとめると、次の通りとなる。

| 日雇労働者 | | 左記①又は②に該当する場合でも以下の者は日雇労働者にはならない |
|---|---|---|
| ①　日々雇用される者<br>②　30日以内の期間を定めて雇用される者 |  | ・前2月の各月において18日以上同一の事業主の適用事業に雇用された者※<br>・同一の事業主の適用事業に継続して31日以上雇用された者※ |

※　これらに該当する者であっても、公共職業安定所長による日雇労働被保険者資格継続の認可を受けた場合については、日雇労働者となる。

**Check Point!**

□「日々雇用される者」だけでなく「30日以内の期間を定めて雇用される者」についても、所定の要件に該当すれば日雇労働者になる。

## 2 日雇労働被保険者（法43条1項）

★★

**被保険者**である**日雇労働者**であって、次のｉからⅳのいずれかに該当するものを**日雇労働被保険者**という。

i　**適用区域に居住**し、**適用事業に雇用**される者
ii　**適用区域外の地域に居住**し、**適用区域内にある適用事業に雇用**される者
iii　**適用区域外の地域に居住**し、**適用区域外の地域にある適用事業**であって、**日雇労働の労働市場の状況その他の事情に基づいて厚生労働大臣が指定したものに雇用**される者
iv　ｉからⅲに掲げる者のほか、厚生労働省令で定めるところにより**公共職業安定所長の認可**［**日雇労働被保険者任意加入**の**認可**］

を受けた者

**趣旨**

日雇労働者の就労形態等の特殊性から、日雇労働被保険者となる日雇労働者の範囲を、公共職業安定所を日々利用できるか否かといった観点から地理的に一定の制限を加えている。すなわち、日雇労働者は、その雇用の形態上一般の被保険者と異なり、失業の認定を受けようとする日について日々公共職業安定所に出頭しなければならないこととなっているので、その適用に当たっては、制度的、地理的な特別の状況から、保険料を納付しても失業の認定を受けることができないという不合理な事態が生じないよう、公共職業安定所に日々出頭することが可能な地域に限ることとしている。

**参考**「適用区域」とは、次の区域を指す。
⑴東京都の特別区
⑵公共職業安定所の所在する市町村の区域（厚生労働大臣が指定する交通の不便な区域を除く。）
⑶上記⑴又は⑵に隣接する市町村の全部又は一部の区域（厚生労働大臣の指定する交通の便利な区域に限る。）
（行政手引90002）

## 3 一般被保険者等への切替等（法43条２項）

### 1．一般被保険者等への切替

**⑴ 日雇労働被保険者が２月の各月において18日以上同一の事業主の適用事業に雇用された場合**

２月の各月において18日以上同一の事業主の適用事業に雇用されたその翌月（切替月）以後は、原則的には次のようになる。

**① 切替月の初日に65歳未満の者は、一般被保険者又は短期雇用特例被保険者となる。**

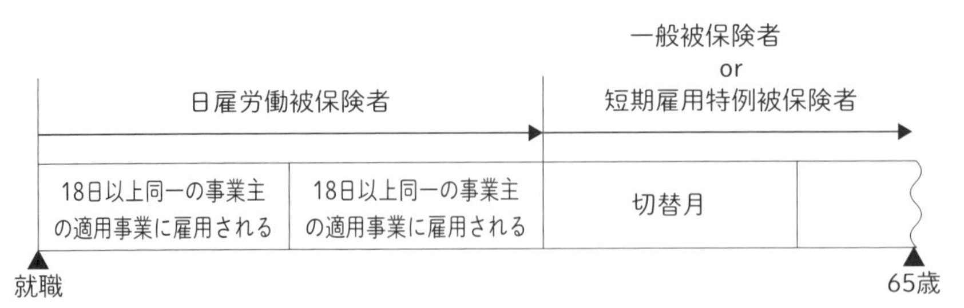

**② 切替月の初日に65歳以上である者は、高年齢被保険者又は短期雇用特例被保険者となる。**

**【例１】**

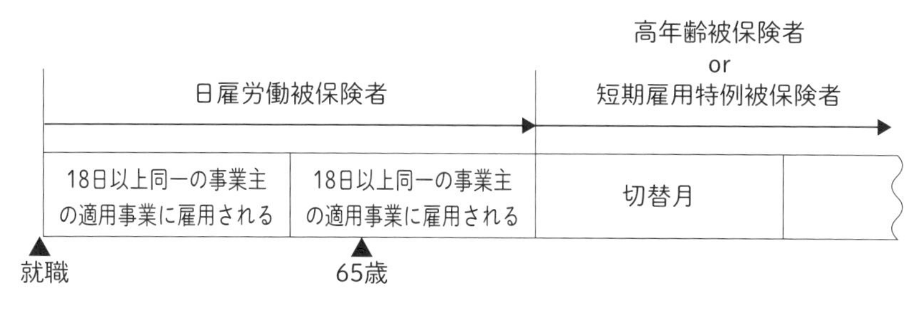


**【例２】**

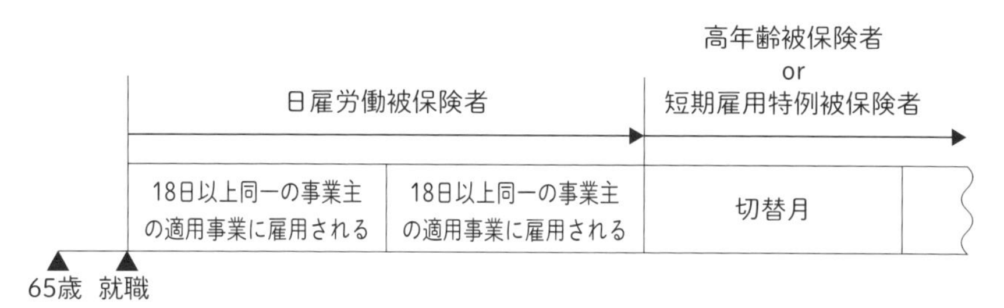


（行政手引90251）

**⑵ 日雇労働被保険者が同一の事業主の適用事業に継続して31日以上雇用された場合**

同一の事業主の下での雇用が31日以上継続するに至った日（**切替日**）**以後**は、原則的には次のようになる。

**① 切替日に65歳未満の者は、一般被保険者又は短期雇用特例被保険者となる。**

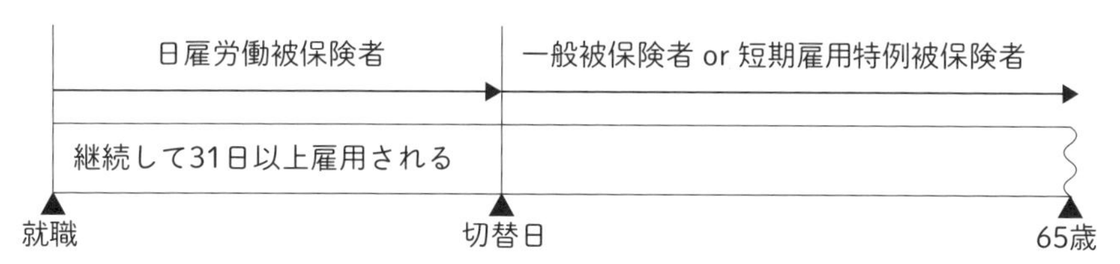

② **切替日に65歳以上である者は、高年齢被保険者又は短期雇用特例被保険者となる。**

【例１】

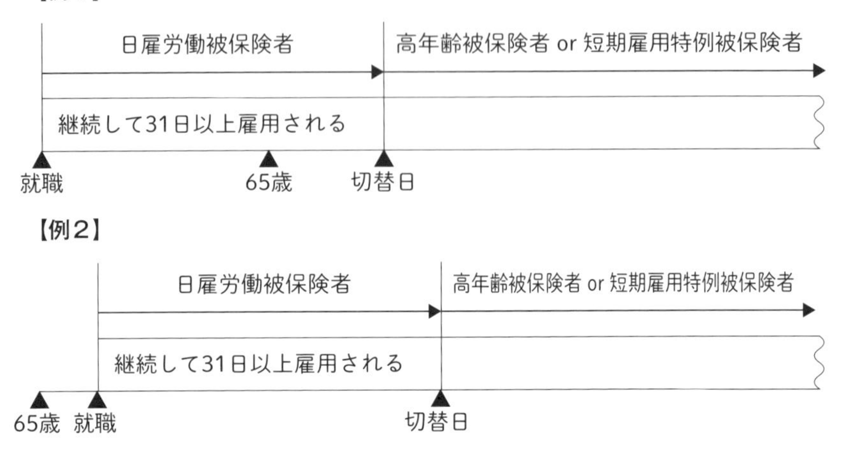


（行政手引90251）

## ２．日雇労働被保険者の資格継続

日雇労働被保険者が前２月の各月において18日以上同一の事業主の適用事業に雇用された場合又は同一の事業主の適用事業に継続して31日以上雇用された場合において、**公共職業安定所長**による**日雇労働被保険者資格継続の認可**を受けたときは、その者は、引き続き、日雇労働被保険者となることができる。H29-選BC

## ３．認可申請

日雇労働被保険者資格継続の認可の申請は、その者が前２月の各月において18日以上雇用された又は継続して31日以上雇用された適用事業の事業所の所在地を管轄する公共職業安定所の長又はその者の住所又は居所を管轄する公共職業安定所（管轄公共職業安定所）の長に対し、日雇労働被保険者資格継続認可申請書に日雇労働被保険者手帳を添えて、当該事業所の事業主を経由して提出することにより行わなければならない。（則74条１項）

# ❻ 被保険者資格の確認 重要度A

## 1 資格の確認（法7条、法8条、法9条1項、法38条2項、法43条4項）

★★★

Ⅰ **事業主**は、厚生労働省令で定めるところにより、その雇用する労働者に関し、当該**事業主**の行う**適用事業**に係る**被保険者となったこと**、当該**事業主**の行う**適用事業**に係る**被保険者でなくなったこと**その他厚生労働省令で定める事項を**厚生労働大臣に届け出**なければならない。

Ⅱ **被保険者又は被保険者であった者**は、いつでも、Ⅲの規定による**確認を請求**することができる。

Ⅲ **厚生労働大臣**は、Ⅰの規定による届出若しくはⅡの規定による**請求**により、又は**職権**で、**労働者**が**被保険者となったこと又は被保険者でなくなったこと**の**確認**を行うものとする。H29-3A

Ⅳ **被保険者**が**短期雇用特例被保険者**に該当するかどうかの**確認**は、**厚生労働大臣**が行う。

Ⅴ **日雇労働被保険者**に関しては、ⅠからⅣまでの規定は、**適用しない**。

**概要**

日雇労働被保険者を除き、被保険者となったこと又は被保険者でなくなったことの確認は次の事由に基づいて、厚生労働大臣（公共職業安定所長に委任）が行う。R元-4D

(1) **事業主からの**被保険者となったこと又は被保険者でなくなったことに関する**届出**

(2) **労働者の請求**

(3) **公共職業安定所長の職権**

(2)の確認の請求は、**文書又は口頭**で、確認請求に係る被保険者資格の取得の日においてその者が雇用されていた事業主の**事業所の所在地を管轄する公共職業安定所の長**に対して行う。H29-3B

（則1条1項、2項、則8条1項、2項、行政手引23522）

**Check Point!**

□ 被保険者に関する事業主の届出及び資格の得喪の確認の規定は、日雇労働者には適用されない。H29-3C

## ２ 確認の通知（則９条、則11条、則66条２項）

★★

Ⅰ　**公共職業安定所長**は、法第９条第１項の規定による**労働者**が**被保険者となったこと又は被保険者でなくなったことの確認**をしたときは、それぞれ、**雇用保険被保険者資格取得確認通知書**又は**雇用保険被保険者資格喪失確認通知書**により、その旨を当該**確認に係る者**及びその者を**雇用**し、又は**雇用**していた**事業主に通知**しなければならない。この場合において、当該**確認に係る者に対する通知**は、当該**事業主を通じて**行うことができる。

Ⅱ　**公共職業安定所長**は、当該**確認に係る者**又は当該**事業主の所在が明らかでない**ためにⅠの規定による**通知**をすることができない場合においては、当該**公共職業安定所**の**掲示場**に、その**通知**すべき事項を記載した**文書を掲示**しなければならない。H29-3E

Ⅲ　Ⅱの規定による**掲示**があった日の翌日から起算して**７日**を経過したときは、Ⅰの規定による**通知**があったものとみなす。

Ⅳ　**公共職業安定所長**は、資格取得届又は資格喪失届の提出があった場合において、**被保険者となったこと**又は**被保険者でなくなったことの事実がないと認める**ときは、その旨を被保険者となったこと又は被保険者でなくなったことの事実がないと認められた者及び当該届出をした**事業主に通知**しなければならない。R2-1B

Ⅴ　上記Ⅰ後段、Ⅱ及びⅢの規定はⅣの通知について準用する。

Ⅵ　上記ⅠからⅢの規定は、短期雇用特例被保険者の確認について準用する。

# 第1章 第3節

# 届　出


1 適用事業所に関する届出
❶ 適用事業所設置（廃止）届
❷ 事業主事業所各種変更届
❸ 代理人選任・解任届
2 被保険者に関する届出
❶ 被保険者に関する届出のまとめ
❷ 日雇労働被保険者以外の被保険者に関する届出
❸ 日雇労働被保険者に関する届出等

# 適用事業所に関する届出

## ① 適用事業所設置（廃止）届（則141条）重要度A

★★★

Ⅰ　**事業主**は、**事業所を設置**したとき、又は**事業所を廃止**したときは、所定の事項を記載した届書をその**設置又は廃止の日の翌日**から起算して**10日以内**に、**事業所の所在地を管轄する公共職業安定所の長**に提出しなければならない。H28-1B

Ⅱ　Ⅰの規定によりその事業所の所在地を管轄する公共職業安定所の長に提出する届書は、**年金事務所を経由**して提出することができる。

Ⅲ　Ⅰの規定によりその事業所の所在地を管轄する公共職業安定所の長に提出する届書は、次のⅰⅱに掲げる区分に応じ、当該ⅰⅱに定める届書と併せて提出する場合には、その事業所の所在地を管轄する**労働基準監督署長又は年金事務所を経由**して提出することができる。

| | |
|---|---|
| ⅰ　Ⅰの規定による**適用事業所設置届** | ・健康保険法・厚生年金保険法に基づく**新規適用届**<br>・徴収法に基づく**保険関係成立届**（有期事業、労働保険事務組合に労働保険事務の処理が委託されている事業及び二元適用事業に係るものを除く。） |
| ⅱ　Ⅰの規定による**適用事業所廃止届** | ・健康保険法・厚生年金保険法に基づく**適用事業所全喪届** |

・**記載事項及び添付書類** H28-1B

適用事業所設置（廃止）届には、次の事項を記載しなければならない。

⑴　事業所の名称及び所在地

⑵　事業の種類

⑶　被保険者数

⑷　事業所を設置し、又は廃止した理由

⑸　事業所を設置し、又は廃止した年月日

なお、適用事業所設置（廃止）届には、登記事項証明書、賃金台帳、労働者名簿その他上記の記載事項を証明することができる書類を添えなければならない。

（則141条）

**参考**（事業所が分割された場合の手続）

１の事業所が２の事業所に分割された場合は、次のような事務手続が必要となる。

(1)分割された２の事業所のうち主たる事業所については分割前の事業所と同一のものとして取り扱うので、事業所の名称、所在地の変更等を伴わない限り、特段の事務手続は不要である。H28-1E

(2)分割された２の事業所のうち従たる事業所については、適用事業所設置届の提出を要する。

なお、この場合、主たる事業所に係る被保険者についての事務手続は不要であるが、従たる事業所に係る被保険者については転勤届の提出を要する。（行政手引22101、22102）

（事業所が統合された場合の手続）

２の事業所が１の事業所に統合された場合は、次のような事務手続が必要となる。

(1)統合前の２の事業所のうち主たる事業所については統合後の事業所と同一のものとして取り扱うので、事業所の名称、所在地の変更等を伴わない限り、特段の事務手続は不要である。

(2)統合された２の事業所のうち従たる事業所については、適用事業所廃止届の提出を要する。

なお、この場合、主たる事業所に係る被保険者についての事務手続は不要であり、また、従たる事業所に係る被保険者についても、適用事業所廃止届の提出に伴い、被保険者台帳が主たる事業所に移しかえられることとなるので事務手続を要しない。（同上）

（統一様式及びその経由規定の新設）

次の①～④に掲げる届書については、届出契機がそれぞれ同一であることから、同一の契機で届出を要する届書の届出先を経由して届出できるものとする。また、③及び④に掲げる届書については、当該経由を行う場合に用いる統一様式が設けられている（令和２年１月施行）。

①健康保険法及び厚生年金保険法に基づく新規適用届、雇用保険法に基づく適用事業所設置届並びに労働保険の保険料の徴収等に関する法律に基づく労働保険関係成立届（有期事業、労働保険事務組合に労働保険事務の処理が委託されている事業及び二元適用事業に係るものを除く。）

②健康保険法及び厚生年金保険法に基づく適用事業所全喪届並びに雇用保険法に基づく適用事業所廃止届

③健康保険法及び厚生年金保険法に基づく資格取得届並びに雇用保険法に基づく資格取得届

④健康保険法及び厚生年金保険法に基づく資格喪失届並びに雇用保険法に基づく資格喪失届

なお、①から④に掲げる届書のうち、健康保険法に基づく届書は、全国健康保険協会が管掌する健康保険に係る届書に限る。

## 問題チェック H17-2E

すでに保険関係が成立している事業の事業主が新たな事業所を設置した場合、事業主は、改めて事業所の設置に関する届出をする必要はない。

**解答** ×

則141条

設問の場合、事業主は、改めて事業所の設置に関する届出をしなければならない。

**問題チェック** H11-3E

事業所が2つに分割された場合は、分割された2の事業所のうち主たる事業所と分割前の事業所とを同一のものとして取り扱い、もう一方の従たる事業所についてのみ事業所設置届を行う。

**解答** ○　行政手引22101

設問の場合、主たる事業所については、事業所の名称、所在地等の変更を伴わない限り、特段の届出は不要である。

## ② 事業主事業所各種変更届（則142条1項、2項） 重要度A

★★★

Ⅰ **事業主**は、その**氏名若しくは住所、事業所の名称及び所在地若しくは事業の種類に変更**があったときは、その**変更**があった**事項**及び**変更**の**年月日**を記載した**届書**を、その**変更があった日の翌日**から起算して**10日以内**に、その**事業所の所在地を管轄する公共職業安定所の長**に提出しなければならない。

Ⅱ Ⅰの規定によりその事業所の所在地を管轄する公共職業安定所の長に提出する届書は、**年金事務所を経由**して提出することができる。

**Check Point!**

□ 事業主とは、法人の場合はその法人をいうので、代表取締役の異動があっても事業主事業所各種変更届を提出する必要はない。

## ③ 代理人選任・解任届（則145条1項～4項） 重要度B

★★

Ⅰ **事業主**は、あらかじめ**代理人を選任**した場合には、雇用保険法施行規則の規定により**事業主**が行わなければならない事項を、その**代理人に行わせることができる**。

Ⅱ **事業主**は、Ⅰの**代理人を選任し、又は解任した**ときは、所定の事項を記載した**届書**を、当該**代理人**の選任又は解任に係る**事業所の所**

**在地を管轄する**公共職業安定所の長に提出しなければならない。

Ⅲ　**事業主**は、Ⅱの規定により提出した**届書**に記載された事項であって**代理人の選任**に係るものに**変更**を生じたときは、**速やかに**、その旨を当該**代理人**の**選任**に係る**事業所の所在地を管轄する公共職業安定所の長**に届け出なければならない。

Ⅳ　ⅡⅢの規定によりその事業所の所在地を管轄する公共職業安定所の長に提出する届書は、**年金事務所を経由**して提出することができる。

# 被保険者に関する届出

## ① 被保険者に関する届出のまとめ 重要度 A ★★★

被保険者に関する届出をまとめると、次の通りとなる。

<table>
<tr><th>種類</th><th>提出期限</th><th>提出先</th><th>届出者</th></tr>
<tr><td>雇用保険被保険者<br>資格取得届※1</td><td>事実のあった日の属する月の翌月10日まで</td><td rowspan="2">所轄公共職業安定所長</td><td rowspan="6">事業主</td></tr>
<tr><td>雇用保険被保険者<br>資格喪失届※1</td><td rowspan="2">事実のあった日の翌日から起算して10日以内</td></tr>
<tr><td>雇用保険被保険者<br>転勤届※2</td><td>転勤後の所轄公共職業安定所長</td></tr>
<tr><td>個人番号変更届※2</td><td>速やかに</td><td rowspan="3">所轄公共職業安定所長</td></tr>
<tr><td>雇用保険被保険者<br>休業開始時賃金証明書※2</td><td>介護休業給付又は初回の育児休業給付の支給申請書を提出する日まで</td></tr>
<tr><td>雇用保険被保険者<br>休業・所定労働時間短縮開始時賃金証明書</td><td>被保険者でなくなった日の翌日から起算して10日以内</td></tr>
<tr><td>日雇労働被保険者<br>資格取得届</td><td>該当するに至った日から起算して5日以内</td><td>管轄公共職業安定所長</td><td>日雇労働被保険者</td></tr>
</table>

※1　特例高年齢被保険者については、原則として、被保険者本人が管轄公共職業安定所長に対して申出を行う。なお、資格取得に係る申出についての期限は規定されておらず、申出を行った日から特例高年齢被保険者となる（資格喪失に係る申出期限は、事実のあった日の翌日から起算して10日以内）。

※2　特例高年齢被保険者に関する届出は、被保険者本人が管轄公共職業安定所長に対して行う。

**参考**（特定の法人に係る手続の電子申請義務化） R4-3D
現在、政府全体で行政手続コスト（行政手続に要する事業者の作業時間）を削減するため、電子申請の利用促進を図っており、当該取組の一環として、特定の法人の事業所に係る労働保険・社会保険に関する一部の手続について、電子申請が義務化されることとなった（令和２年４月１日施行）。
雇用保険法においては、被保険者資格取得届、被保険者資格喪失届、被保険者転勤届、高年齢雇用継続基本給付金支給申請及び育児休業給付支給申請が当該義務化の対象とされている（ただし、電気通信回線の故障や災害などの理由により、電子申請が困難と認められる等一定の場合には電子申請によらない方法により届出が可能である）。
なお、特定の法人とは、「資本金、出資金又は銀行等保有株式取得機構に納付する拠出金の額が１億円を超える法人」、「保険業法に規定する相互会社」、「投資信託及び投資法人に関する法律に規定する投資法人」及び「資産の流動化に関する法律に規定する特定目的会社」をいう。



# ❷日雇労働被保険者以外の被保険者に関する届出 重要度A

## 1 資格取得届

### 1. 資格取得届の提出（則6条1項～3項）

★★★

Ⅰ　**事業主**は、その雇用する労働者が当該**事業主**の行う**適用事業**に係る**被保険者**となったことについて、当該**事実のあった日の属する月の翌月10日**までに、**雇用保険被保険者資格取得届**をその**事業所の所在地を管轄する公共職業安定所の長**に提出しなければならない。

R2-選CD

Ⅱ　Ⅰの規定によりその事業所の所在地を管轄する公共職業安定所の長に提出する資格取得届（様式第２号によるものに限る。）は、**年金事務所を経由**して提出することができる。 R4-3B

Ⅲ　Ⅰの規定によりその事業所の所在地を管轄する公共職業安定所の長に提出する資格取得届（様式第２号の２によるものに限る。）は、その事業所の所在地を管轄する**労働基準監督署長又は年金事務所を経由**して提出することができる。

**1. 被保険者となった事実のあった日**

「被保険者となった事実のあった日」は、例えば以下に記載する日などが該当する。

(1)　労働者を雇い入れた日

⑵　**暫定任意適用事業が、法人化又は労働者の増加等によって適用事業となった日**

⑶　**暫定任意適用事業の任意加入**の申請について、厚生労働大臣（都道府県労働局長）の**認可があった日** R2-1E

⑷　日雇労働者が、２月の各月において18日以上同一の事業主の適用事業に雇用されるに至ったときはその翌月の初日、同一の事業主の適用事業に継続して31日以上雇用されたときは31日以上雇用されるに至った日

⑸　１週間の所定労働時間が20時間未満の者については、適用事業に１週間の所定労働時間が**20時間以上**かつ**31日以上**の雇用見込みがある労働者として雇用されるに至った日 R2-選AB　（行政手引20551、20553～20557）

## 2. 添付書類

資格取得届の提出に際しては、原則として添付書類は不要である。ただし、次の⑴⑵の場合は添付書類が必要となる。

### ⑴　初めて資格取得届を提出する場合等

事業主は、次のいずれかに該当する場合には、資格取得届に労働契約に係る契約書、労働者名簿、賃金台帳その他の当該適用事業に係る被保険者となったことの事実及びその事実のあった年月日を証明することができる書類を添えなければならない。ただし、厚生労働省職業安定局長が定めるところにより、これらの書類を添えないことができる。

①　その事業主において**初めて資格取得届を提出**する場合

②　**提出期限を超えて**資格取得届を提出する場合

③　提出期限から起算して**過去３年間**に**不正受給**による失業等給付（育児休業給付の規定について準用する場合を含む。）の返還又は納付を命ぜられた金額の納付を連帯してすることを命ぜられたことその他これに準ずる事情があったと認められる場合

④　その他資格取得届の記載事項に疑義がある場合その他の当該届出のみでは被保険者となったことの判断ができない場合として厚生労働省職業安定局長が定める場合（労働保険料の納付の状況が著しく不適切である場合など）　（則６条４項、６項）

### ⑵　同居の親族に係る資格取得届

事業主は、その**同居の親族**（婚姻の届出をしていないが、事実上その者と婚姻関係と同様の事情にある者を含む。）その他特に確認を要する者として厚生労働省職業安定局長が定める者に係る資格取得届を提出する場合には、

資格取得届に、労働契約に係る契約書、労働者名簿、賃金台帳、登記事項証明書その他の当該適用事業に係る被保険者となったことの事実及びその事実のあった年月日を証明することができる書類並びに厚生労働省職業安定局長が定める書類を添えなければならない。ただし、厚生労働省職業安定局長が定めるところにより、これらの書類を添えないことができる。

(則6条5項、6項)



**過去問チェック** H24-1E R2-1D類題

適用事業に雇用された者であって、雇用保険法第6条のいわゆる適用除外に該当しない者は、雇用関係に入った最初の日ではなく、雇用契約の成立の日から被保険者となる。

**解答** ×　　行政手引20551

適用事業に雇用された者は、原則として、その適用事業に「雇用されるに至った日」から被保険者の資格を取得する。「雇用されるに至った日」とは、雇用契約の成立の日を意味するものではなく、雇用関係に入った最初の日（一般的には、被保険者資格の基礎となる当該雇用契約に基づき労働を提供すべきこととされている最初の日）をいう。

## 2. 被保険者証の交付等（則6条7項、則10条）

★★★

Ⅰ　**公共職業安定所長**は、法第9条の規定により**被保険者となったことの確認**をしたときは、**その確認に係る者に雇用保険被保険者証**（以下「**被保険者証**」という。）を**交付**しなければならない。H29-3D

Ⅱ　**被保険者証**の**交付**は、**被保険者を雇用する事業主を通じて行うことができる**。H29-3D

Ⅲ　**被保険者証**の**交付**を受けた者は、**被保険者証**を**滅失**し、又は**損傷**したときは、**雇用保険被保険者証再交付申請書**に運転免許証、健康保険の**被保険者証**その他の**被保険者証**の**再交付**の申請をしようとする者が**本人**であることの**事実を証明**することができる**書類**を添えて**公共職業安定所長**に提出し、**被保険者証**の**再交付**を受けなければならない。

Ⅳ　**被保険者証**の**交付**を受けた者は、**被保険者**となったときは、**速やかに**、その**被保険者証**をその者を雇用する**事業主に提示**しなければならない。

**概要**

事業主が資格取得届を提出し、被保険者となったことが確認されたときは、被保険者に被保険者証が交付される。

なお、被保険者証は事業主が保管しておくものではなく、原則として被保険者に交付するものである。

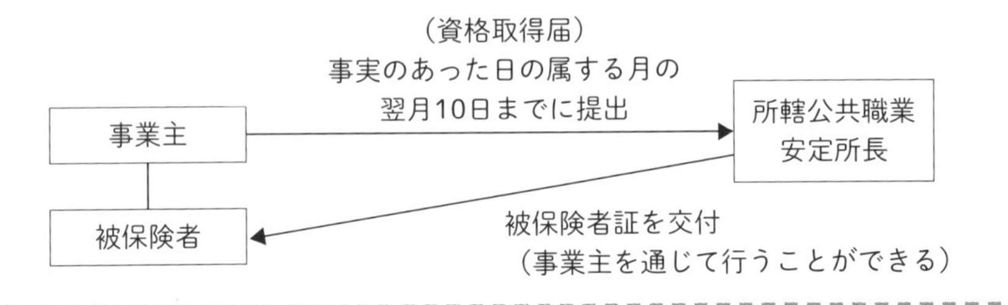


・**被保険者証の再交付申請**

被保険者証の再交付申請の際に損傷した被保険者証を申請書に添付する必要はない。

また、被保険者証の再交付申請は、**被保険者の選択する公共職業安定所長**に対して行う（どこの安定所に申請しても差し支えない。）。　（則1条5項4号）

## 2 資格喪失届

### 1. 資格喪失届の提出（則7条1項、2項、6項）

Ⅰ　**事業主**は、法第7条［被保険者に関する届出］の規定により、その雇用する労働者が当該事業主の行う適用事業に係る**被保険者でなくなった**ことについて、当該**事実のあった日の翌日から起算して10日以内に**、**雇用保険被保険者資格喪失届**（以下「**資格喪失届**」という。）をその**事業所の所在地を管轄する公共職業安定所の長**に提出しなければならない。R4-3C

Ⅱ　Ⅰの規定によりその事業所の所在地を管轄する公共職業安定所の

長に提出する資格喪失届は、**年金事務所を経由**して提出することができる。

Ⅲ　**資格喪失届**には、労働契約に係る**契約書**、**労働者名簿**、**賃金台帳**、**登記事項証明書**その他の当該適用事業に係る被保険者でなくなったことの**事実**及びその事実のあった**年月日**を**証明することができる書類**を添えなければならない。ただし、事業主は、厚生労働省職業安定局長が定めるところにより、当該書類を添えないことができる。



### 1. 資格喪失日

被保険者は、次の日に被保険者資格を喪失する。

(1)　死亡した日の翌日。

(2)　離職した日の翌日※。

※　離職した日に新たに被保険者資格を取得すべき場合（期間重複）は、離職した日の翌日に従前の雇用関係に基づく被保険者資格を喪失する（取得日を変更する）。なお、退職日の確認がとれない場合や喪失日を取得日より優先することで不利益が生じるような場合は取得日を優先する（離職日を変更する）こととしても差し支えない。

(3)　**被保険者としての適用要件に該当しなくなった場合**※**はその日**。

※　例えば、**被保険者が取締役や監査役となり、被保険者として取り扱われなくなった場合**や労働条件の変更等により、１週間の所定労働時間が20時間未満となったような場合（日雇労働被保険者を除く。）が該当する。

(4)　被保険者の雇用される適用事業の雇用保険に係る保険関係が消滅したことによって、被保険者資格を喪失する場合は、当該保険関係が消滅した日。この場合、「雇用保険に係る保険関係が消滅した日」とは、当該**事業が廃止され、又は終了した日の翌日**をいう。

(5)　任意加入の認可を受けた暫定任意適用事業又は擬制により任意加入の認可があったものとみなされた暫定任意適用事業にあっては、当該事業が廃止され、若しくは終了した日の翌日又は当該事業の雇用保険に係る保険関係の消滅の申請についての厚生労働大臣の認可のあった日の翌日。

(6)　登録型派遣労働者は、１週間の所定労働時間が**20時間以上となる労働条件での次の派遣就業が開始されることが見込まれる場合を除き**、派遣就業に係る雇用契約期間の終了日の翌日。

(7)　有期契約労働者は、１週間の所定労働時間が20時間以上となる労働条件で

の次の雇用が開始されることが見込まれる場合を除き、最後の雇用契約期間の終了日の翌日。（行政手引20601、20606）

### 2. 提出期限

資格取得届は、「被保険者となった事実のあった日の属する月の翌月10日まで」に提出しなければならないとされているが、資格喪失届は、「資格喪失日の翌日から起算して10日以内」に提出しなければならないとされている。

離職による資格喪失日（被保険者でなくなった事実のあった日）は、離職日の翌日であるので、資格喪失届は離職日の翌々日から起算して10日以内に提出することになる。

**【例】** 被保険者が３月20日に退職した場合には、資格喪失日が３月21日であるのでその翌日である３月22日から起算して10日目の３月31日までに資格喪失届を提出しなければならない。

## 2. 離職証明書の添付及び交付（則7条1項、3項、則16条）★★★

Ⅰ　**事業主**は、その雇用する労働者が当該事業主の行う適用事業に係る**被保険者でなくなったことの原因**が**離職**であるときは、**資格喪失届**に**雇用保険被保険者離職証明書**（以下「**離職証明書**」という。）及び**賃金台帳**その他の離職の日前の**賃金の額**を**証明**することができる**書類**を添えなければならない。R6-4AC

Ⅱ　**事業主**は、**資格喪失届**を提出する際に被保険者が**雇用保険被保険者離職票**（以下「**離職票**」という。）の**交付を希望**しないときは、**離職証明書**を添えないことができる。ただし、**離職の日**において**59歳以上**である被保険者については、この限りでない。R4-3E R6-4A

Ⅲ　**事業主**は、その**雇用していた被保険者**が**離職**したことにより被保険者でなくなった場合において、その者が**離職票の交付を請求するため離職証明書の交付**を求めたときは、これをその者に交付しなければならない。ただし、Ⅰの規定により**離職証明書**を提出した場合は、この限りでない。

**Check Point!**

□ 資格喪失事由が離職である場合には、退職者に基本手当等の受給資格がないときであっても、原則として、資格喪失届に離職証明書を添付しなければならない。

□ 死亡、在籍出向、出向元への復帰の場合（被保険者でなくなったことの原因が離職でないものと認められるとき）は、資格喪失届に離職証明書を添付しなくてもよい。

**・離職証明書の添付理由等**

上記ⅡⅢの「離職票」には、離職理由、被保険者期間、賃金額等が記載されており、後述する基本手当等を受給する際に必要なものであるが、離職票を作成するためには離職証明書の提出が必要であり、通常、この離職証明書は資格喪失届に添付して提出する。R4-選B

ただし、再就職先が決まっているようなときなど、被保険者が基本手当等を受給する必要がなく離職票の交付を希望しない場合は、当該被保険者が**離職日に59歳以上である場合を除き**、資格喪失届に離職証明書を添付しないで提出することができる。R6-4A

なお、上記のように、資格喪失届に離職証明書を添付しなかった場合であっても、被保険者であった者が決まっていた再就職先に就職しなかったような場合は、被保険者であった者は離職票の交付を受けることが必要となる。このような場合は、その求めに応じ、被保険者であった者に離職証明書を交付しなければならない。

参考 則第35条各号に掲げる者［倒産等離職者］又は第36条各号に掲げる理由により離職した者［解雇等離職者］については、離職証明書及び賃金台帳等に加えて、則第35条各号に掲げる者であること又は第36条各号に掲げる理由により離職したことを証明することができる書類も添付しなければならない。R6-4C

## 3. 離職票の交付（則17条1項、3項）

★★★

Ⅰ　**公共職業安定所長**は、次のⅰからⅲに掲げる場合においては、**離職票**を、**離職**したことにより**被保険者でなくなった者**に交付しなければならない。ただし、**その者の住所又は居所が明らかでないため**その他やむを得ない理由のため**離職票**を交付することができないときは、この限りでない。

ⅰ　**資格喪失届**により**被保険者でなくなったこと**の**確認**をした場合

であって、**事業主**が当該**資格喪失届**に**離職証明書**を添えたとき。

ⅱ　**資格喪失届**により**被保険者でなくなったこと**の**確認**をした場合であって、当該**被保険者であった者**から**離職証明書**を添えて**請求**があったとき。

ⅲ　第８条の規定による**確認の請求**により、又は**職権**で**被保険者でなくなったこと**の**確認**をした場合であって、当該**被保険者であった者**から**離職証明書**を添えて**請求**があったとき。

Ⅱ　Ⅰⅱⅲの請求をしようとする者は、その者を雇用していた事業主の所在が明らかでないことその他やむを得ない理由があるときは、**離職証明書**を添えないことができる。

**概要**

離職票の交付の流れは、次の通りである。

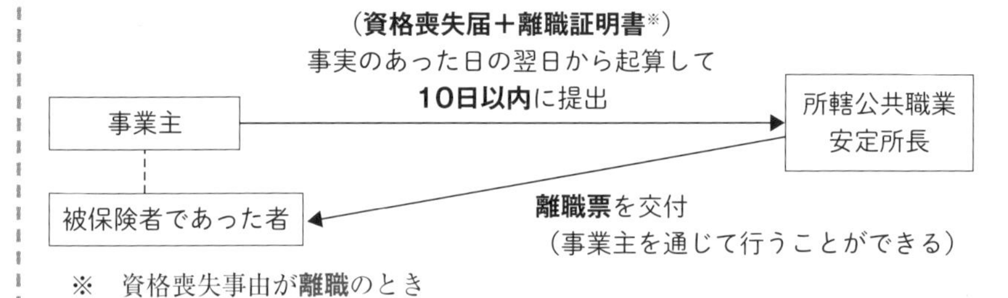


※　資格喪失事由が**離職**のとき

**Check Point!**

□ 上記Ⅰⅰの場合、離職票の交付は、被保険者でなくなった者が離職の際雇用されていた事業主を通じて行うことができるが、上記Ⅰⅱⅲの場合は、被保険者でなくなった者に直接交付しなければならない。（則17条２項）

**参考** 離職票の再交付申請は、当該**離職票を交付した公共職業安定所長**に対して行うこととされており、離職票を損傷したことにより再交付申請を行う場合においては、申請書にその損傷した離職票を添えなければならない。（則17条４項、５項）

## 3 休業開始時賃金証明書

### 1. 休業開始時賃金証明書の提出（則14条の2,1項）

★★★

**事業主**は、その雇用する被保険者（**短期雇用特例被保険者**及び**日雇労働被保険者**を**除く**。）が法第61条の４第１項［介護休業］に規定する休業を開始したときは、当該被保険者が**介護休業給付金支給申請書**の**提出をする日までに**、法第61条の７第１項［育児休業］に規定する休業（同一の子について**２回以上**の同項に規定する休業をした場合にあっては、**初回**の休業に限る。）を開始したときは、当該被保険者が**育児休業給付受給資格確認票・（初回）育児休業給付金支給申請書**又は**育児休業給付受給資格確認票・出生時育児休業給付金支給申請書**の**提出をする日までに**、雇用保険被保険者休業開始時賃金証明書（以下「**休業開始時賃金証明書**」という。）をその**事業所の所在地**を**管轄**する**公共職業安定所の長**に提出しなければならない。

**概要**

後述する介護休業給付及び育児休業給付を受給する際に「休業開始時賃金証明票」が必要となるが、当該証明票は休業開始時賃金証明書に基づいて作成されるものである。

**Check Point!**

□ 短期雇用特例被保険者及び日雇労働被保険者については、休業開始時賃金証明書を提出する必要はない。

### 2. 休業開始時賃金証明票の交付（則14条の2,3項）

★★★

**公共職業安定所長**は、**休業開始時賃金証明書**の提出を受けたときは、当該**休業開始時賃金証明書**に基づいて作成した**雇用保険被保険者休業開始時賃金証明票**（以下「**休業開始時賃金証明票**」という。）を当該**被保険者に交付**しなければならない。

**概要**

休業開始時賃金証明票の交付の流れは、次の通りである。

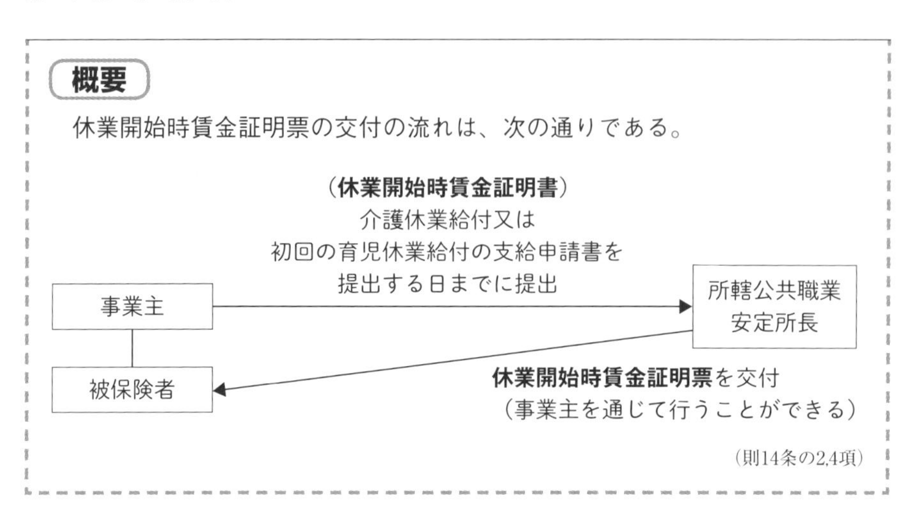


（則14条の2,4項）

## 4 休業・所定労働時間短縮開始時賃金証明書

### 1. 休業・所定労働時間短縮開始時賃金証明書の提出 （則14条の3,1項）

★★★

**事業主**は、その雇用する**被保険者**（**短期雇用特例被保険者及び日雇労働被保険者を除く**。以下同じ。）がその**対象家族**を**介護するための休業**若しくは**小学校就学の始期に達するまでの子**を**養育するための休業**をした場合又はその雇用する**被保険者**のうちその**対象家族**を**介護する被保険者**若しくは**小学校就学の始期に達するまでの子**を**養育する被保険者**に関して**所定労働時間の短縮**を行った場合であって、当該**被保険者**が**離職**し、**特定理由離職者又は特定受給資格者**として**受給資格の決定**を受けることとなるときは、当該**被保険者**が当該**離職**したことにより**被保険者でなくなった日の翌日から起算して10日以内**に、**雇用保険被保険者休業・所定労働時間短縮開始時賃金証明書**（以下「**休業・所定労働時間短縮開始時賃金証明書**」という。）を**その事業所の所在地を管轄する公共職業安定所の長**に提出しなければならない。

**趣旨**

介護休業、育児休業又は家族介護若しくは育児に係る所定労働時間短縮（以下「休業等」という。）により賃金を喪失又は賃金が低下している期間中に、**特定理由離職者**又は**特定受給資格者**として受給資格の決定を受けた者については、特例により、**休業等開始前の賃金日額**により基本手当日額を算定することになっている。当該賃金証明書の提出は、この特例を受けるためには休業等開始前賃金を公共職業安定所に届け出るものである。



## 2. 休業・所定労働時間短縮開始時賃金証明票の交付
(則14条の3,3項)

★★★

**公共職業安定所長**は、**休業・所定労働時間短縮開始時賃金証明書**の提出を受けたときは、当該**休業・所定労働時間短縮開始時賃金証明書**に基づいて作成した**雇用保険被保険者休業・所定労働時間短縮開始時賃金証明票**を当該**被保険者に交付**しなければならない。

**概要**

休業・所定労働時間短縮開始時賃金証明票の交付の流れは、次の通りである。

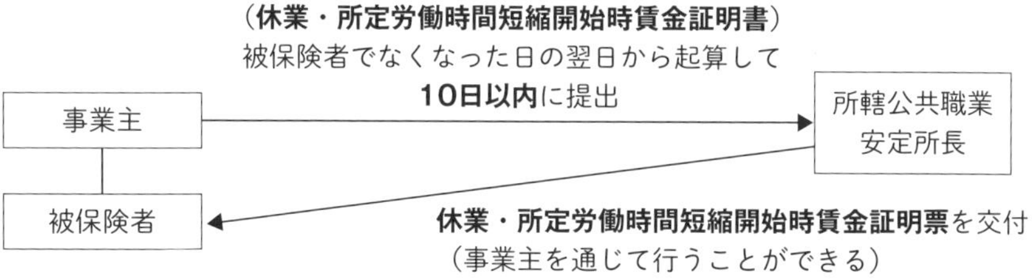

(**休業・所定労働時間短縮開始時賃金証明書**)
被保険者でなくなった日の翌日から起算して
**10日以内**に提出

事業主 → 所轄公共職業安定所長

所轄公共職業安定所長 → 被保険者（事業主と被保険者は線で結ばれている）

**休業・所定労働時間短縮開始時賃金証明票**を交付
(事業主を通じて行うことができる)

(則14条の3,4項)

### 問題チェック H21-2D改題

事業主は、その雇用する被保険者(短期雇用特例被保険者及び日雇労働被保険者を除く。)のうち小学校就学前の子を養育する者に関して所定労働時間の短縮を行っていたときに当該被保険者が離職した場合、その離職理由のいかんにかかわらず、雇用保険被保険者休業・所定労働時間短縮開始時賃金証明書を、当該離職により被保険者でなくなった日の翌日から起算して10日以内に、事業所の所在地を管轄する公共職業安定所の長に提出しなければならない。

**解答** ×　　則14条の3,1項

当該被保険者が特定理由離職者又は特定受給資格者（倒産・解雇等により離職した者）として受給資格の決定を受けるときに、雇用保険被保険者休業・所定労働時間短縮開始時賃金証明書を提出しなければならない。

---

## 5 転勤届（則13条1項、2項）

★★★

Ⅰ **事業主**は、その雇用する**被保険者**を当該事業主の一の事業所から他の事業所に**転勤**させたときは、当該**事実のあった日の翌日から起算して10日以内**に**雇用保険被保険者転勤届**（以下「**転勤届**」という。）を**転勤後の事業所の所在地を管轄する公共職業安定所の長**に提出しなければならない。 H28-1A R4-3A

Ⅱ Ⅰの規定によりその事業所の所在地を管轄する公共職業安定所の長に提出する**転勤届**は、**年金事務所を経由**して提出することができる。

**Check Point!**

□ 転勤前の事業所と転勤後の事業所とが同一の公共職業安定所の管内である場合でも転勤届の提出が必要である。 R4-3A （行政手引21752）

**参考**（被保険者証の提示）
被保険者は、その雇用される事業主の一の事業所から他の事業所に転勤したときは、**速やかに**、被保険者証をその事業主に提示しなければならない。 （則13条５項）

## 6 被保険者の個人番号の変更の届出（則14条）

★★★

**事業主**は、その雇用する被保険者（**日雇労働被保険者**を**除く**。）の**個人番号**（行政手続における特定の個人を識別するための番号の利用等に関する法律第２条第５項に規定する個人番号をいう。）が変更されたときは、**速やかに**、**個人番号変更届**をその**事業所**の**所在地**を**管轄**する**公共職業安定所の長**に提出しなければならない。 H28-1C

**Check Point!**

☐ 日雇労働被保険者は、個人番号変更届を提出する必要はない。

# ③ 日雇労働被保険者に関する届出等 重要度A

## 1 資格取得届（則71条1項）

★★★

**日雇労働被保険者**は、法第43条第１項第１号から第３号まで［日雇労働被保険者となるための区域要件］のいずれかに該当することについて、その**該当するに至った日から起算して５日以内**に、**日雇労働被保険者資格取得届**を**その者の住所又は居所を管轄**する**公共職業安定所**（管轄**公共職業安定所**）**の長**に提出しなければならない。

**Check Point!**

☐ 日雇労働被保険者資格取得届の提出義務者は日雇労働被保険者本人であり、提出先は管轄公共職業安定所長であり、提出期限は５日以内である。

## 2 日雇労働被保険者任意加入の申請（則72条1項）

★★★

**日雇労働者**は、法第43条第１項第４号［任意加入］の**認可**を受けようとするときは、**管轄公共職業安定所**に出頭し、**日雇労働被保険者任意加入申請書**を**管轄公共職業安定所の長**に提出しなければならない。

## 3 日雇労働被保険者手帳の交付（則73条1項）

★★★

**管轄公共職業安定所の長**は、第71条の規定により**日雇労働被保険者資格取得届**の提出を受けたとき（当該日雇労働被保険者資格取得届を提出した者が法第42条各号［日雇労働者の要件］のいずれか及び法第43条第１項第１号から第３号まで［日雇労働被保険者となるための区域要件］のいずれかに該当すると認められる場合に限る。）、又は第72

条第１項の日雇労働被保険者**任意加入申請書**に基づき法第43条第１項第４号［任意加入］の認可をしたときは、当該**日雇労働被保険者資格取得届を提出した者**又は当該**認可に係る者**に、**日雇労働被保険者手帳**を**交付**しなければならない。

**参考** (証明書の交付)
事業主は、その雇用する又はその雇用していた日雇労働者であって厚生労働省職業安定局長が定めるもの（日雇派遣労働者）が、被保険者手帳の交付を受けるため厚生労働省職業安定局長が定める証明書（日雇労働被保険者派遣登録証明書）の交付を求めたときは、これをその者に交付しなければならない。（則73条４項）

(被保険者手帳の再交付申請)
日雇労働被保険者は、その所持する被保険者手帳を滅失し、若しくは損傷し、又はこれに余白がなくなった場合は、その旨を公共職業安定所長に申し出て、新たに被保険者手帳の交付を受けなければならないが、この場合において、日雇労働被保険者は、運転免許証その他の被保険者手帳の再交付を申請しようとする者が本人であることを確認することができる書類を提示しなければならない。（則73条２項）

# 第2章

# 失業等給付及び育児休業等給付


第1節　失業等給付及び
育児休業等給付の種類

第2節　基本手当

第3節　基本手当以外の求職者給付

第4節　求職者給付以外の失業等給付

第5節　育児休業等給付

第6節　給付通則

# 第2章 第1節

# 失業等給付及び育児休業等給付の種類

## 1 失業等給付の種類

❶ 失業等給付の種類

❷ 求職者給付

❸ 就職促進給付

❹ 教育訓練給付

❺ 雇用継続給付

## 2 育児休業等給付の種類

❶ 育児休業等給付

# 1 失業等給付の種類

## ① 失業等給付の種類（法10条1項）重要度A ★★★

**失業等給付**は、**求職者給付**、**就職促進給付**、**教育訓練給付**及び**雇用継続給付**とする。

### 概要

失業等給付の全体系図は、次の通りである。

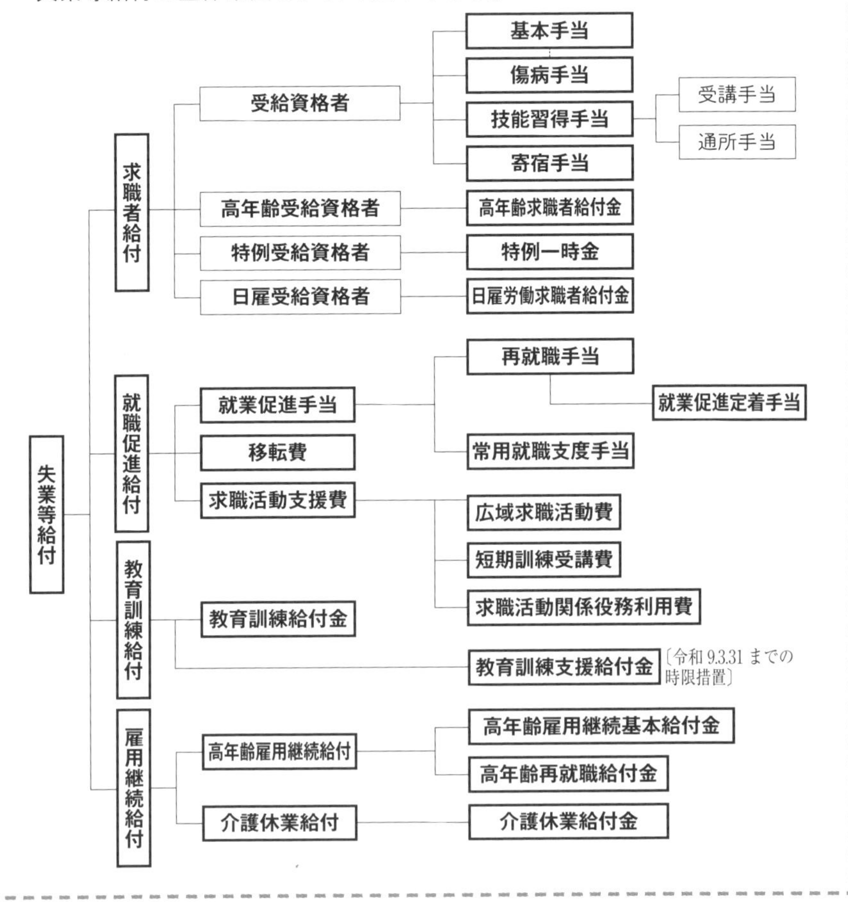

**問題チェック** H14-1A改題

雇用保険では、労働者が失業した場合及び労働者について雇用の継続が困難となる事由が生じた場合に必要な給付を行う失業等給付のほか、失業の有無を問わず労働者の自発的な教育訓練の受講を支援する教育訓練給付や子を養育するために休業や時短就業をした労働者の生活及び雇用の安定を図るための育児休業等給付と、雇用安定、能力開発のいわゆる二事業を行っている。

**解答** ×

法10条

教育訓練給付も失業等給付の１つであるため、問題文のように「失業等給付のほか、失業の有無を問わず労働者の自発的な教育訓練の受講を支援する教育訓練給付」とある記載は誤りである。



# ② 求職者給付 重要度 A

## 1 求職者給付の種類（法10条2項、3項）

Ⅰ **求職者給付**は、次のとおりとする。

- ⅰ **基本手当**
- ⅱ **技能習得手当**
- ⅲ **寄宿手当**
- ⅳ **傷病手当**

Ⅱ Ⅰの規定にかかわらず、**高年齢被保険者**に係る**求職者給付**は、**高年齢求職者給付金**とし、**短期雇用特例被保険者**に係る**求職者給付**は、**特例一時金**とし、**日雇労働被保険者**に係る**求職者給付**は、**日雇労働求職者給付金**とする。

**趣旨**

求職者給付は、失業者の生活安定を図るとともに求職活動を容易にすることを目的として支給する、**失業補償機能**をもつ給付である。

### 2 就職への努力（法10条の2）

★★★

**求職者給付**の支給を受ける者は、必要に応じ**職業能力の開発及び向上**を図りつつ、**誠実かつ熱心**に**求職活動**を行うことにより、**職業に就くように**努め**なければならない**。H29-1A

**Check Point!**

□ 本条の努力義務の対象となる者は、基本手当をはじめとする求職者給付の支給を受けている者及び受けようとしている者である。

## ③ 就職促進給付（法10条4項）重要度 A

★★★

**就職促進給付**は、次のとおりとする。

i　**就業促進手当**

ii　**移転費**

iii　**求職活動支援費**

**趣旨**

就職促進給付は、失業者の再就職を援助、促進することを主たる目的とする給付である。

## ④ 教育訓練給付（法10条5項、法附則11条の2,1項）重要度 A

★★★

**教育訓練給付**は、**教育訓練給付金**及び**教育訓練支援給付金**とする。

**趣旨**

教育訓練給付は、雇用の安定や再就職の促進を図ることを目的とし、**自主的に職業に関する**教育や訓練を受けた被保険者等に対し支給する給付である。

## ⑤ 雇用継続給付（法10条6項） 重要度 A ★★★

**雇用継続給付**は、次のとおりとする。

i　**高年齢雇用継続基本給付金**及び**高年齢再就職給付金**（「**高年齢雇用継続給付**」という。）

ii　**介護休業給付金**

**趣旨**

雇用継続給付は、高年齢者や介護休業を取得した者の雇用の継続並びに介護休業の取得を援助、促進し、雇用の安定を図ることを目的とした給付である。

# 育児休業等給付の種類

## ① 育児休業等給付（法61条の6） 重要度A  ★★★

Ⅰ　育児休業等給付は、**育児休業給付**、**出生後休業支援給付**及び**育児時短就業給付**とする。

Ⅱ　**育児休業給付**は、次のとおりとする。

　ⅰ　**育児休業給付金**

　ⅱ　**出生時育児休業給付金**

Ⅲ　**出生後休業支援給付**は、**出生後休業支援給付金**とする。

Ⅳ　**育児時短就業給付**は、**育児時短就業給付金**とする。

Ⅴ　第10条の3［未支給の失業等給付］、第10条の4［返還命令等］、第11条［受給権の保護］及び第12条［公課の禁止］の規定は、育児休業等給付について準用する。

**概要**

育児休業等給付は次の通りとする。

- 育児休業等給付
  - 育児休業給付
    - 育児休業給付金
    - 出生時育児休業給付金
  - 出生後休業支援給付 ―― 出生後休業支援給付金
  - 育児時短就業給付 ―― 育児時短就業給付金

# 第2章 第2節

# 基本手当

## 1 基本手当の受給資格要件

❶ 受給資格要件

❷ 受給資格要件の緩和

❸ 被保険者期間

## 2 基本手当の受給手続

❶ 失業の認定

❷ 失業の認定日

❸ 基本手当の支給

## 3 基本手当日額

❶ 賃金

❷ 賃金日額

❸ 基本手当日額

❹ 自動的変更

## 4 基本手当の受給期間及び給付日数

❶ 受給期間

❷ 待期

❸ 所定給付日数

## 5 延長給付

❶ 種類

❷ 訓練延長給付

❸ 個別延長給付

❹ 広域延長給付

❺ 全国延長給付

❻ 地域延長給付

❼ 延長給付に関する調整

# 基本手当の受給資格要件

## ① 受給資格要件（法13条1項）重要度A

★★★

**基本手当**は、**被保険者**が**失業**した場合において、**離職の日以前2年間**（「**算定対象期間**」という。）に、**被保険者期間**が**通算して12箇月以上**であったときに、支給する。R6-2A～E

**Check Point!**

□ 基本手当の支給を受けることができる資格を受給資格といい、当該受給資格を有する者を受給資格者という。（行政手引50101）

### 1. 受給資格要件

受給資格が認められるためには、次の要件を満たさなければならない。

(1) 離職による**被保険者資格の喪失の確認**を受けたこと。

(2) **失業の状態**（労働の意思及び能力を有するにもかかわらず、職業に就くことができない状態）にあること。

(3) 原則として、**離職の日以前2年間**（**算定対象期間**）に**被保険者期間**が**通算して12箇月以上**あること。

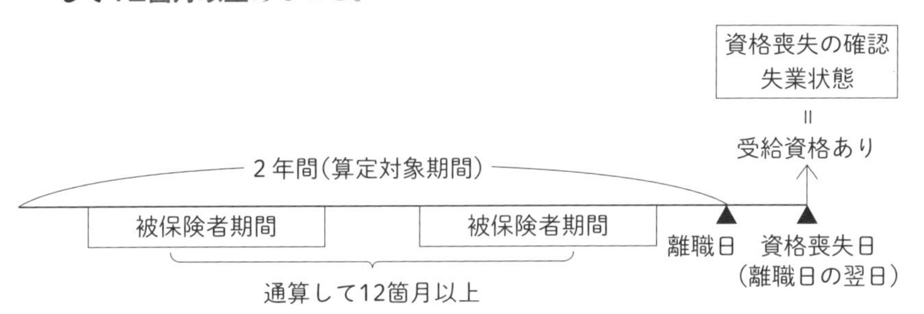


（行政手引50102）

### 2. 受給資格要件の特例

次の(1)から(3)のいずれかに該当する者（詳細は後述する）については、**離職の日以前１年間（算定対象期間）に被保険者期間が通算して６箇月以上**ある場合にも、受給資格が認められる。R3-選A

(1) 倒産・解雇等離職者（**倒産・解雇等**により**離職**した者）

(2) 特定理由離職者Ⅰ（**希望に反して契約更新がなかったことにより離職した者**）

(3) 特定理由離職者Ⅱ（**正当な理由のある自己都合により離職した者**）

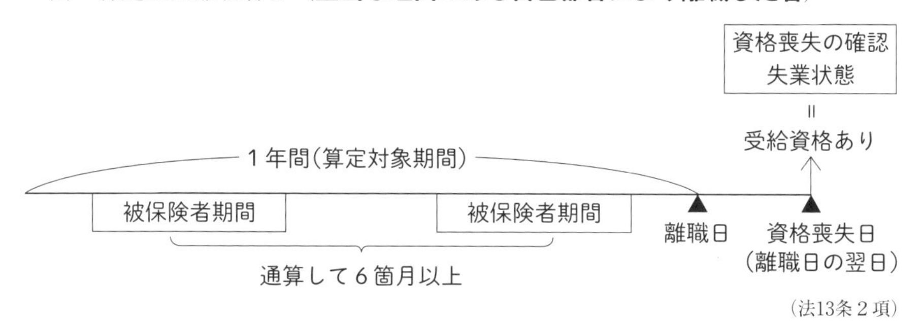


（法13条２項）



## ❷ 受給資格要件の緩和（法13条1項、2項、則18条）

重要度 A ★★★

**算定対象期間**〔**離職の日以前２年間**（受給資格要件の特例の規定が適用される場合は、**離職の日以前１年間**）〕は、当該期間に次の理由により**引き続き30日以上賃金の支払を受けることができなかった被保険者**については、当該理由により**賃金の支払を受けることができなかった日数**を当該期間に**加算**した期間（その**加算**後の期間が**４年**を超えるときは、**４年間**）とされる。R3-選B R6-2A〜E

ⅰ **疾病、負傷**

ⅱ 事業所の休業

ⅲ 出産

ⅳ **事業主の命による外国における勤務**

ⅴ 国と民間企業との間の人事交流に関する法律第２条第４項第２号に該当する交流採用

ⅵ ⅰからⅴの理由に準ずる理由であって、管轄公共職業安定所の

長がやむを得ないと認めるもの

**概要**

「算定対象期間に被保険者期間が通算して12箇月（受給資格要件の特例の場合は６箇月）以上」の要件を満たすことができなかった場合であっても、上記の規定により延長した算定対象期間において被保険者期間が通算して12箇月（受給資格要件の特例の場合は６箇月）以上あれば、受給資格要件を満たしたことになる。

### 1．延長理由

#### ⑴　疾病、負傷

「疾病、負傷」は、**業務上、業務外の別を問わない**。（行政手引50152）

#### ⑵　事業所の休業

「事業所の休業」により労働者が賃金の支払を受けることができない場合とは、**事業主の責めに帰すべき理由以外の理由**による事業所の休業による場合である。事業主の責めに帰すべき理由による場合には、労働基準法の規定により休業手当の支払が行われることとなるので、たとえその休業手当の支払が未支払になっても、賃金の支払を受けることができなかった場合に該当しない。（同上）

#### ⑶　出産

「出産」は、**妊娠４箇月（85日）以上の分娩**をいい、生産、死産、人工流産を含む流産、早産を問わない。また、本人の出産に限られる。なお、出産のために欠勤したと認められる期間は、通常は、出産予定日の６週間（多胎妊娠の場合にあっては14週間）前の日以後出産の翌日から８週間を経過する日までの間であるが、労働協約により出産を理由とする休業期間中の解雇制限条項が設けられており、解雇制限期間が出産前について６週間以上、出産後については出産の日の翌日から８週間以上となっている場合は、その期間を出産のため欠勤した期間として差し支えない。（同上）

#### ⑷　事業主の命による外国における勤務

「事業主の命による外国における勤務」とは、いわゆる海外出向と称されるもので、事業主との間に雇用関係を存続させたまま、事業主の命により一定の期間海外にあるわが国の雇用保険の適用されない事業主のもとで雇用されるような場合をいう。（同上）

### (5) 交流採用

「国と民間企業との間の人事交流に関する法律第2条第4項第2号に該当する交流採用」とは、同法に基づき、国の機関が行う民間企業の従業員の交流採用であって、民間企業と従業員との雇用関係を継続したまま行うものをいい、当該交流採用によって採用された職員を「雇用継続交流採用職員」という。

（官民人事交流法2条4項2号、21条1項）

### (6) (1)から(5)の理由に準ずる理由

「(1)から(5)の理由に準ずる理由」とは、次の理由である。

① 同盟罷業、怠業、事業所閉鎖等の争議行為（労働関係調整法第7条にいう争議行為）

② 事業主の命による他の暫定任意適用事業所（任意加入の認可を受けたものを除く。）への出向、他の事業主のもとにおける取締役としての出向及び国、都道府県、市町村等の機関への公務員としての出向

③ 労働組合の在籍専従職員としての勤務

④ 民法第725条に規定する親族（6親等内の血族、配偶者及び3親等内の姻族）の疾病、負傷等（心身障害及び老衰を含む。）により必要とされる本人の看護

⑤ **3歳未満の子の育児**

⑥ 配偶者（内縁の配偶者を含む。）の海外勤務に同行するための休職

（行政手引50152）

**参考** 公共職業安定所長は、離職したことにより被保険者でなくなった者が、離職の日以前2年間（特定理由離職者及び倒産・解雇等離職者にあっては1年間）に疾病、負傷その他厚生労働省令で定める理由により引き続き30日以上賃金の支払を受けることができなかった場合において、必要があると認めるときは、その者に対し、医師の証明書その他当該理由を証明することができる書類の提出を命ずることができる。 （則7条3項）

## 2. 受給資格要件の緩和の具体例 H29-2C

**【例1】**

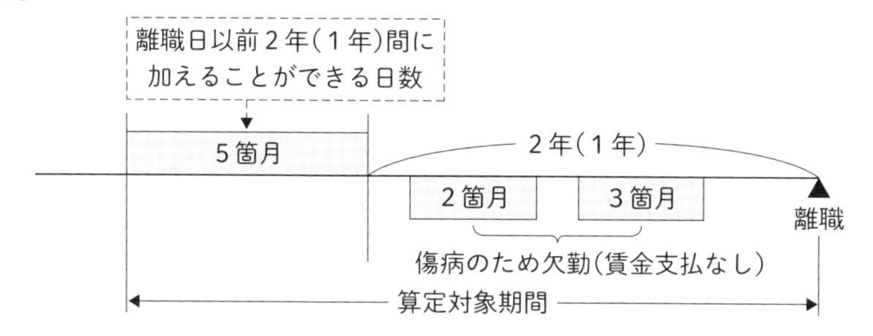

**【例2】**

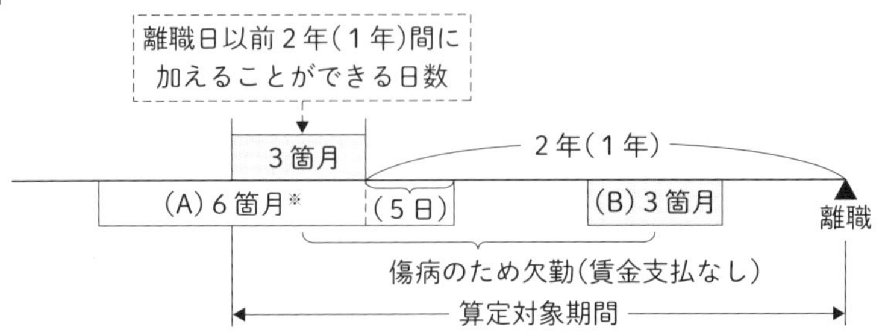


※　この欠勤期間6箇月中、離職日以前2年（1年）の間にあるのは5日のみであるので、この6箇月については、算定対象期間に加えることができない。

ただし、(A）と（B）が全く同一の理由であって、（A）と（B）の間が30日未満である場合には、要件緩和の日数に加えることができる（**【例2】**の場合は合計9箇月)。

**【例3】**

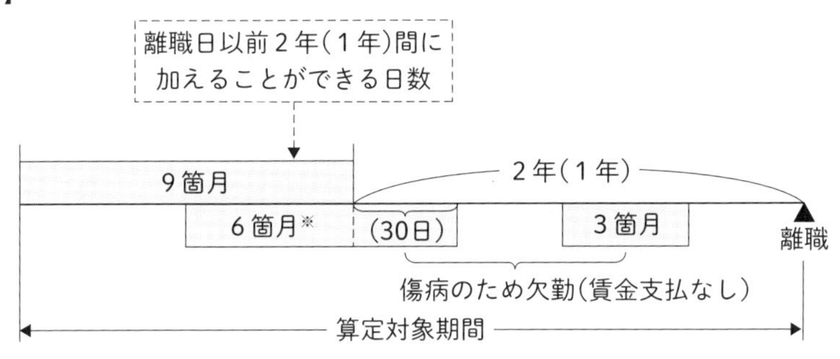


※　この欠勤期間6箇月中、引き続く30日が離職日以前2年（1年）の間にあるので、この6箇月については、算定対象期間に加えることができる（3箇月と合わせて9箇月加えることができる。)。

**【例4】**

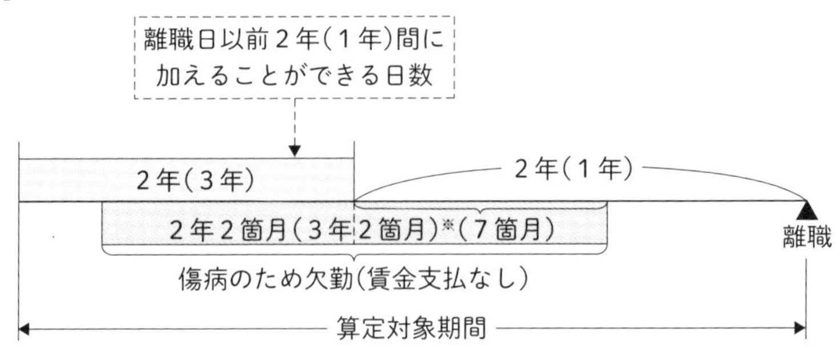


※　欠勤期間2年2箇月（3年2箇月）中、引き続く7箇月が離職日以前2年（1年）の間にあるので、この2年2箇月（3年2箇月）のうち2年（3年）について

は、算定対象期間に加えることができる（加算後の期間が最大４年間とされているため）。

（行政手引50153）

## 問題チェック H29-2C

離職の日以前２年間に、疾病により賃金を受けずに15日欠勤し、復職後20日で再び同一の理由で賃金を受けずに80日欠勤した後に離職した場合、受給資格に係る離職理由が特定理由離職者又は特定受給資格者に係るものに該当しないとき、算定対象期間は２年間に95日を加えた期間となる。

**解答** ○

法13条１項、行政手引50153

設問の通り正しい。下図（A）の欠勤期間は30日未満であるため、原則として、算定対象期間の日数に加えることはできないが、次のすべての要件に該当する場合には、（A）の欠勤期間を算定対象期間の日数に加えることができる。

⑴　離職の日以前２年間又は１年間において、受給要件の緩和が認められる理由により賃金の支払を受けることができなかった期間があること。

⑵　同一の理由により賃金の支払を受けることができなかった期間と途中で中断した場合の中断した期間との間が30日未満であること。なお、⑴の期間以外である当該期間についても、30日以上であることを必要とせず、30日未満であってもその対象となり得るものである。

⑶　⑵の各期間の賃金の支払を受けることができなかった理由は、**同一のものが途中で中断**したものであると判断できるものであること。

したがって、設問の場合は、算定対象期間は２年間に95日（15日＋80日）を加えた期間となる。

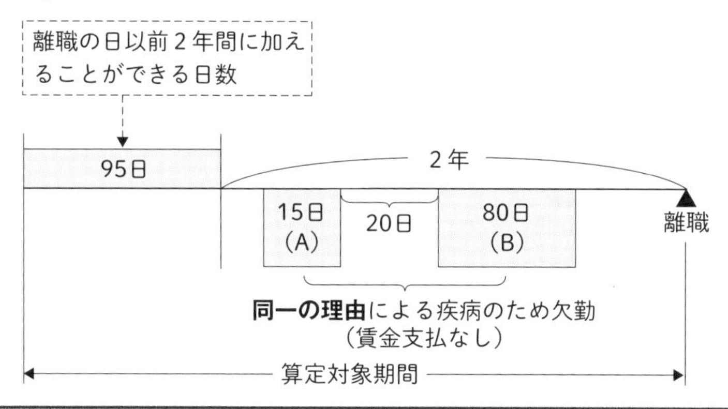

# ③ 被保険者期間 重要度A

## 1 被保険者期間の算定（法14条1項、3項）

★★★

**被保険者期間**は、**被保険者であった期間**のうち、当該**被保険者でなくなった日**又は各月において**その日に応当**し、かつ、当該**被保険者であった期間内**にある日（その日に**応当する日**がない月においては、**その月の末日**。以下「**喪失応当日**」という。）の各前日から各前月の**喪失応当日**までさかのぼった各期間（**賃金の支払の基礎となった日数**が**11日以上**であるもの※1に**限る**。）を**1箇月**として計算し、その他の期間は、**被保険者期間**に算入しない。R6-2A〜E

※1　計算された被保険者期間が**12箇月**（❶ **2.受給資格要件の特例**の場合にあっては、**6箇月**）**に満たない場合**は、**賃金の支払の基礎となった日数**が**11日以上**であるもの又は**賃金の支払の基礎となった時間数**が**80時間以上**であるもの

ただし、当該**被保険者となった日**からその日後における**最初の喪失応当日**の**前日**までの期間の日数が**15日以上**であり、かつ、当該**期間内**における**賃金の支払の基礎となった日数**が**11日以上**であるとき※2は、当該期間を**2分の1箇月**の**被保険者期間**として計算する。

H30-選ABC　R6-2A〜E

※2　計算された被保険者期間が**12箇月**（❶ **2.受給資格要件の特例**の場合にあっては、**6箇月**）**に満たない場合**は、**賃金の支払の基礎となった日数**が**11日以上**であるとき又は**賃金の支払の基礎となった時間数**が**80時間以上**であるとき

**Check Point!**

□「被保険者期間」とは、単に被保険者であった期間をいうのではなく、上記の方法に基づいて算定される期間をいう。なお、「被保険者であった期間」とは、被保険者として雇用されていたすべての期間のことをいい、「被保険者期間」の考え方とは異なる。

**・被保険者期間の算定方法**

被保険者期間は、次のようにして算定する。

(1)　被保険者として雇用された期間を、資格喪失日の前日（離職日）からさか

のぼって1箇月ごとに区切っていき、このように区切られた1箇月の期間に**賃金支払基礎日数**が**11日以上**[※3]ある場合に、その1箇月の期間を**被保険者期間の1箇月**として計算する。R6-2A〜E

※3　計算された被保険者期間が**12箇月**（❶ **2.受給資格要件の特例**の場合にあっては、**6箇月**）**に満たない場合**は、**賃金支払基礎日数**が**11日以上**又は**賃金支払基礎時間数**が**80時間以上**

(2)　このように区切ることにより**1箇月未満の端数**が生じることがあるが、その1箇月未満の日数が**15日以上**あり、かつ、その期間内に**賃金支払基礎日数**が**11日以上**[※4]あるときは、その期間を**被保険者期間の2分の1箇月**として計算する。H30-選ABC　R6-2A〜E

※4　計算された被保険者期間が**12箇月**（❶ **2.受給資格要件の特例**の場合にあっては、**6箇月**）**に満たない場合**は、**賃金支払基礎日数**が**11日以上**又は**賃金支払基礎時間数**が**80時間以上**

■**被保険者期間の例示**

**【例1】**

令和XX年7月1日就職
その翌年の8月10日離職

| | 7/1〜7/11 | 7/11〜8/11 | 8/11〜9/11 | 9/11〜10/11 | 10/11〜11/11 | 11/11〜12/11 | 12/11〜1/11 | 1/11〜2/11 | 2/11〜3/11 | 3/11〜4/11 | 4/11〜5/11 | 5/11〜6/11 | 6/11〜7/11 | 7/11〜8/10 | 8/11 |
|---|---|---|---|---|---|---|---|---|---|---|---|---|---|---|---|
| | 就職 × | ○ | ○ | ○ | ○ | ○ | ○ | ○ | ○ | ○ | ○ | ○ | ○ | ○ 離職 | ▲資格喪失 |
| 賃金支払基礎日数 | 6 | 22 | 22 | 22 | 22 | 22 | 22 | 22 | 22 | 22 | 22 | 22 | 22 | 22 | |

○＝被保険者期間1箇月　×＝被保険者期間ゼロ箇月
合計 被保険者期間13箇月

**【例2】**

令和XX年6月20日就職
その翌年の8月10日離職

| | 6/20〜7/11 | 7/11〜8/11 | 8/11〜9/11 | 9/11〜10/11 | 10/11〜11/11 | 11/11〜12/11 | 12/11〜1/11 | 1/11〜2/11 | 2/11〜3/11 | 3/11〜4/11 | 4/11〜5/11 | 5/11〜6/11 | 6/11〜7/11 | 7/11〜8/10 | 8/11 |
|---|---|---|---|---|---|---|---|---|---|---|---|---|---|---|---|
| | 就職 △ | ○ | × | ○ | ○ | ○ | ○ | ○ | ○ | ○ | ○ | ○ | ○ | ○ 離職 | ▲資格喪失 |
| 賃金支払基礎日数 | 11 | 12 | 10 | 12 | 12 | 12 | 11 | 12 | 12 | 12 | 12 | 12 | 16 | 11 | |

○＝被保険者期間1箇月　△＝被保険者期間$\frac{1}{2}$箇月
×＝被保険者期間ゼロ箇月
合計 被保険者期間12.5箇月

**参考**（賃金支払基礎日数）
「賃金支払基礎日数」とは、賃金の支払の基礎となった日数であるが、この場合、「賃金の支払の基礎となった日」とは、現実に労働した日であることを要しない。例えば、労働基準法第26条の規定による休業手当が支給された場合にはその休業手当の支給の対象となった日数、有給休暇がある場合にはその有給休暇の日数等は、賃金の支払の基礎となった日数に算入される。H29-2E　R元-1D
（行政手引21454）

(月給者の賃金支払基礎日数)
月給者についての賃金支払基礎日数とは、月間全部を拘束する意味の月給制であれば、30日（28日、29日、31日）であり、1月中、日曜、休日を除いた期間に対する給与であればその期間の日数となる。
月給者が欠勤して給与を差し引かれた場合（日給月給者の場合）は、その控除後の賃金に対応する日数が賃金支払基礎日数となる。（行政手引21454）

(日給者の賃金支払基礎日数)
日給者についての賃金支払基礎日数とは、一般的には現実に労働した日数をいう。ただし、休業手当支払の対象となった日及び有給休暇の取得日等は賃金支払基礎日数に算入しなければならないので、このような日については、現実に労働していなくても賃金支払基礎日数に算入する。（同上）

(翌日にわたる深夜労働の場合)
深夜労働に従事して翌日にわたり、かつ、その労働時間が**8時間を超える**場合には、**賃金支払基礎日数は2日**として計算する。ただし、宿直については、宿直に従事して翌日にわたり、その時間が8時間を超えても2日としては計算しない。
なお、この場合の賃金支払基礎日数は、各月の暦日数を上限とする。（同上）

(未払賃金がある場合)
未払賃金がある場合でも、賃金計算の基礎となる日数が11日以上あれば、その月は被保険者期間に算入する。（行政手引50103）

(家族手当等が1月分ある場合)
家族手当、住宅手当等の支給が1月分ある場合でも、本給が11日分未満しか支給されないときは、その月は被保険者期間に算入しない。 R元-1B （同上）

(二重に被保険者資格を取得していた受給資格者に係る被保険者期間の計算)
二重に被保険者資格を取得していた被保険者が一の事業主の適用事業から離職し、その前後に他の事業主の適用事業から離職した場合は、被保険者期間として計算する月は、後の方の離職の日に係る算定対象期間について算定する。 R元-1C （同上）

## 2 被保険者であった期間から除外する期間（法14条2項）★★★

**被保険者期間**を計算する場合において、次に掲げる期間は、**被保険者であった期間**に含めない。

i　最後に被保険者となった日前に、当該被保険者が**受給資格**（**基本手当の支給を受けることができる資格**をいう。）、**高年齢受給資格**（**高年齢求職者給付金の支給を受けることができる資格**をいう。）又は**特例受給資格**（**特例一時金の支給を受けることができる資格**をいう。）を取得したことがある場合には、当該**受給資格**、**高年齢受給資格**又は**特例受給資格に係る離職の日以前**における**被保険者であった期間** R元-1A

ii　第9条の規定による**被保険者となったことの確認があった日**の**2年前の日前**における**被保険者であった期間** R元-1E

**Check Point!**

□ 最新の離職票に係る被保険者となった日前に基本手当等を受給していなくても、受給資格等を取得したことがある場合は、上記ⅰに該当する。
R元-1A

### 1. 上記ⅰのケース R元-1A

最新の離職票に係る被保険者となった日前に当該被保険者が受給資格、高年齢受給資格又は特例受給資格（以下「受給資格等」という。）を取得したことがある場合（実務上の扱いとしては、公共職業安定所に出頭し受給資格等の決定手続を受けた場合をいう。）には、当該受給資格等に係る離職の日以前における被保険者であった期間は、被保険者期間の算定対象となる被保険者であった期間には含めない。

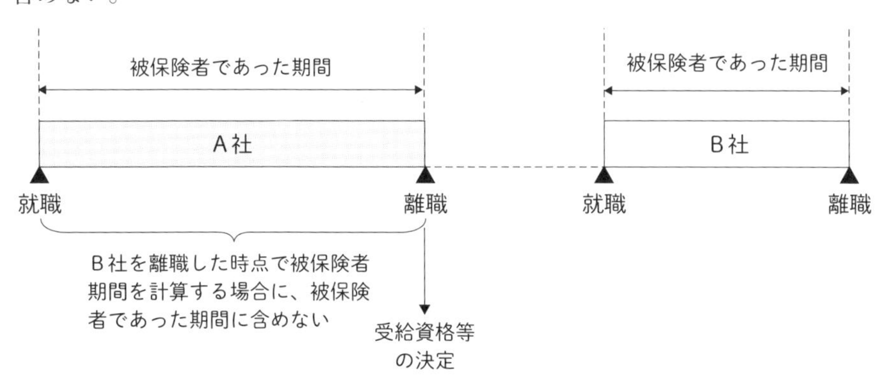


### 2. 上記ⅱのケース R元-1E

被保険者資格を取得した日が被保険者資格を取得したことの確認が行われた日の２年前の日より前であるときは、その被保険者資格の取得の確認が行われた日の２年前の日より前の期間は、被保険者期間の算定対象となる被保険者であった期間に含まれない。この場合は、被保険者資格の取得の確認が行われた日の２年前の日がその者の被保険者資格の取得の日とみなされる。

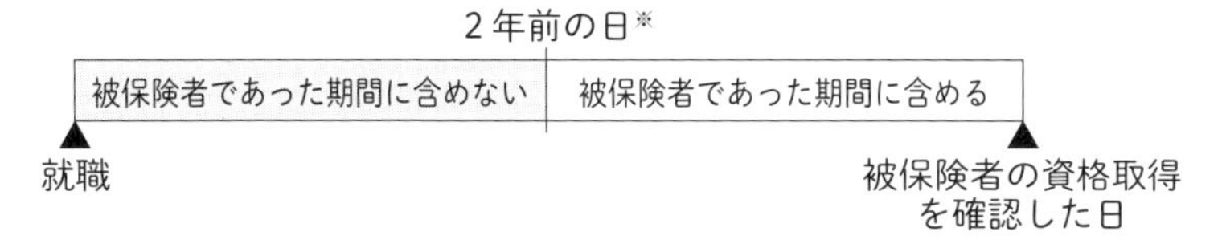


※「２年前の日」は、法第22条第５項に規定する者［雇用保険遡及適用の特例対象

者〕にあっては、同項第2号に規定する被保険者の負担すべき雇用保険料の額に相当する額がその者に支払われた賃金から控除されていたことが明らかである時期のうち最も古い時期として厚生労働省令で定める日とされる。

**問題チェック** H26-1D

事業主の命により離職の日以前外国の子会社に出向していたため日本での賃金の支払いを引き続き5年間受けていなかった者は、基本手当の受給資格を有さない。

**解答** ○　　法13条1項、行政手引50152、50153

設問の通り正しい。設問の場合、算定対象期間の延長は認められるが、その期間の上限は4年であり賃金支払基礎日数及び賃金支払基礎時間数はゼロであるため、基本手当の受給資格を有することはない。

# 2 基本手当の受給手続

## ① 失業の認定 重要度A

### 1 失業の認定の意義（法15条1項、2項）

★★★

Ⅰ　**基本手当**は、**受給資格を有する者**（「**受給資格者**」という。）が**失業している日**（**失業**していることについての**認定を受けた日**に限る。）について支給する。

Ⅱ　Ⅰの**失業**していることについての**認定**（「**失業の認定**」という。）を受けようとする**受給資格者**は、**離職後**、厚生労働省令で定めるところにより、**公共職業安定所**に**出頭**し、**求職の申込み**をしなければならない。

**概要**

失業の認定とは、公共職業安定所の長が受給資格の決定を行った者について、失業の認定日において、後述する**認定対象期間**に属する各日について、その者が失業していたか否かを確認する行為であり、受給資格者が求人者に面接したこと、公共職業安定所等から職業を紹介され、又は職業指導を受けたことその他求職活動を行ったことを確認して行う。

基本手当は失業の認定を受けた日について支給されるので、受給資格者が基本手当の支給を受けるためには、失業の認定日に管轄公共職業安定所に出頭し、求職の申込みをしたうえで失業の認定を受けなければならない。

### 2 受給資格の決定（則19条1項、3項）

★★★

Ⅰ　**基本手当**の支給を受けようとする者（**未支給給付請求者**を除く。）は、**管轄公共職業安定所**に出頭し、**運転免許証その他の基本手当の支給を受けようとする者が本人であることを確認することができる**

**書類を添えて**又は**個人番号カード**（行政手続における特定の個人を識別するための番号の利用等に関する法律第2条第7項に規定する個人番号カードをいう。以下同じ。）**を提示して離職票**（当該基本手当の支給を受けようとする者が**離職票**に記載された**離職の理由**に関し、**異議**がある場合にあっては、**離職票**及び**離職の理由を証明することができる書類**）を提出しなければならない。R6-4B

Ⅱ　管轄**公共職業安定所**の長は、**離職票**を提出した者が、法第13条第1項及び第2項［**基本手当の受給資格**］の規定に該当すると認めたときは、**失業の認定日**を定め、その者に知らせるとともに、**受給資格者証**（**個人番号カード**を**提示**してⅠの規定による提出をした者であって、**雇用保険受給資格通知**※の交付を希望するものにあっては、**雇用保険受給資格通知**）に必要な事項を記載した上、**交付**しなければならない。

※　当該者の氏名、被保険者番号（直近に交付された被保険者証に記載されている被保険者番号をいう。以下同じ。）、性別、生年月日、離職理由、基本手当日額（法第16条の規定による基本手当の日額をいう。）、所定給付日数、給付に係る処理状況その他の職業安定局長が定める事項を記載した通知をいい、以下「**受給資格通知**」という。

## 概要

基本手当の支給を受けるためには、まず、管轄公共職業安定所に出頭し、求職の申込みをしたうえ、離職票を提出して受給資格の決定（基本手当の支給を受けることができる資格を有する者であると認定すること）を受けなければならない。

また、管轄公共職業安定所の長は、受給資格の決定を行ったときは、次回以後に出頭して失業の認定を受けるべき日（失業の認定日）を指定し、受給資格者に当該失業の認定日を知らせるとともに、基本手当の支給を受けるために必要となる受給資格者証又は受給資格通知を交付する。

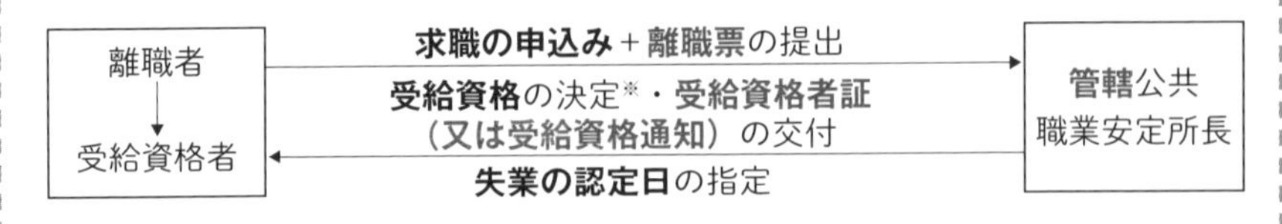

※　管轄公共職業安定所の長は、離職票を提出した者が法第13条第１項［基本手当の受給資格］の規定に該当しないと認めたときは、離職票にその旨を記載し、返付しなければならない。 R6-4E （則19条４項）

参考（２枚以上の離職票を保管するとき等）
基本手当の支給を受けようとする者が、管轄公共職業安定所に出頭し、離職票を提出する場合において、その者が２枚以上の離職票を保管するとき、又は第31条第６項［疾病等により職業に就くことができない者に係る受給期間延長の申出］、第31条の３第３項［定年退職者等に係る受給期間延長の申出］若しくは第31条の６第４項［事業を開始した受給資格者等に係る受給期間の特例の申出］の規定により受給期間延長等通知書の交付を受けているときは、併せて提出しなければならない。 H27-7B （則19条１項）

（受給資格者証の保管）
受給資格者証の交付を受けた受給資格者は、受給期間内に就職したときは、その期間内に再び離職し、当該受給資格に基づき基本手当の支給を受ける場合のために、受給資格者証を保管しなければならない。

（則20条１項）

（受給期間内に再離職した場合）
受給資格者は、受給期間内に就職し、その期間内に再び離職し、当該受給期間内に係る受給資格に基づき基本手当の支給を受けようとするときは、管轄公共職業安定所に出頭し、その保管する受給資格者証を添えて（当該受給資格者が受給資格通知の交付を受けた場合にあっては、個人番号カードを提示して）離職票又は雇用保険被保険者資格喪失確認通知書を提出しなければならない。この場合において、管轄公共職業安定所の長は、その者について新たに失業の認定日を定め、受給資格者証に必要な改定をした上、返付（当該受給資格者が受給資格通知の交付を受けた場合にあっては、受給資格通知に必要な事項を記載した上、交付）しなければならない。 （則20条２項）

（再交付申請）
1．受給資格者は、**受給資格者証**を**滅失**し、又は**損傷**したときは、その旨を**管轄**公共職業安定所の長に申し出て、**再交付**を受けることができる。この場合において、受給資格者は、運転免許証その他の受給資格者証の再交付を申請しようとする者が本人であることを確認することができる書類を提示しなければならない。
2．受給資格者は、受給資格通知を滅失し、又は損傷したときは、その旨を管轄公共職業安定所の長に申し出て、再交付を受けることができる。この場合において、受給資格者は、個人番号カードを提示しなければならない。 （則50条１項、５項）

（事務の委嘱に関する暫定措置）
管轄公共職業安定所の長は、職業安定局長の定めるところにより、受給資格者の申出によって必要があると認めるときは、その者について行う基本手当等に関する事務を、その者が就職を希望する地域を管轄する公共職業安定所長であって、職業安定局長が定める要件に該当するものに委嘱することができる。 R元-3A （則54条、則附則１条の２）

## 3 認定手続（則22条1項）

★★★

**受給資格者**は、**失業の認定**を受けようとするときは、**失業の認定日**に、**管轄公共職業安定所**に出頭し、**受給資格者証**を添えて（当該受給資格者が**受給資格通知**の交付を受けた場合にあっては、**個人番号カー**

**ド**を**提示**して）失業認定申告書を提出した上、**職業の紹介**を求めなければならない。

**概要**

受給資格の決定を受けた者は、指定された失業の認定日に、管轄公共職業安定所に出頭し、受給資格者証を添えて（当該受給資格者が受給資格通知の交付を受けた場合にあっては、個人番号カードを提示して）失業認定申告書を提出し、失業の認定を受けなければならない。

また、管轄公共職業安定所の長は、失業の認定を行ったときは、その処分に関する事項を受給資格者証に記載した上でこれを返付（当該受給資格者が受給資格通知の交付を受けた場合にあっては、受給資格通知にその処分に関する事項を記載した上でこれを交付）しなければならない。（則22条2項）

受給資格者 → 管轄公共職業安定所長：失業の認定日に出頭＋**職業の紹介**を求める　**失業認定申告書**＋**受給資格者証**の提出（又は個人番号カードの提示）

管轄公共職業安定所長 → 受給資格者：失業の認定＋**受給資格者証**の返付（又は受給資格通知の交付）（基本手当の支給）

**Check Point!**

- □ 失業の認定は、原則として、受給資格者について、あらかじめ定められた認定日に行うものであるから、所定の認定日に出頭しないときは、認定対象期間の全部について認定しないこととなる。（行政手引51253）
- □ 失業の認定は受給資格者本人の求職の申込みによって行われるものであるので、未支給の失業等給付に係る場合（本人が死亡した場合）を除き、原則として代理人を出頭させて失業の認定を受けることはできない。R2-2B（行政手引51252）

**参考**（「就職」と「自己の労働による収入」）
失業の認定を受けるべき期間中において受給資格者が就職した日があるときは、就職した日についての失業の認定は行わないが、この場合の就職とは、雇用関係に入るものはもちろん、請負、委任により常時労務を提供する地位にある場合、自営業を開始した場合等であって、原則として**1日の労働時間が4時間以上**のもの（4時間未満であっても被保険者となる場合を含む。）をいい、現実の収入の有無を問わない。H27-7C
一方、失業の認定を受けるべき期間中において受給資格者が自己の労働によって収入を得た場合には、その収入の額に応じて基本手当等の支給額を減額することがある（これについては後述する）が、この場合の自己の労働による収入とは、就職には該当しない短時間の就労等（「短時間就労」という。）による収入であり、原則として１日の労働時間が４時間未満のもの（被保険者となる場合を除く。）をいう（雇用関係の有無は問わない。）。

（行政手引51255）

（自営業開始の準備）
自営業を開始するための準備については、１日の当該準備に係る活動時間が４時間以上ある場合は、原則として就職とみなして取り扱う。（同上）

（ボランティア活動）
国内におけるボランティア活動であって、受給期間の延長事由に該当しないものについては、１日の活動時間が**４時間以上**の場合は原則として**就職**、**４時間未満**の場合は原則として交通費等の実費弁償の部分を除き**自己の労働による収入**とみなして取り扱う。（同上）

（求職活動を行わない場合）
１日の労働時間が４時間未満であっても、自己の労働、自営業開始の準備又はボランティア活動等に専念するため安定所の職業紹介にすぐには応じられないなど、他に求職活動を行わない場合は、当然に、労働の意思及び能力がないものとして取り扱う。（同上）

（登録型派遣労働者に係る留意事項）
受給資格者が被保険者とならないような派遣就業を行った場合は、通常、その雇用契約期間が「就職」していた期間である。 H28-3オ R5-2E （行政手引51256）

（受給資格者氏名・住所変更届）
受給資格者は、その氏名又は住所若しくは居所を変更した場合において、失業の認定又は基本手当の支給を受けようとするときは、失業の認定日又は支給日に、運転免許証その他の氏名又は住所若しくは居所の変更の事実を証明することができる書類及び受給資格者証を添えて（当該受給資格者が受給資格通知の交付を受けた場合にあっては、個人番号カードを提示して）、氏名を変更した場合にあっては受給資格者氏名変更届を、住所又は居所を変更した場合にあっては受給資格者住所変更届を管轄公共職業安定所の長に提出しなければならない。（則49条１項）

## 4 求職活動の確認（法15条５項、則28条の2）

★★★

Ⅰ　**失業の認定**は、厚生労働省令で定めるところにより、**受給資格者**が**求人者**に**面接**したこと、**公共職業安定所**その他の**職業安定機関**若しくは**職業紹介事業者等**から**職業を紹介**され、又は**職業指導**を受けたことその他**求職活動を行ったことを確認**して行うものとする。

Ⅱ　**管轄公共職業安定所の長**は、**失業の認定**に当たっては、則第22条第１項の規定により提出された**失業認定申告書**に記載された**求職活動**の**内容を確認**するものとする。 R5-2D

Ⅲ　**管轄公共職業安定所の長**は、**失業の認定**に関して必要があると認めるときは、**受給資格者**に対し、運転免許証その他の**基本手当**の支給を受けようとする者が**本人であることを確認**することができる書類の提出を命ずることができる。

Ⅳ　**管轄公共職業安定所の長**は、**失業認定申告書**に記載された**求職活**

**動の内容**の**確認**の際に、**受給資格者**に対し、**職業紹介**又は**職業指導**を行うものとする。

**Check Point!**

- □ 失業の認定が行われるためには、前回の認定日から今回の認定日の前日までの期間（認定対象期間）に、原則として２回以上の求職活動を行った実績（求職活動実績）があることが必要となる。
- □ 公共職業安定所や許可・届出のある民間職業紹介機関等が行う職業相談・職業紹介等を受けることは求職活動実績に該当するが、職業紹介機関への登録、知人への紹介依頼、公共職業安定所・新聞・インターネット等での求人情報の閲覧等を行っただけでは求職活動実績に該当しない。

H27-7D　R2-2A　R5-2B（則28条の2,1項、行政手引51254）

### 1.　3回以上の求職活動実績が必要な場合

離職理由による給付制限（給付制限期間が１箇月となる場合を除く。）満了後の初回支給認定日（基本手当の支給に係る最初の失業の認定日をいう。）について失業の認定が行われるためには、当該給付制限期間と初回支給認定日に係る給付制限満了後の認定対象期間を合わせた期間に、原則として３回以上（給付制限期間が２か月の場合は、原則２回以上）の求職活動実績があることが必要となる。

H28-3イ（行政手引51254）

### 2.　1回以上の求職活動実績があればよい場合

次の場合は、認定対象期間に**1**回以上の求職活動実績があれば、失業の認定が行われる。R3-選C

(1)　就職困難者の場合

(2)　初回支給認定日における認定対象期間である場合

(3)　認定対象期間の日数が14日未満となる場合 R5-2A

(4)　**求人への応募**（**応募書類の郵送**、面接・筆記試験の受験等）を行った場合（当該応募を当該認定対象期間における求職活動実績とする。）R3-選D

(5)　**巡回職業相談所**における失業の認定及び市町村長の取次ぎによる失業の認定を行う場合 R3-選E

(6)　巡回職業相談所又は市町村取次ぎによる失業の認定の対象地域（管轄公共職業安定所と当該自治体との間で「タブレット端末等を活用した受給資格決

定等の実施に係る協定書」を締結している場合に限る。）に居住する受給資格者が、当該地域を管轄する市町村役場に来庁して、又は受給資格者の自宅からオンライン面談による失業の認定を行う場合 （行政手引51254）

**問題チェック** R2-2CDE

失業の認定に関する次の記述のうち、誤っているものはいくつあるか。

A　自営の開業に先行する準備行為に専念する者については、労働の意思を有するものとして取り扱われる。

B　雇用保険の被保険者となり得ない短時間就労を希望する者であっても、労働の意思を有すると推定される。

C　認定対象期間において一の求人に係る筆記試験と採用面接が別日程で行われた場合、求人への応募が2回あったものと認められる。

**解答** 3つ（AとBとC）

A　×　行政手引50102、51254。設問の者については、労働の意思を有する者として取り扱うことはできない。

B　×　行政手引50102、51254。設問のように雇用保険の被保険者となり得ない短時間就労を希望する者は、労働の意思を有するものと推定されない。

C　×　行政手引51254。書類選考、筆記試験、採用面接等が一の求人に係る一連の選考過程である場合には、そのいずれまでを受けたかにかかわらず、一の応募として取り扱われる。

# ② 失業の認定日 重要度 A

## 1 原則及び公共職業訓練等受講者の特例（法15条3項、則24条1項）

★★★

Ⅰ　**失業の認定**は、**求職の申込み**を受けた**公共職業安定所**において、**受給資格者**が**離職後最初に出頭した日**から起算して**4週間に1回**ずつ**直前の28日の各日**について行うものとする。H27-7A

Ⅱ　**公共職業安定所長**の指示した**公共職業訓練等**を受ける**受給資格者**に係る**失業の認定**は、**1月に1回、直前の月に属する各日**（既に失業の認定の対象となった日を除く。）について行うものとする。

H28-3エ　R元-3B

（公共職業訓練等）
法第15条第３項の「公共職業訓練等」とは、国、都道府県及び市町村並びに独立行政法人高齢・障害・求職者雇用支援機構が設置する公共職業能力開発施設の行う職業訓練（職業能力開発総合大学校の行うものを含む。）、職業訓練の実施等による特定求職者の就職の支援に関する法律第４条第２項に規定する認定職業訓練（厚生労働省令で定めるものを除く。）その他法令の規定に基づき失業者に対して作業環境に適応することを容易にさせ、又は就職に必要な知識及び技能を習得させるために行われる訓練又は講習であって、政令で定めるものをいう。 R5-4E　（法15条３項カッコ書）

（公共職業訓練等を受講する場合の届出）
受給資格者は、公共職業安定所長の指示により公共職業訓練等を受けることとなったときは、速やかに、公共職業訓練等受講届及び公共職業訓練等通所届に原則として受給資格者証（当該受給資格者が生計を維持している同居の親族と別居して寄宿する場合にあっては、当該親族の有無についての市町村の長の証明書及び受給資格者証）を添えて、公共職業訓練等を行う施設の長を経由して管轄公共職業安定所の長に提出しなければならない。ただし、やむを得ない理由により公共職業訓練等を行う施設の長を経由して当該届出書の提出を行うことが困難であると認められる場合には、公共職業訓練等を行う施設の長を経由しないで提出を行うことができる。　（則21条１項）

（受講届等の変更に関する届出）
受給資格者は、受講届又は通所届の記載事項に変更があったときは、速やかに、受給資格者証を添えて（当該受給資格者が受給資格通知の交付を受けた場合にあっては、個人番号カードを提示して）変更の事実を証明することができる書類及び受講届又は通所届の記載事項に変更があったことを記載した届書を管轄公共職業安定所の長に提出しなければならない。　（則21条４項）

## 2 失業の認定日の変更（法15条3項、則23条1項）

★★★

**厚生労働大臣**は、次に掲げる**受給資格者**に係る**失業の認定**について別段の定めをすることができる。

ⅰ　**職業に就くため**その他やむを得ない理由のため**失業の認定日**に**管轄公共職業安定所**に**出頭することができない者**であって、その旨を**管轄公共職業安定所の長**に申し出たもの R元-3C

ⅱ　**管轄公共職業安定所の長**が、**行政機関の休日**に関する法律に規定する**行政機関の休日**、**労働市場の状況その他の事情**を**勘案**して、**失業の認定日**を**変更**することが適当であると認める者

**概要**

職業に就くためその他やむを得ない理由のため所定の失業の認定日に管轄公共職業安定所に出頭できない受給資格者は、その旨を管轄公共職業安定所の長に申し出ることにより、その申出をした日において、失業の認定を受けることができる。

認定日変更の申出は、原則として、事前になされなければならない。ただし、変更理由が突然生じた場合、認定日前に就職した場合等であって、事前に認定日の変更の申出を行わなかったことについてやむを得ない理由があると認められるときは、次回の所定認定日の前日までに申し出て、認定日の変更の取扱いを受けることができる。

なお、管轄公共職業安定所の長は、必要があると認めるときは、職業に就くためその他やむを得ない理由のため失業の認定日に管轄公共職業安定所に出頭することができない旨の申出をしようとする者に対し、当該理由を証明することができる書類の提出を命ずることができる。

（則23条２項、則24条２項、行政手引51351）



**参考**（認定日変更の対象となる「やむを得ない理由」）

認定日の変更が行われるのは、次のような理由により認定日に出頭できない場合である。

⑴就職する場合（公共職業安定所の紹介によると否とを問わない。）
⑵法第15条第４項各号［証明書による認定］に該当する場合
⑶公共職業安定所の紹介によらないで求人者に面接する場合（採用試験を受験する場合を含む。）
⑷各種国家試験、検定等の資格試験を受験する場合
⑸公共職業安定所長の推薦により公共職業訓練等を受講する場合、就職支援計画に基づき求職者支援訓練を受講する場合、公共職業安定所の指導により各種養成施設に入所する場合、各種講習を受講する場合、教育訓練給付の対象教育訓練を受講する場合（ただし、対象教育訓練の受講日の変更が困難である場合に限る。）、公共職業安定所の職業指導により短期訓練受講費の対象訓練を受講する場合（ただし、対象教育訓練の受講日の変更が困難である場合に限る。）、又は則第115条第４号に基づく出向・移籍支援業務として実施される委託訓練・講習等を受講する場合（ただし、当該委託訓練・講習等の受講日の変更が困難である場合に限る。）
⑹受給資格者本人の婚姻の場合（社会通念上妥当と認められる日数の新婚旅行等を含む。）
⑺民法第725条に規定する親族の婚姻のための儀式に出席する場合
⑻民法第725条に規定する親族の傷病について受給資格者の看護を必要とする場合
⑼民法第725条に規定する親族の危篤又は死亡及び葬儀 H27-7E
⑽配偶者、３親等以内の血族又は姻族の命日の法事
⑾子弟の入園式・入学式又は卒園式・卒業式への出席 H28-3ウ
⑿選挙権その他公民としての権利を行使する場合
⒀前各号に掲げる場合に準ずるものであって社会通念上やむを得ないと認められるもの

（行政手引51351）

（認定日を変更した場合の認定対象期間）

⑴認定日の変更の申出を受けた日が失業の認定日前の日であるときの失業の認定は、当該失業の認定日における失業の認定の対象となる日のうち、当該申出を受けた日前の各日について行われる。（則24条２項１号）
⑵認定日の変更の申出を受けた日が失業の認定日後の日であるときの失業の認定は、当該失業の認定日における失業の認定の対象となる日及び当該失業の認定日から当該申出を受けた日の前日までの各日について行われる。（則24条２項２号）
⑶認定日を変更して失業の認定が行われたときは、その後における最初の失業の認定日における失業の認定は、認定日変更の申出を受けた日から当該失業の認定日の前日までの各日について行われる。（則24条３項）

## 3 証明書による認定（法15条4項）

★★★

**受給資格者**は、次のⅰからⅳのいずれかに該当するときは、厚生労働省令で定めるところにより、**公共職業安定所**に**出頭することができなかった理由**を記載した**証明書**を提出することによって、**失業の認定**を受けることができる。

ⅰ　**疾病又は負傷**のために**公共職業安定所**に**出頭**することができなかった場合において、**その期間**が**継続して15日未満**であるとき。

ⅱ　**公共職業安定所の紹介**に応じて**求人者に面接**するために**公共職業安定所**に**出頭**することができなかったとき。

ⅲ　**公共職業安定所長の指示**した**公共職業訓練等**を受けるために**公共職業安定所**に**出頭**することができなかったとき。

ⅳ　**天災その他やむを得ない理由**のために**公共職業安定所**に**出頭**することができなかったとき。 R元-3D

**Check Point!**

□ ⅰ及びⅳの証明書により失業の認定を行うことができる期間は、証明書に記載された期間内に存在した認定日において認定すべき期間をも含めることができる。 R元-3D （行政手引51401）

### 1. 上記ⅰⅱⅳの場合

上記ⅰ及びⅳの証明認定を受けようとする受給資格者は**その理由がやんだ後における最初の失業の認定日**に、上記ⅱの証明認定を受けようとする受給資格者は求人者に**面接した後における最初の失業の認定日**に、それぞれ管轄公共職業安定所に出頭し、受給資格者証を添えて（当該受給資格者が受給資格通知の交付を受けた場合にあっては、個人番号カードを提示して）所定の事項を記載した証明書を提出しなければならない。 （則25条、則26条、則28条）

### 2. 上記ⅲの場合

公共職業安定所長の指示により**公共職業訓練等を行う施設に入校中の受給資格者**が失業の認定を受けるために公共職業安定所に出頭することは、訓練等の妨げともなり、また、訓練施設に入校中は失業の状態にあることが明確であるので、この場合には、**訓練施設の長の証明書（公共職業訓練等受講証明書）を１箇月に**

**1回ずつ管轄公共職業安定所長に提出**することによって、証明期間についての失業の認定を受けることができる。R5-4A

なお、公共職業能力開発施設に入校中の受給資格者の失業の認定は、施設の職員等が当該受給資格者の代理人となって当該証明書を提出することによって行われるため、証明認定の手続を含め、受給資格者自身が失業の認定手続を行う必要はない。（則24条１項、則27条）

参考（公共職業安定所の紹介による求人者との面接）
公共職業安定所の紹介による求人者との面接には、採用試験の受験も含まれる。
（行政手引51401）

（天災その他やむを得ない理由）
「天災その他やむを得ない理由」に該当するのは、具体的には次のような場合である。
(1)水害、火災、地震、暴風雨雪、暴動、交通事故等のため公共職業安定所に出頭できなかった場合
(2)受給資格者が消防団員として出動義務のある火災消火活動に従事したため公共職業安定所に出頭できなかった場合
(3)予備自衛官が訓練招集を受けたため公共職業安定所に出頭できなかった場合
(4)証人、鑑定人、参考人等として国会、裁判所、地方公共団体の議会その他の官公署に出頭したため公共職業安定所に出頭できなかった場合（同上）



## ③ 基本手当の支給（法30条1項、則43条1項） 重要度A

★★★

Ⅰ　**基本手当**は、厚生労働省令で定めるところにより、**4週間に1回**、**失業の認定を受けた日分**を支給するものとする。

Ⅱ　**公共職業安定所長**の指示した**公共職業訓練等**を受ける**受給資格者**に係る**基本手当**は、**1月に1回**支給するものとする。

**Check Point!**

□ 代理人による失業の認定は、原則として認められていない※が、代理人による基本手当の受給（口座振込の場合を除く）は認められている。

※　未支給失業等給付に係るもの及び公共職業能力開発施設に入校中の場合は代理人による失業の認定が認められている。H28-3ア

### 1. 支給手続

(1)　基本手当は、受給資格者に対し、参考(2)による場合を除き、受給資格者の預金又は貯金（出納官吏事務規程第48条第２項に規定する日本銀行が指定した銀行その他の金融機関に係るものに限る。以下同じ。）への振込みの方法

により支給する。

⑵　⑴に規定する方法によって基本手当の支給を受ける受給資格者（以下「口座振込受給資格者」という。）は、受給資格者証を添えて（当該口座振込受給資格者が受給資格通知の交付を受けた場合にあっては、個人番号カードを提示して）払渡希望金融機関指定届を管轄公共職業安定所の長に提出しなければならない。（則44条1項、2項）

参考 ⑴口座振込受給資格者は、払渡希望金融機関を変更しようとするときは、受給資格者証を添えて（当該口座振込受給資格者が受給資格通知の交付を受けた場合にあっては、個人番号カードを提示して）払渡希望金融機関変更届を管轄公共職業安定所の長に提出しなければならない。
⑵管轄公共職業安定所の長は、やむを得ない理由があると認めるときは、受給資格者の申出により管轄公共職業安定所において基本手当を支給することができる。
⑶受給資格者は、⑵の規定により基本手当の支給を受けようとするときは、支給日に管轄公共職業安定所に出頭し、受給資格者証を提出（当該受給資格者が受給資格通知の交付を受けた場合にあっては、個人番号カードを提示）しなければならない。ただし、受給資格者証を提出（当該受給資格者が受給資格通知の交付を受けた場合にあっては、個人番号カードを提示）することができないことについて正当な理由があるときは、この限りでない。（則44条3項、則45条1項、2項）

## 2．代理人による基本手当の受給

受給資格者（口座振込受給資格者を除く。）が疾病、負傷、就職その他やむを得ない理由によって、支給日に管轄公共職業安定所に出頭することができないときは、**代理人によって基本手当の支給を受けることができる**。

この場合において、代理人は、受給資格者証及びその資格を証明する書類（当該受給資格者が受給資格通知の交付を受けた場合にあっては、その資格を証明する書類）を管轄公共職業安定所の長に提出しなければならない。（則46条1項）

# 基本手当日額

## ① 賃金（法4条4項、則2条） 重要度A ★★★

Ⅰ　雇用保険法において「**賃金**」とは、**賃金、給料、手当、賞与その他名称のいかんを問わず、労働の対償**として**事業主が労働者に支払うもの**（**通貨以外のもの**で支払われるものであって、**厚生労働省令で定める範囲外**のものを**除く**。）をいう。

Ⅱ　Ⅰの賃金に算入すべき**通貨以外のもの**で支払われる**賃金の範囲**は、**食事**、**被服**及び**住居の利益**のほか、**公共職業安定所長**が定めるところによる。

Ⅲ　Ⅱの通貨以外のもので支払われる**賃金の評価額**は、**公共職業安定所長**が定める。

### Check Point!

□ 賃金の判断区分は、次の通りである。

| 賃金と解されるもの | 賃金と解されないもの |
|---|---|
| ・休業手当<br>・年次有給休暇日の給与<br>・住宅手当<br>・通勤手当<br>・日直、宿直手当<br>・単身赴任手当<br>・食事の利益（原則）<br>・被服の利益（原則）<br>・住居の利益（原則） | ・休業補償<br>・健康保険法の傷病手当金<br>・チップ（原則）<br>・解雇予告手当 |

参考（食事の利益）
食事の利益は賃金とされるが、次のすべてに該当する場合は、原則として賃金として取り扱わない。
⑴給食によって賃金の減額を伴わないこと
⑵労働協約、就業規則に定められるなど、明確な労働条件の内容となっている場合でないこと

⑶給食による客観的評価額が社会通念上僅少なものと認められる場合であること
（行政手引50501）

（被服の利益）
被服の利益は賃金とされるが、労働者が業務に従事するため支給する作業衣又は業務上着用することを条件として支給し、若しくは貸与する被服の利益は、賃金日額の算定の基礎に算入しない。（同上）

（住居の利益）
住居の利益は賃金とされるが、住居施設を無償で供与される場合において、住居施設が供与されない者に対して、住居の利益を受ける者と均衡を失しない定額の均衡手当が一律に支払われない場合は、当該住居の利益は賃金とはならない。（同上）

（チップ）
チップは接客係等が、客からもらうものであって賃金とは認められないが、一度事業主の手を経て再配分されるものは賃金と認められる。H30-3B（行政手引50502）

（傷病手当金）
健康保険法第99条の規定に基づく傷病手当金は、健康保険の給付金であって、賃金とは認められない。また、標準報酬の３分の２に相当する傷病手当金が支給された場合において、その傷病手当金に付加して事業主から支給される給付額は、恩恵的給付と認められるので賃金とは認められない。H30-3A（同上）

（退職日後の給与）
月給者が月の中途で退職する場合に、その月分の給与を全額支払われる例があるが、この場合、退職日の翌日以後の分に相当する金額は賃金日額の算定の基礎に算入されない。
H30-3C（行政手引50503）

# ② 賃金日額 重要度A

## 1 算定の原則（法17条1項）

★★★

**賃金日額**は、**算定対象期間**において**被保険者期間**として計算された**最後の６箇月間に支払われた賃金**（**臨時に支払われる賃金**及び**３箇月を超える**期間ごとに支払われる賃金を**除く**。）の**総額**を**180で除して得た額**とする。R元-2イ　R4-選A

### 概要

賃金日額の算式は、次の通りとなる。

$$賃金日額 = \frac{算定対象期間において被保険者期間として計算された最後の６箇月間に支払われた賃金の総額^{※}}{180}$$

※　**臨時に支払われる賃金**及び**３箇月を超える期間**ごとに支払われる賃金は、賃金総額から除かれる。

### ・賃金日額の算定の基礎となる賃金

賃金日額の算定の基礎となる賃金は、被保険者として雇用された期間に対するものとして同期間中に事業主の**支払義務が確定した賃金**とする。したがって、事業主の支払義務が被保険者の離職後に確定したもの（例えば、離職後において労使間に協定がなされ、離職前にさかのぼって昇給することとなったような場合をいう。）は、賃金日額の算定の基礎となる賃金には算入しない。　（行政手引50451）

参考（「３か月を超える期間ごとに支払われる賃金」の意義）
単に支払事務の便宜等のために年間の給与回数が３回以内となるものは「３か月を超える期間ごとに支払われる賃金」に該当しない。したがって、例えば通勤手当、住宅手当等その支給額の計算の基礎が月に対応する手当が支払の便宜上年３回以内にまとめて支払われた場合には、当該手当は賃金日額の算定の基礎に含まれることとなる。 R5-3B
（行政手引50453）

（賃金日額の原則の算定方法）
法第13条の算定対象期間において、完全な賃金月が6以上あるときは、最後の完全な6賃金月に支払われた賃金（臨時に支払われる賃金及び3か月を超える期間ごとに支払われる賃金を除く。以下同じ。）の総額を180で除して得た額を賃金日額とするのが原則である。
R4-選A
この場合において、「賃金月」とは、同一の事業主のもとにおける賃金締切日（賃金締切日が1暦月内に2回以上ある場合には暦月の末日に最も近い賃金締切日。以下同じ。）の翌日から次の賃金締切日までの期間をいい、その期間が満1か月であり、かつ、賃金支払基礎日数が11日以上ある賃金月を「完全な賃金月」という。
なお、賃金締切日のない場合は暦月の末日をもって賃金締切日とみなし、また、被保険者資格取得日（就職日）は賃金締切日の翌日と、離職日の前日は賃金締切日とそれぞれみなす。　（行政手引50601）

（退職金）
労働者の退職後（退職を事由として、事業主の都合等により退職前に一時金として支払われる場合を含む。）に一時金又は年金として支払われるものは、賃金日額算定の基礎に算入されない。
ただし、退職金相当額の全部又は一部を労働者の在職中に給与に上乗せする等により支払う、いわゆる「前払い退職金」は、臨時に支払われる賃金及び３箇月を超える期間ごとに支払われる賃金に該当する場合を除き、原則として、賃金日額の算定の基礎となる賃金の範囲に含まれるものである。 R5-3A　（行政手引50503）

（祝金・見舞金）
結婚祝金、死亡弔慰金、災害見舞金等個人的臨時的な吉凶禍福に対して支給されるものは、賃金日額の算定の基礎に算入されない。　（同上）

（時間外労働及び休日労働に対する手当）
時間外労働や休日労働に対する手当は、賃金日額の算定の基礎に算入される。

（未払賃金がある場合）
未払賃金（支払義務の確定した賃金で所定の支払日を過ぎてもなお支払われないもの）は、賃金日額の算定の対象に含まれる。なお、離職後において、未払額として認定した額を超えて未払賃金が支払われた場合には、再計算が行われる。 H30-3E　（行政手引50609）

## 2 日給・時給等の場合の最低保障（法17条2項）

★★★

第17条第１項［算定の原則］に基づき算定した賃金日額が次のⅰⅱに掲げる額に満たないときは、**賃金日額**は、同項の規定にかかわらず、当該ⅰⅱに掲げる額とする。

ⅰ　**賃金**が、**労働した日若しくは時間**によって算定され、又は**出来高払制**その他の**請負制**によって定められている場合には、第17条第１項に規定する**最後の６箇月間**に支払われた**賃金の総額**を当該**最後の６箇月間に労働した日数**で除して得た額の**100分の70**に相当する額 H30-3D

ⅱ　**賃金**の**一部が、月、週その他一定の期間**によって定められている場合には、その**部分の総額をその期間の総日数**（**賃金の一部**が**月**によって定められている場合には、**１箇月を30日**として計算する。）で除して得た額とⅰに掲げる額との**合算額**

### 1. 最低保障額の算式

日給・時給等の場合は、「算定の原則」により算出した賃金日額が、次に掲げる額より少ないときは、次に掲げる額を賃金日額とする。

$$\frac{\text{算定対象期間において被保険者期間として計算された最後の}\mathbf{6}\text{箇月間の賃金総額}}{\text{上記最後の}\mathbf{6}\text{箇月間の労働日数}} \times 70\%$$

### 2. 賃金の一部が月給制等の場合

賃金の一部、例えば家族手当などについては月給制や週給制で支払われており、基本給などのみが日給制や時給制で支払われているような場合には、当該日給制等の部分についてのみ、当該70%の最低保障が行われる。

$$\frac{\text{算定対象期間において被保険者期間として計算された最後の}\mathbf{6}\text{箇月間の月給等の総額}}{\text{上記最後の}\mathbf{6}\text{箇月間の総日数}^{※}} + \frac{\text{算定対象期間において被保険者期間として計算された最後の}\mathbf{6}\text{箇月間の賃金総額}}{\text{上記最後の}\mathbf{6}\text{箇月間の労働日数}} \times 70\%$$

※　賃金の一部が月によって定められている場合には、１箇月を**30日**として計算する。

（行政手引50601、平成26年厚労告292号）

## 3 算定困難等の場合の処理（法17条3項）

第17条第１項及び第２項［算定の原則及び日給・時給等の場合の最低保障］の規定により**賃金日額を算定することが困難であるとき**、又はこれらの規定により算定した額を**賃金日額とすることが適当でないと**認められるときは、**厚生労働大臣**が定めるところにより算定した額を**賃金日額**とする。



**参考**（法第17条第３項に基づく特例措置）

⑴休業・勤務時間短縮措置適用時の特例

基本手当の受給資格者が在職中、その小学校就学の始期に達するまでの子を養育するための休業若しくは対象家族を介護するための休業をした場合又は当該受給資格者についてその小学校就学の始期に達するまでの子の養育若しくは対象家族の介護に関して勤務時間の短縮が行われた場合であって、かつ、当該受給資格者が**倒産・解雇等離職者又は特定理由離職者として受給資格の決定を受けた場合**には、当該休業開始前又は勤務時間短縮開始前の賃金日額と離職時の賃金日額とを比較していずれか高い方の賃金日額に基づいて基本手当の日額を算定する。 R元-2ア R5-3E （平成26年厚労告292号）

⑵緊急対応型ワークシェアリング制度適用時の特例

基本手当の受給資格者を含む当該事業所の労働者に関し、厚生労働省職業安定局長の定めるところにより、生産量の減少等に伴い、労使協定による合意に基づき、所定労働時間又は所定外労働時間の短縮の実施及びそれに伴う賃金の減少並びに労働者の雇入れに関する計画（いわゆる「緊急対応型ワークシェアリング制度導入計画」）が作成され、所轄都道府県労働局長に提出された場合において、当該計画の期間（当該計画に基づく所定労働時間又は所定外労働時間の短縮の実施及びそれに伴う賃金の減少が６箇月以上行われた後の期間に限る。）中に当該受給資格者が倒産・解雇等離職者又は特定理由離職者として受給資格の決定を受けた場合には、当該所定労働時間又は所定外労働時間の短縮前の賃金日額と離職時の賃金日額とを比較していずれか高い方の賃金日額に基づいて基本手当の日額を算定する。 （同上）

⑶船員の特例

被保険者期間として計算された期間の日数を、当該期間のうち受給資格に係る離職の日から180日に達するまで加算した日の前日において、法第６条第５号に規定する船員として事業主に雇用される者であって、基本となるべき固定給のほか、船舶に乗り組むこと、船舶の就航区域、船積貨物の種類等により変動がある賃金が定められているものに係る賃金日額は、当該被保険者期間として計算された期間の日数（360日を上限とし、360日に満たない場合にあっては、賃金の支払の基礎となった期間の日数を離職の日に最も近い期間に係るものから順に加算した日数）で、当該期間に支払われた賃金の総額を除して得た額とする。 （同上）

## 4 最低・最高限度額の適用（法17条4項、令和6年厚労告250号）

★★★

前３項［算定の原則、日給・時給等の場合の最低保障及び算定困難等の場合の処理］の規定にかかわらず、これらの規定により算定した賃金日額が、ⅰに掲げる額を下るときはその額を、ⅱに掲げる額を超えるときはその額を、それぞれ賃金日額とする。

ⅰ　次に定める額

| 最低限度額 | **2,869円** |
|---|---|

ⅱ　次に掲げる受給資格者の年齢に応じ、次に定める額

| 受給資格者の年齢 | 最高限度額 |
|---|---|
| 受給資格に係る離職の日（基準日）において**60歳以上65歳未満**の者 | **16,490円** |
| 受給資格に係る離職の日（基準日）において**45歳以上60歳未満**の者 | **17,270円** |
| 受給資格に係る離職の日（基準日）において**30歳以上45歳未満**の者 | **15,690円** |
| 受給資格に係る離職の日（基準日）において**30歳未満**の者 | **14,130円** |

なお、令和6年7月30日厚生労働省告示第250号により、令和6年8月1日以後の賃金日額の最低限度額は「2,790円」とされているが、この額は、最低賃金日額「2,869円」（下記計算式を参照）を下回るため、雇用保険法第18条第3項に基づき、令和6年8月1日以後、最低賃金日額（2,869円）が賃金日額の最低限度額となる。

【最低賃金日額の計算式】

1,004円（令和6年4月1日時点での地域別最低賃金の全国加重平均額）×20÷7＝2,869円

**Check Point!**

□ 最低限度額は、基準日の年齢にかかわりなく一律であり、最高限度額は、基準日に45歳以上60歳未満の者についての額が最も高く、30歳未満の者についての額が最も低い。

# ③ 基本手当日額 重要度A

## 1 基本手当日額の算定（法16条、令和6年厚労告250号）

★★★

Ⅰ　**受給資格**に係る**離職の日**において**60歳未満**である受給資格者の基本手当の日額は、**賃金日額**に次の率を乗じて得た金額とする。

| 賃金日額の範囲 | 賃金日額に乗じる率 |
|---|---|
| 2,869円以上5,200円未満 | 100分の**80**　R4-選C |
| 5,200円以上12,790円以下 | 100分の**80**から100分の**50**までの範囲で賃金日額の逓増に応じ、逓減するように厚生労働省令で定める率 |
| 12,790円超 | 100分の**50** |

Ⅱ　**受給資格**に係る**離職の日**において**60歳以上65歳未満**である受給資格者の基本手当の日額は、**賃金日額**に次の率を乗じて得た金額とする。R元-2ウ

| 賃金日額の範囲 | 賃金日額に乗じる率 |
|---|---|
| 2,869円以上5,200円未満 | 100分の**80** |
| 5,200円以上11,490円以下 | 100分の**80**から100分の**45**までの範囲で賃金日額の逓増に応じ、逓減するように厚生労働省令で定める率 |
| 11,490円超 | 100分の**45** |

**概要**

基本手当日額の算式は、次の通りとなる。

基本手当日額※＝賃金日額×給付率

給付率：
- 60歳未満 …………………**50%から80%**
- **60歳以上65歳未満** …… **45%から80%**

※ 1円未満切捨て（国等の債権債務等の金額の端数計算に関する法律2条1項）

**参考** 離職時の年齢が65歳以上の場合（高年齢受給資格者又は65歳以上の特例受給資格者）の給付率の範囲は、上記Ⅰ（賃金日額に応じて50%から80%）が適用される。

## 2 基本手当の減額（法19条1項、3項、令和6年厚労告251号）

★★★

Ⅰ　**受給資格者**が、**失業の認定**に係る期間中に**自己の労働**によって**収入**を得た場合には、その**収入の基礎**となった**日数**（以下「**基礎日数**」という。）分の**基本手当**の支給については、次に定めるところによる。

ⅰ　その**収入の1日分**に相当する額（**収入の総額**を**基礎日数**で除して得た額をいう。）から**1,354**円（「**控除額**」という。）を控除した額と基本手当の日額との合計額（以下「**合計額**」という。）が**賃金日額**の**100分の80**に相当する額を超えないとき…**基本手当の日額**に**基礎日数**を乗じて得た額を支給する。

ⅱ　**合計額**が**賃金日額**の**100分の80**に相当する額を超えるとき（ⅲに該当する場合を除く。）…当該超える額（以下「**超過額**」という。）を**基本手当の日額**から控除した残りの額に**基礎日数**を乗じて得た額を支給する。

ⅲ　**超過額**が**基本手当の日額**以上であるとき…**基礎日数**分の**基本手当**を支給しない。

Ⅱ　**受給資格者**は、**失業の認定**を受けた期間中に**自己の労働**によって**収入を得た**ときは、厚生労働省令で定めるところにより、その**収入の額**その他の事項を**公共職業安定所長**に届け出なければならない。

**概要**

受給資格者が失業の認定に係る期間中に自己の労働によって収入を得た場合は、次のような基本手当の支給額の調整が行われる。

(1)　収入の1日分に相当する額から1,354円を控除した額と基本手当日額の合計額が賃金日額の100分の80相当額を超えないとき

基本手当日額＋（収入－1,354円）≦賃金日額×80％

この場合、基本手当は減額されずに支給される。**（全額支給）**

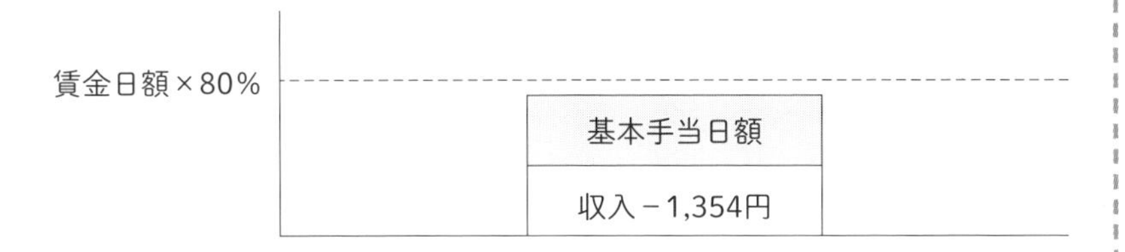


(2) 収入の１日分に相当する額から1,354円を控除した額と基本手当日額の合計額が賃金日額の100分の80相当額を超えるとき

基本手当日額＋（収入－1,354円）＞賃金日額×80%

この場合、１日分の基本手当の額は当該超える額を基本手当日額から控除した残りの額となる。**（減額支給）**

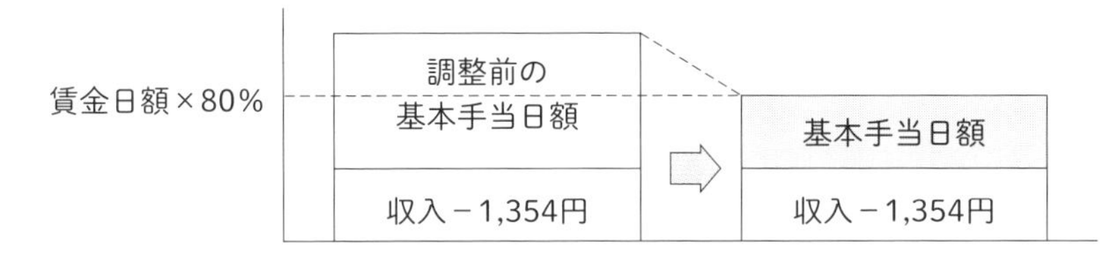


(3) 収入の１日分に相当する額から1,354円を控除した額と基本手当日額の合計額から賃金日額の100分の80相当額を控除した額が基本手当日額以上であるとき

〔基本手当日額＋（収入－1,354円）〕－賃金日額×80%≧基本手当日額

この場合、内職等を行った日数分の基本手当は支給されない。**（不支給）**

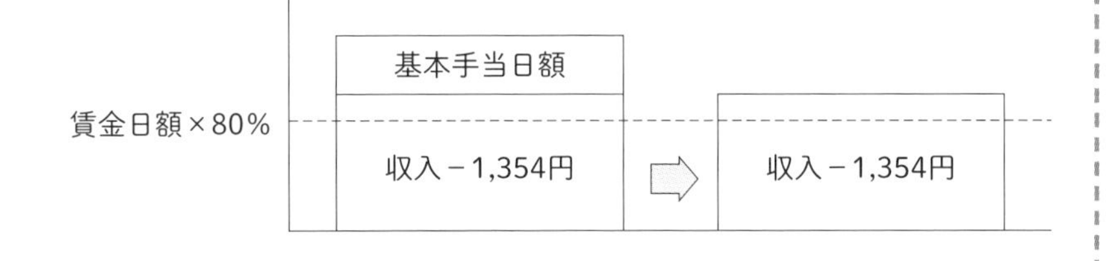




### 1. 自己の労働による収入

「自己の労働による収入」とは短時間就労による収入であり、**原則として１日の労働時間が４時間未満**のもの（被保険者となる場合を除く。）であって、就職とはいえない程度のものをいう（雇用関係の有無は問わない。）。また「自己の労働による収入」であるから、衣服、家具等を売却して得た収入、預金利息等は含まれない。 R元-2オ

（行政手引51652）

自営業の準備、自営業を営むこと、農業・商業等の家業への従事、請負・委任による労務提供、在宅の内職、ボランティア活動等については、１日の労働時間が４時間以上であっても、１日当たりの収入額が賃金日額の最低額未満のときは、自己の労働によって収入を得た場合として取り扱う。（行政手引51255）

### 2. 収入の届出

受給資格者が、失業の認定を受けた期間中に自己の労働により収入を得たときは、その届出を、**収入を得るに至った日の後**における**最初の失業の認定日**に、**失業認定申告書**により**管轄公共職業安定所長**にしなければならない。R5-3C

なお、管轄公共職業安定所長は、この届出をしない受給資格者について、自己の労働による収入があったかどうかを確認するために調査を行う必要があると認めるときは、失業の認定日において失業の認定をした日分の基本手当の支給の決定を次の基本手当の支給日まで延期することができる。R5-3C　（則29条）

## ④ 自動的変更 重要度A

### 1 自動変更対象額の変更（法18条1項～3項）★★★

Ⅰ　**厚生労働大臣**は、**年度**の**平均給与額**が直近の**自動変更対象額**が変更された**年度の前年度**の**平均給与額**を超え、又は下るに至った場合においては、その上昇し、又は低下した比率に応じて、その**翌年度の８月１日以後**の**自動変更対象額**を変更しなければならない。R元-2エ

Ⅱ　**自動変更対象額**に**５円未満**の端数があるときは、これを**切り捨て**、**５円以上10円未満**の端数があるときは、これを**10円**に**切り上げる**ものとする。

Ⅲ　ⅠⅡの規定に基づき算定された各年度の**８月１日**以後に適用される自動変更対象額のうち、**最低賃金日額**〔当該年度の**４月１日**に効力を有する**地域別最低賃金**（最低賃金法第９条第１項に規定する**地域別最低賃金**をいう。）の額を基礎として厚生労働省令で定める算定方法により算定した額をいう。〕に達しないものは、当該年度の**８月１日以後**、当該**最低賃金日額**とする。R5-3D

**・最低賃金日額の算定方法**

上記Ⅲの最低賃金日額は、上記Ⅰ及びⅡの規定により変更された**自動変更対象額**が適用される年度の**4月1日**に効力を有する最低賃金法第9条第1項に規定する**地域別最低賃金**の額について、一定の地域ごとの額を**労働者**の人数により**加重平均**して算定した額に**20**を乗じて得た額を**7**で除して得た額とする。R5-3D

| 最低賃金日額＝最低賃金の額の全国加重平均額 × 20 ÷ 7※ |
|---|

※　週所定労働時間20時間が雇用保険の最低適用基準のため、20を乗じて7（1週間の日数）で割ることにより日額を算出する。

（補足）

最低賃金額が引き上げられた結果、平成28年の賃金日額の下限額が最低賃金額を下回る状態となった。このため、今後は最低賃金額との逆転が生じないよう、賃金日額の下限額が最低賃金額を基礎として算出された賃金日額（最低賃金日額）を下回る場合には、当該最低賃金日額を賃金日額の下限額とすることとされた（平成29年8月1日施行）。（則28条の5）

参考（自動変更対象額）

「自動変更対象額」とは、賃金日額の最低・最高限度額（❷4の16,490円、17,270円、15,690円、14,130円）及び基本手当の給付率決定基準となる賃金日額（❸1の5,200円、12,790円、11,490円）をいう。（法18条4項）

（定義）

⑴年度

「年度」とは、4月1日から翌年の3月31日までをいう。

⑵平均給与額

「平均給与額」とは、厚生労働省において作成する**毎月勤労統計**における労働者の平均定期給与額を基礎として厚生労働省令で定めるところにより算定した労働者1人当たりの給与の平均額をいう。

## 2 控除額の変更（法19条2項）

★★★

**厚生労働大臣**は、年度の**平均給与額**が直近の**控除額**が変更された年度の**前年度**の**平均給与額**を超え、又は下るに至った場合においては、その上昇し、又は低下した比率を基準として、その**翌年度の8月1日以後**の**控除額**を変更しなければならない。

**概要**

いわゆる内職収入控除額（1,354円）についても、自動変更対象額と同様の賃金スライドが行われている。

# 4 基本手当の受給期間及び給付日数

## ① 受給期間 重要度A

### 1 所定の受給期間（法20条1項、3項）

★★★

Ⅰ　**基本手当**は、雇用保険法に別段の定めがある場合を除き、次のⅰからⅲに掲げる**受給資格者の区分**に応じ、当該ⅰからⅲに定める期間内の**失業している日**について、**所定給付日数**に相当する日数分を限度として支給する。

ⅰ　ⅱ及びⅲに掲げる**受給資格者以外**の**受給資格者**…当該**基本手当の受給資格**に係る**離職の日**（以下「**基準日**」という。）**の翌日から起算して１年**

ⅱ　**基準日**において**45歳以上65歳未満であって算定基礎期間**が**１年以上**の**就職困難**な**受給資格者**…**基準日の翌日から起算して１年に60日**を加えた期間 H28-4C

ⅲ　**基準日**において**45歳以上60歳未満**であって**算定基礎期間**が**20年以上の特定受給資格者**…**基準日の翌日から起算して１年に30日**を加えた期間

Ⅱ　**受給資格**を有する者が、**基本手当**の**受給期間内**に**新たに受給資格**、**高年齢受給資格**又は**特例受給資格**を取得したときは、その取得した日以後においては、**前の受給資格に基づく基本手当**は、支給しない。

**概要**

基本手当の支給を受けることができる期間を「受給期間」という。

受給期間は、原則として、受給資格者の区分ごとに次表のようになる。本書においては、これらの受給期間を「所定の受給期間」と記載する。

| 受給資格者の区分 | 受給期間 | |
|---|---|---|
| ① 下記②③以外の受給資格者 | 離職日（基準日）の翌日から起算して | 1年 |
| ② 基準日において**45歳**以上**65歳**未満であって算定基礎期間が**1年**以上の就職困難な受給資格者（所定給付日数が**360日**である受給資格者） | | 1年**+60日** |
| ③ 基準日において**45歳**以上**60歳**未満であって算定基礎期間が**20年**以上の特定受給資格者（所定給付日数が**330日**である受給資格者） | | 1年**+30日** |

算定基礎期間とは、所定給付日数を決定するうえでの被保険者であった期間を指す（❸5「算定基礎期間」参照）。

・**基本手当の不支給**

受給資格者が、受給期間内に就職して再離職することにより新たに受給資格、高年齢受給資格又は特例受給資格（以下「**受給資格等**」という。）**を得たとき**は、前の受給資格並びに受給期間は消滅し、前の受給資格に基づく基本手当は受給できない。H28-4A

この場合、受給資格者は後の受給資格等に基づく基本手当等を受給することになり、新たな受給期間が後の受給資格等に係る離職の日の翌日から起算されることになる。

なお、受給資格者が、**受給期間内に就職して再離職した場合**において、当該再離職について**新たに受給資格等を得ることができないとき**は、前の受給資格に基づく所定給付日数が残っており、かつ、受給期間が経過していないときは、残りの基本手当を当該受給期間中において受給することができる。

## 2 定年退職者等の特例（法20条1項、2項、則31条の2,1項）

★★★

**受給資格者**であって、当該**受給資格**に係る**離職**が**60歳以上**の**定年**に達したことその他厚生労働省令で定める理由によるものであるものが、当該**離職後一定の期間求職の申込みをしないことを希望**する場合において、**公共職業安定所長**にその旨を**申し出**たときの**基本手当**の**受給期間**は、**所定の受給期間**と、**求職の申込みをしないことを希望する一定の期間**（**1年を限度**とする。）に**相当する期間**を**合算**した**期間**（当該**求職の申込みをしないことを希望する一定の期間内**に**求職の申込み**をしたときは、当該**所定の受給期間**に当該**基本手当**の**受給資格**に係る**離職**の**日の翌日**から当該**求職の申込みをした日の前日までの期間**に相当する期間を**加算した期間**）とする。

**概要**

定年退職者等は、一定期間求職の申込みをしない旨を公共職業安定所長に申し出ることによって、**1年を限度**として所定の受給期間を延長することができる。

所定の受給期間（原則1年※）　＋　特例による延長期間（最大**1年**）

両者を合計した期間が「定年退職者等の特例」が適用された場合の受給期間

※「算定基礎期間が1年以上で基準日において45歳以上65歳未満の就職困難者」の場合は「1年＋60日」となる。

**Check Point!**

□「1年＋30日」は特定受給資格者に適用される規定のため、定年退職者等の特例の対象外である。

### 1. 定年退職者等

定年退職者等とは、次の(1)又は(2)のいずれかに該当する者である。

(1) 60歳以上の定年に達したことによる離職者

(2) 60歳以上の定年後の再雇用等による継続雇用期限到来による離職者

H28-4E（則31条の2,2項）

■定年退職者等の特例による受給期間延長の具体例（受給期間が１年の受給資格者の場合）

【例１】

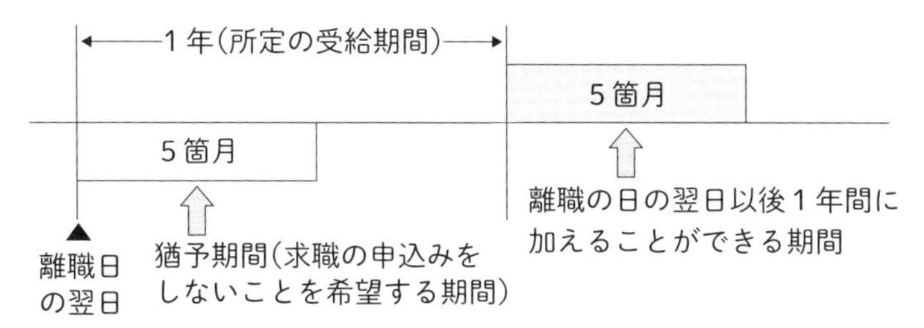


申出を行った猶予期間が５箇月間であるので、１年に５箇月を加えた期間が受給期間となる。

【例２】

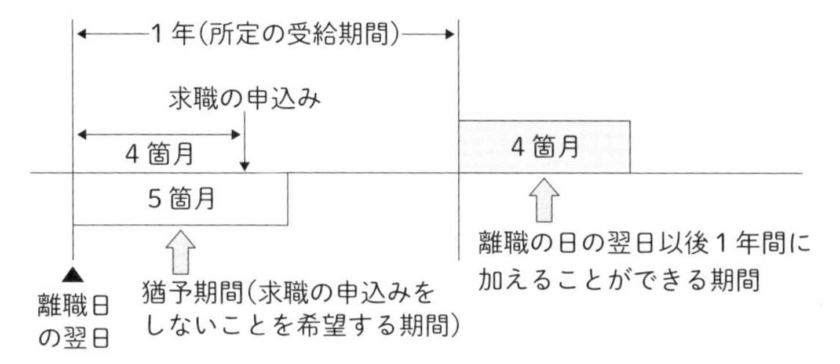


申出を行った猶予期間は５箇月間であるが、離職日の翌日から起算して４箇月後に求職の申込みを行ったので、１年に４箇月を加えた期間が受給期間となる。

## 2. 定年退職者等の特例により受給期間の延長が認められた者が、職業に就けない場合の特例により受給期間の延長を申請した場合の取扱い R5-選E

定年退職者等の特例により延長された受給期間に、疾病又は負傷等により引き続き30日以上職業に就くことができない日がある場合には、さらに重ねて受給期間を延長することができる。H28-4D

この場合、定年退職者等の特例により延長された受給期間に加えることができる日数は、疾病又は負傷等により職業に就くことができない期間の日数であるが、当該期間の全部又は一部が、猶予期間内にあるときは、当該疾病又は負傷等により職業に就くことができない期間のうち、**猶予期間内にない期間分の日数**とする。

【例】

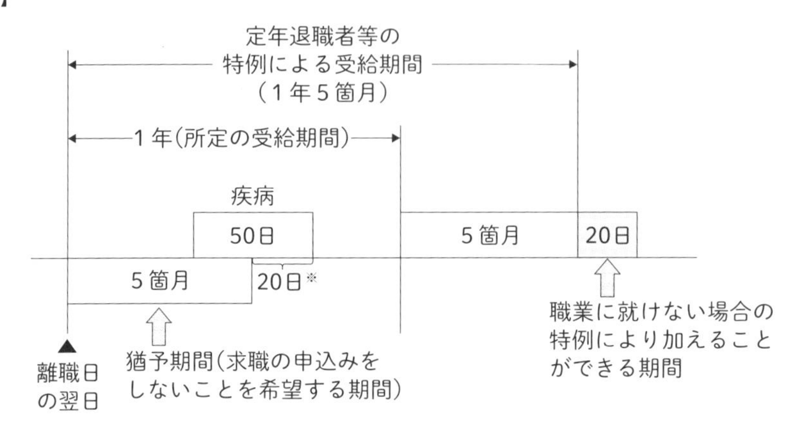


※　50日の疾病の期間のうち、30日分は猶予期間内にあるため、その期間を除いた20日分についてのみ加えることができる。

なお、加えた期間が**4年を超える**ときは、受給期間は**4年**となる。（行政手引50286）

### 3. 受給期間延長の申出

定年退職者等の受給期間延長の申出は、当該申出に係る**離職の日の翌日**から起算して**2箇月以内**にしなければならない。また、当該延長の申出は、受給期間延長等申請書に**離職票**を添えて**管轄公共職業安定所長**に提出することによって行う。

この場合、2枚以上の離職票を保管する場合は全ての離職票を受給期間延長等申請書に添えなければならないとされている。

また、天災その他やむを得ない理由がある場合には、当該申出に係る離職の日の翌日から起算して2箇月以内に申し出なくともよいが、この場合は、その理由がやんだ日の翌日から起算して7日以内に申し出なければならない。（則31条の3）

**問題チェック** H28-4E

60歳以上の定年に達した後、1年更新の再雇用制度により一定期限まで引き続き雇用されることとなった場合に、再雇用の期限の到来前の更新時に更新を行わなかったことにより退職したときでも、理由の如何を問わず受給期間の延長が認められる。

**解答** ×　　法20条2項、則31条の2,2項、行政手引50281

設問の場合、当該期限が到来したことにより離職した場合に、受給期間の延長が認められる。

## 3 職業に就けない場合の特例（法20条1項カッコ書、則30条）

★★★

**所定の受給期間**（**定年退職者等の特例**が適用される場合には**所定の受給期間**と当該**特例**による**延長期間**を**合算した期間**。以下同じ。）の**期間内**にⅰからⅴの**理由**により**引き続き30日以上職業に就くことができない者**が、**公共職業安定所長**にその旨を**申し出た**場合の**基本手当**の**受給期間**は、**所定の受給期間**に、当該**理由**により**職業に就くことができない日数**を**加算した期間**（その**加算された期間**が**4年**を**超える**ときは**4年**）とする。H28-4B

ⅰ　**妊娠**
ⅱ　**出産**
ⅲ　**育児**
ⅳ　**疾病又は負傷**（**傷病手当の支給を受ける場合における当該傷病手当に係る疾病又は負傷を除く。**）
ⅴ　ⅰからⅳのほか、**管轄公共職業安定所の長**が**やむを得ない**と認めるもの

### 概要

妊娠等により**引き続き30日以上職業に就くこと**ができない者は、その旨を公共職業安定所長に申し出ることによって、当初の受給期間にその職業に就くことができない期間を加算して**最高4年**まで受給期間を延長することができる。

所定の受給期間（原則1年※）　＋　妊娠等により**引き続き30日以上**職業に就くことができない期間

合計して**最大4年**まで延長することができる

※「算定基礎期間が1年以上で基準日において45歳以上65歳未満の就職困難者」の場合は「1年＋60日」、「算定基礎期間が20年以上で基準日において45歳以上60歳未満の特定受給資格者」の場合は「1年＋30日」となる。

**Check Point!**

- □ 傷病手当の支給を受ける場合には、当該傷病に係る期間については、受給期間の延長の措置の対象とされない。
- □ 引き続き30日以上職業に就くことができない場合の受給期間延長の申出は、代理人又は郵送等により行うことができる。

### 1. 職業に就けない場合の特例による受給期間延長の具体例（受給期間が１年の受給資格者の場合）

【例１】

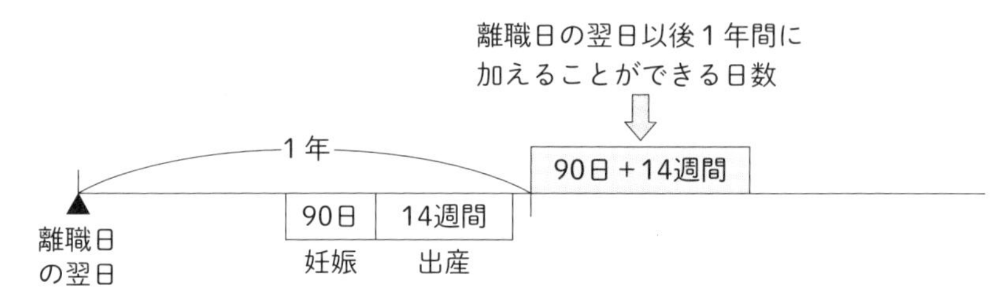


【例２】

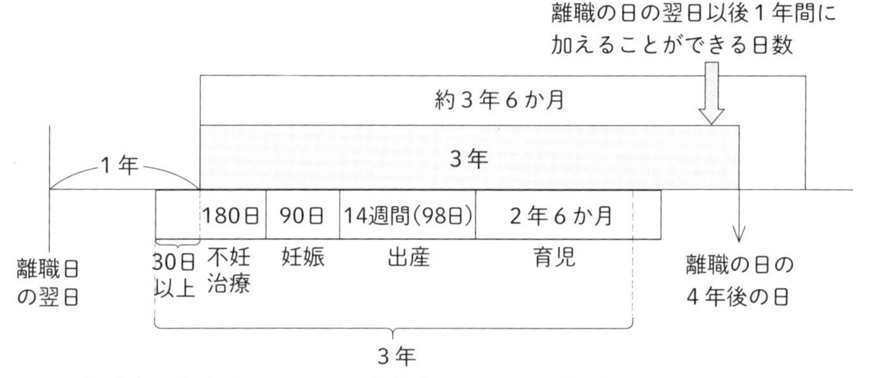


不妊治療に専念するために引き続き30日以上職業に就くことができない（「疾病又は負傷により職業に就けない」に該当）ことを理由に延長している場合で、その後、引き続いて妊娠した場合には、出産、育児期間を合わせた３年６か月のうち、３年間のみ、離職の日の翌日以後１年間に加えることができる。

【例3】

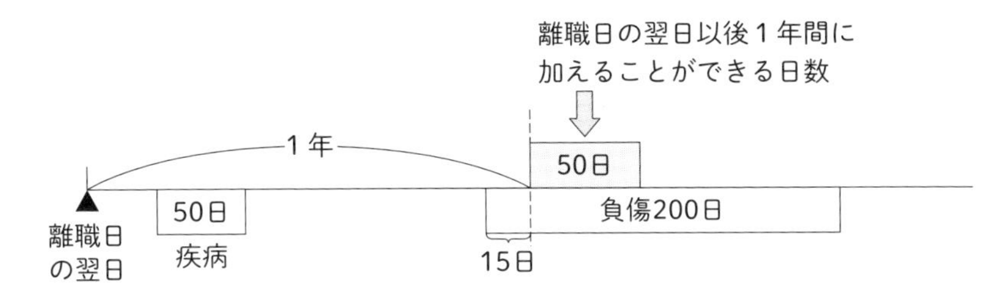


200日の負傷期間のうち、離職日の翌日以後1年間に含まれる日数が30日未満であるため、この負傷期間については加えることはできない。50日の疾病の部分のみ加算できる。



【例4】

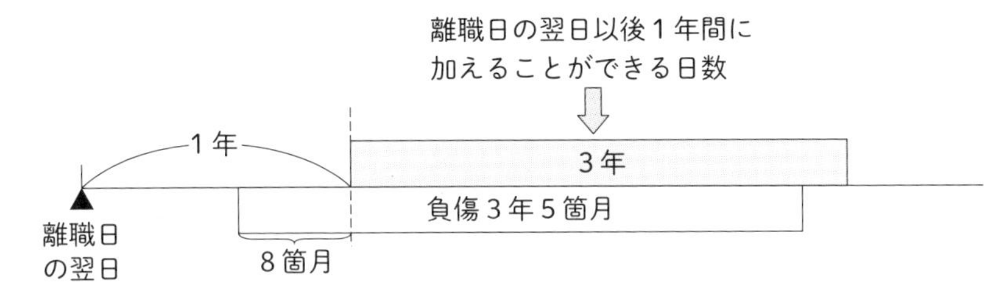


受給期間の上限は4年であるため、3年5箇月のうち、3年間のみ加えることができる。

【例5】

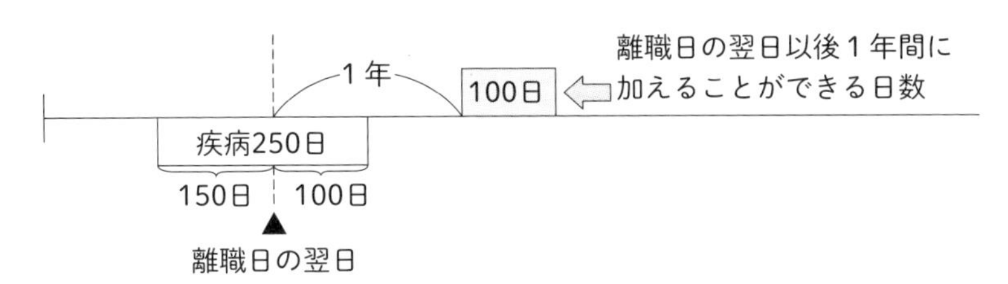


250日の疾病期間のうち、離職日の翌日以後の期間は100日であるので、100日間のみを加えることができる。 （行政手引50272）

参考 (妊娠について)
「妊娠」は、産前6週間以内に限らず、本人が、妊娠のために職業に就き得ない旨を申し出た場合には受給期間の延長が行われる。 （行政手引50271）

(出産について)
「出産」は、妊娠4箇月（85日）以上の分娩をいい、生産、死産、早産を問わない。また、本人の出産に限られる。なお、出産のため職業に就くことができないと認められる期間は、通常は、出産予定日の6週間（多胎妊娠の場合にあっては、14週間）前の日以後出産の日の翌日から8週間を経過する日までの間である。 H28-4B （同上）

(育児について)
「育児」は、3歳未満の乳幼児の育児をいう。なお、申請者が、社会通念上やむを得ないと認められる理由により民法第725条に規定する親族(6親等内の血族、配偶者及び3親等内の姻族)にあたる3歳未満の乳幼児を預かり、育児を行う場合にも、受給期間の延長を認めることとして差し支えない。また、特別養子縁組を成立させるための監護に係る育児を行う場合についても、法律上の親子関係に基づく子に準じて受給期間の延長を認めることとして差し支えない。(行政手引50271)

(疾病又は負傷について)
「疾病又は負傷」については、次の点に留意する必要がある(「傷病手当」については後述する。)。
⑴傷病(不妊治療を含む。)を理由として傷病手当の支給を受ける場合には、当該傷病に係る期間については、受給期間の延長の措置の対象とされない。(同上)
⑵後述するように、求職の申込み(受給資格の決定)前から引き続き傷病のために職業に就くことができない状態にある者については傷病手当は支給されないが、受給期間の延長は可能である。なお、受給期間に加えることができるのは、離職前から引き続く傷病であっても、離職後の傷病期間である(離職前の傷病期間を合算することはできない。)。(行政手引50271、50272)
⑶離職後最初の求職の申込み後の傷病については、本人の申出により、傷病手当の支給申請か受給期間の延長申請かのいずれかを選択することになる。なお、受給期間の延長申請をした後に、同一の傷病を理由として傷病手当の支給申請を行うことは差し支えないが、この場合には、受給期間の延長申請が当初にさかのぼって取り消されることとなる。(行政手引50271)

(管轄公共職業安定所の長がやむを得ないと認めるもの)
「管轄公共職業安定所の長がやむを得ないと認めるもの」とは、次の理由である。
⑴常時本人の介護を必要とする場合の親族の疾病、負傷若しくは老衰又は障害者の看護
なお、内縁の配偶者及びその親若しくは子はここにいう「親族」に該当すると解し、親族の配偶者についてはこれに準じるものとして取り扱って差し支えないとされている。
⑵小学校就学の始期に達するまでの子を養育する場合の負傷し、又は病気にかかったその子の看護(⑴に該当するものを除く。)
⑶指定障害者支援施設(旧知的障害者更生施設)又は機能回復訓練施設への入所
⑷配偶者(内縁の配偶者を含む。)の海外勤務に本人が同行する場合
⑸青年海外協力隊その他公的機関が行う海外技術指導等に応募し、海外へ派遣される場合〔派遣前の訓練(研修)を含む。〕。ただし、青年海外協力隊以外の公的機関が行う海外技術指導等の中には、ボランティア(自発的に専門的技術や時間、労力を提供する行為)ではなく就職と認められるものがあり、その場合は、受給期間の延長事由に該当しない。
⑹⑸に準ずる公的機関が募集し、実費相当額を超える報酬を得ないで社会に貢献する、被災地支援、日常生活を営むのに支障がある者の介護等の活動(専ら親族に対する支援となる活動を除く。)を行う場合(同上)

## 2. 受給期間延長の申出

当該受給期間延長の申出は、原則として、**引き続き30日以上職業に就くことができなくなる**に**至った日の翌日**から、当該30日以上職業に就くことができなくなるに至った日の直前の基準日の翌日から起算して**4年**を経過する日までの間(当該受給期間の延長の規定により加算された期間が**4年**に満たない場合は、当該期間の最後の日までの間)にしなければならない。また、当該延長の申出は、医師の証明書その他の職業に就くことができない事実を証明することができる書類及び**受給資格者証**〔受給資格者証の交付を受けていない場合(**受給資格通知**の

交付を受けた場合を除く。）には、**離職票**〕を添えて（当該申出を行う者が**受給資格通知**の交付を受けた場合にあっては、当該事実を証明することができる書類の添付に併せて**個人番号カード**を**提示**して）**受給期間延長等申請書**を**管轄公共職業安定所の長**に提出することによって行う。 （則31条１項～３項）

この場合の申出は、必ずしも本人自身が公共職業安定所に出頭して行う必要はなく、代理人又は郵送等により行うことも差し支えない（代理人による場合は委任状を必要とし、郵送の場合は消印により確認される発信日が申請日となる。）。

（行政手引50273）

なお、天災その他やむを得ない理由がある場合には、上記期限内にしなくともよいが、この場合は、その理由がやんだ日の翌日から起算して７日以内にしなければならない。 （則31条３項、４項）



## 4 事業を開始した受給資格者等に係る受給期間の特例（法20条の2）

★★★

**受給資格者**であって、**基準日後**に事業（その実施期間が**30日未満**のものその他厚生労働省令で定めるものを除く。）を**開始**したものその他これに準ずるものとして厚生労働省令で定める者が、厚生労働省令で定めるところにより**公共職業安定所長**にその旨を申し出た場合には、当該**事業の実施期間**（当該**実施期間の日数**が**４年**から前条第１項［①**所定の受給期間**及び③**職業に就けない場合の特例**］及び第２項［②**定年退職者等の特例**］の規定により算定される期間の**日数を除いた日数**を超える場合における当該超える日数を除く。）は、同条第１項［受給期間］及び第２項［定年退職者等の特例］の規定による**期間に算入しない**。

### 概要

受給資格に係る離職の日の翌日以後に、一定の要件を満たす事業を開始した場合には、当該事業の実施期間は受給期間に算入しないものとされた（令和４年７月１日施行）。

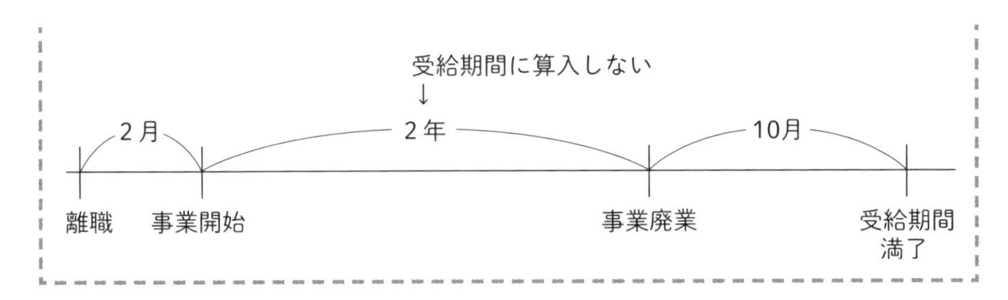


## 1．受給期間の特例が認められる事業

受給期間の特例が認められる事業は、次の(1)から(5)の全てを満たす事業である。

(1)　実施期間が**30日以上**であること

(2)　事業を開始した日又は事業に専念し始めた日若しくは事業の準備に専念し始めた日から起算して30日を経過する日が、受給期間の末日以前であること

**【例】**

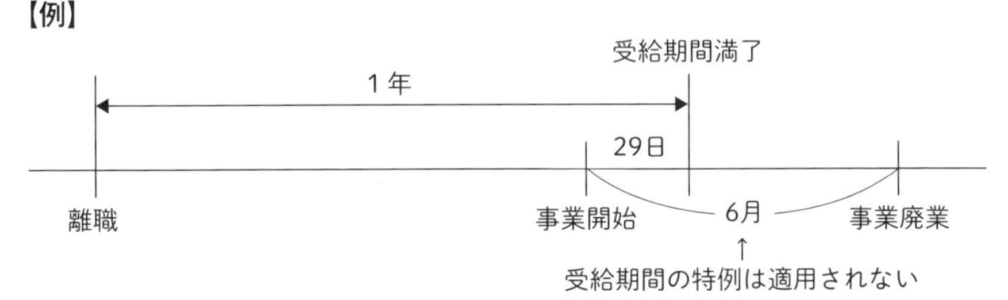


(3)　当該事業について再就職手当の支給を受けていないこと

(4)　当該事業により自立することができないと認められる事業ではないこと

次のいずれかに該当する場合は、この(4)の要件を満たすものと解して取り扱う。なお、いずれの場合においても当該事業に専念することが要件であり、基本手当を受給しながら受給期間の特例の対象になることはない点に留意すること。

①　被保険者資格を取得する者を雇い入れ、雇用保険の適用事業の事業主となること。

②　登記事項証明書、開業届の写し、事業許可証等の客観的資料によって事業の開始、事業内容及び事業所の実在が確認できること。

(5)　受給資格に係る離職の日の翌日以後に開始した事業（離職日以前に当該事業を開始し、離職日後に当該事業に専念する場合を含む。）であること

（則31条の４、行政手引50292、50293）

**参考**（事業を開始した者に準ずるものとして厚生労働省令で定める者）
事業を開始した者に準ずるものとして厚生労働省令で定める者は、次の①②のいずれかに該当するものである。

①法第20条第１項第１号に規定する基準日以前に事業を開始し、当該基準日後に当該事業に専念する者
②その他事業を開始した者に準ずるものとして管轄公共職業安定所の長が認めた者（事業開始に先行する準備行為に専念し始めた者）　（則31条の5、行政手引50293）

## 2. 受給期間の特例が認められる日数

1.の事業を実施している期間について、所定の受給期間から除くこととなるが、その日数の上限は４年から1 **所定の受給期間**、2 **定年退職者等の特例**、3 **職業に就けない場合の特例**により計算した期間の日数を除いた日数となる。

【例１】

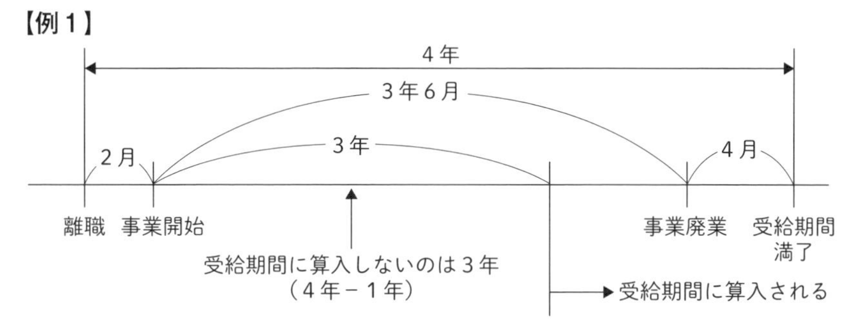


【例２】

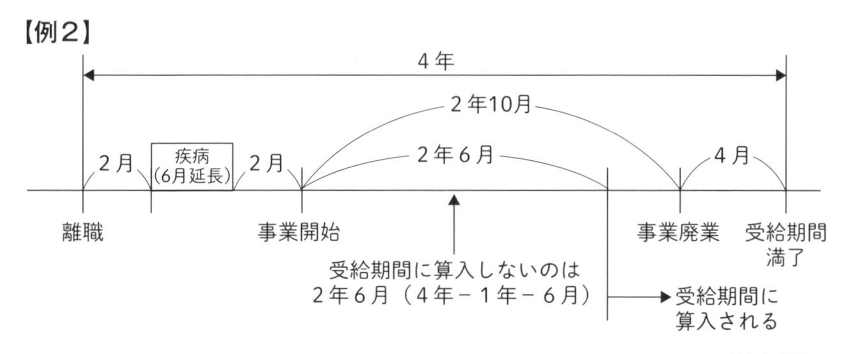


（行政手引50293）

## 3. 受給期間の特例の申出

受給期間の特例の申出は、**事業を開始した日**又は当該**事業に専念し始めた日の翌日**から起算して、**２箇月以内**にしなければならない。また、当該申出は登記事項証明書その他事業を開始した受給資格者等に該当することの事実を証明することができる書類及び受給資格者証〔受給資格者証の交付を受けていない場合（受給資格通知の交付を受けた場合を除く。）には、離職票〕を添えて（当該申出を行う者が受給資格通知の交付を受けた場合にあっては、当該事実を証明することができる書類の添付に併せて個人番号カードを提示して）受給期間延長等申請書

を管轄公共職業安定所の長に提出することによって行う。

なお、天災その他やむを得ない理由があるときは、2箇月以内に申し出なくともよいが、この場合は、その理由がやんだ日の翌日から起算して7日以内に申し出なければならない。 （則31条の6,1項、3項、6項）

## ② 待期（法21条） 重要度A

★★★

**基本手当**は、**受給資格者**が当該**基本手当**の**受給資格**に係る**離職後最初に公共職業安定所に求職の申込みをした日以後**において、**失業している日**（**疾病又は負傷のため職業に就くことができない日を含む。**）が**通算して7日に満たない間**は、支給しない。 R元-選AB

### 概要

基本手当は、離職後最初に公共職業安定所に出頭し求職の申込みを行った日以後、失業している期間が通算7日に達するまでは、支給されない。この通算7日の期間を待期という。

公共職業安定所における失業（傷病のため職業に就くことができない場合を含む。）の認定があって初めて失業の日又は疾病若しくは負傷のため職業に就くことができない日として認められるものであるから、失業（傷病のため職業に就くことができない場合を含む。）の認定は待期の7日についても行われなければならない。 H29-2A （行政手引51102）

### Check Point!

- □ 待期期間は継続してではなく通算して7日である。
- □ 傷病のために職業に就くことができない状態であっても待期は完成する。
- □ 待期は、1受給期間内に1回をもって足りるので、受給期間内に就職して新たな受給資格を取得することなく再び失業した場合には、最初の離職後において既に待期を満了している者については再び要求されない。 （同上）
- □ 待期は、離職日から進行するのではなく、求職の申込みをした日から進行する。 （行政手引51101）

**問題チェック** H9-6B

受給資格者が、待期期間を４日間認定された後に再就職したが、新たな受給資格を取得することなく再び失業して求職申込みをした場合は、受給期間内の再求職申込み以後３日間の失業の認定を受けたときに待期期間が満了する。

**解答** ○　法21条、行政手引51102

設問の通り正しい。設問の場合には、１受給期間内に通算して７日間の待期期間が認定されることになるので待期期間は満了することになる。



# ③ 所定給付日数 重要度A

## 1 所定給付日数（法22条1項、2項、法23条1項）★★★

一の受給資格に基づき基本手当を支給する日数（「**所定給付日数**」という。）は、次表に掲げる受給資格者の区分に応じ、次表に定める日数とする。

i　一般の受給資格者 H27-2A

| 区分＼算定基礎期間 | 10年未満 | 10年以上20年未満 | 20年以上 |
|---|---|---|---|
| 一般の受給資格者 | 90日 | 120日 | 150日 |

ii　特定受給資格者 H27-2D R4-4A～E

<table>
<tr><th>年齢※＼算定基礎期間</th><th>1年未満</th><th>1年以上5年未満</th><th>5年以上10年未満</th><th>10年以上20年未満</th><th>20年以上</th></tr>
<tr><td>30歳未満</td><td rowspan="5">90日</td><td>90日</td><td>120日</td><td>180日</td><td>―</td></tr>
<tr><td>30歳以上35歳未満</td><td>120日</td><td rowspan="2">180日</td><td>210日</td><td>240日</td></tr>
<tr><td>35歳以上45歳未満</td><td>150日</td><td>240日</td><td>270日</td></tr>
<tr><td>45歳以上60歳未満</td><td>180日</td><td>240日</td><td>270日</td><td>330日</td></tr>
<tr><td>60歳以上65歳未満</td><td>150日</td><td>180日</td><td>210日</td><td>240日</td></tr>
</table>

iii　就職困難な受給資格者 H30-4イ

<table>
<tr><th>年齢※＼算定基礎期間</th><th>1年未満</th><th>1年以上</th></tr>
<tr><td>45歳未満</td><td rowspan="2">150日</td><td>300日</td></tr>
<tr><td>45歳以上65歳未満</td><td>360日</td></tr>
</table>

※　年齢＝基本手当の受給資格に係る離職の日（基準日）における年齢

**概要**

基本手当の支給を受けることができる日数を所定給付日数といい、次の3つの区分が設定されている。

(1)　**一般の受給資格者**

特定受給資格者及び就職困難な受給資格者以外の者

(2)　**特定受給資格者**

倒産・解雇等により離職した受給資格者であって就職困難な受給資格者に該当しないもの

なお、特定理由離職者であって、次の要件に該当するものに係る基本手当の支給については、当該受給資格者を特定受給資格者とみなして、第20条［受給期間］、第22条及び第23条第1項［所定給付日数］の規定を適用する。

| 特定受給資格者の所定給付日数を適用するための要件 |
|---|
| 特定理由離職者Ⅰ（希望に反して契約更新がなかったことにより離職した者）であること |
| 就職困難な受給資格者でないこと |
| 受給資格に係る離職の日が平成21年3月31日から令和9年3月31日までの間にあること |

（法附則4条、則附則18条）

(3)　**就職困難な受給資格者**

厚生労働省令で定める理由により就職が困難な受給資格者

**Check Point!**

- □ 一般の受給資格者については、基準日の年齢によって所定給付日数が異なることはない。
- □ 最大の所定給付日数（360日）に該当するのは、算定基礎期間が1年以上で離職日において45歳以上65歳未満の就職困難な受給資格者である。…所定の受給期間が1年＋60日となる者。
- □ 2番目に多い所定給付日数（330日）に該当するのは、算定基礎期間が20年以上で離職日において45歳以上60歳未満の特定受給資格者である。…所定の受給期間が1年＋30日となる者。
- □ 算定基礎期間が1年未満の者の所定給付日数は、就職困難な受給資格者は一律150日、それ以外の者は一律90日である。

## 2 特定受給資格者（法23条2項、則34条）

★★★

**特定受給資格者**とは、次のｉⅱのいずれかに該当する**受給資格者**（厚生労働省令で定める理由により**就職が困難な受給資格者を除く**。）をいう。

ｉ　当該**基本手当の受給資格**に係る**離職**が、その者を雇用していた事業主の事業について発生した**倒産**（**破産手続開始**、**再生手続開始**、**更生手続開始**又は**特別清算開始**の**申立て**その他厚生労働省令で定める事由［**金融取引停止**の原因となる**不渡手形**の発生］に該当する事態をいう。）又は当該事業主の**適用事業の縮小**若しくは**廃止**に伴うものである者として厚生労働省令で定めるもの R4-4A～E

ⅱ　ｉに定めるもののほか、**解雇**（**自己の責めに帰すべき重大な理由**によるものを**除く**。）その他の厚生労働省令で定める理由により**離職した者**

### 1．倒産等による離職者

上記ｉの「厚生労働省令で定めるもの」とは、次のいずれかに該当する者をいう。

⑴　**倒産（破産手続開始、再生手続開始、更生手続開始若しくは特別清算開始の申立て又は金融取引停止の原因となる不渡手形の発生をいう。）に伴い離職した者**

参考 当該不渡手形の発生については１回で足りる。なお、再建型の倒産手続の場合は、民事再生計画や会社更生計画が決定されるまでの間に離職を事業主に申し出ていることが要件となる。また、業務停止命令（業務停止命令時において業務停止期間について定めのないもの又は１箇月以上のものに限る。）により当該営業業務が全て停止されたことにより、事業所の倒産がほぼ確実となったため離職した場合（業務が再開されるまでの間に離職を事業主に申し出た場合に限る。）もこれに該当する。（則35条１号）

⑵　**事業所において、労働施策総合推進法第27条第１項の規定による離職に係る大量の雇用変動の届出がされたため離職した者及び当該事業主に雇用される被保険者（短期雇用特例被保険者及び日雇労働被保険者を除く。）の数を３で除して得た数を超える被保険者が離職したため離職した者** H30-5D

参考 「大量の雇用変動の届出がされたため」には、大量の雇用変動の届出が「されるべき場合」も含まれる。また、「当該事業主に雇用される被保険者の数を３で除して得た数を超える被保険者が離職した」とは、人員整理により離職した被保険者数が、当該離職者の離職日の１年前の日（１年前より後に人員整理が開始された場合は当該人員整理開始日）の被保険者数の３分の１を超えることとなる場合をいう。（則35条２号）

**(3)　事業所の廃止（当該事業所の事業活動が停止し、再開する見込みがない場合を含み、事業の期間が予定されている事業において当該期間が終了したことによるものを除く。）に伴い離職した者** R3-4A

参考 会社法等に基づく解散の議決が行われたため離職した場合もこれに含まれる。
（則35条3号）

**(4)　事業所の移転により、通勤することが困難となったため離職した者**

参考「通勤困難」とは、通常の方法により通勤するための**往復所要時間**が**概ね4時間以上**であるとき等をいう。
通勤困難な適用事業所の移転について事業主より通知され（事業所移転の1年前以降の通知に限る。）、事業所移転直後（概ね3箇月以内）までに離職した場合がこれに該当する。
（則35条4号）

## 2.　解雇等による離職者

前記 ii の「解雇その他の厚生労働省令で定める理由により離職した者」とは、次のいずれかの理由により離職した者をいう。

**(1)　解雇（自己の責めに帰すべき重大な理由によるものを除く。）**　（則36条1号）

参考 労働組合からの除名により、当然解雇となる団体協約を結んでいる事業所において、事業主に対し自己の責めに帰すべき重大な理由がないにもかかわらず、組合から除名の処分を受けたことによって解雇された場合は当該基準に該当する。R3-4D

**(2)　労働契約の締結に際し明示された労働条件が事実と著しく相違したこと**
（則36条2号）

参考 被保険者が労働契約の締結に際し、事業主から明示された労働条件（以下「採用条件」という。）が就職後の実際の労働条件と著しく相違したこと又は事業主が労働条件を変更したことにより採用条件と実際の労働条件が著しく異なることとなったことを理由に、当該**事由発生後1年を経過するまでの間**に離職した場合が該当する。H27-2B

**(3)　賃金（退職手当を除く。）の額を3で除して得た額を上回る額が支払期日までに支払われなかったこと**

参考 当該事実があった月から起算して**1年以内**に離職した場合（当該事実があった後、通常の賃金支払の事実が**3箇月以上**継続した場合を除く。）が該当する。

**(4)　予期し得ず、離職の日の属する月以後6月のうちいずれかの月に支払われる賃金（毎月決まって定期的に支払われるものをいい、臨時の賃金、割増賃金、歩合によって支払われる賃金など支給額が変動するものは含まない。以下(4)(5)において同じ。）の額が当該月の前6月のうちいずれかの月の賃金の額に100分の85を乗じて得た額を下回ると見込まれることとなったこと**
（則36条4号イ）

**(5)　予期し得ず、離職の日の属する月の６月前から離職した日の属する月までのいずれかの月の賃金の額が当該月の前６月のうちいずれかの月の賃金の額に100分の85を乗じて得た額を下回ったこと**

参考 上記(4)及び(5)については、次の場合はこれに該当しない。
①賃金が低下する又は低下した時点から遡って１年より前の時点でその内容が予見できる場合
②各月の賃金が変動するような雇用契約（出来高払制等）の場合
③懲戒や疾病による欠勤により賃金が低下した場合
④60歳以上の定年退職後の再雇用等に伴い賃金が低下した場合　(則36条４号ロ)

**(6)　離職の日の属する月の前６月のうちいずれか連続した３箇月以上の期間において労働基準法第36条第３項に規定する限度時間に相当する時間数〔当該受給資格者が小学校就学の始期に達するまでの子を養育する労働者又は要介護状態にある対象家族を介護する労働者である場合にあっては、育児・介護休業法に規定する制限時間に相当する時間数（当該制度の適用除外とされる者の場合を除く。)〕を超えて、時間外労働及び休日労働が行われたこと**

(則36条５号イ)

**(7)　離職の日の属する月の前６月のうちいずれかの月において１月当たり100時間以上、時間外労働及び休日労働が行われたこと** H30-5C

(則36条５号ロ)

**(8)　離職の日の属する月の前６月のうちいずれか連続した２箇月以上の期間の時間外労働時間及び休日労働時間を平均し１月当たり80時間を超えて、時間外労働及び休日労働が行われたこと**　(則36条５号ハ)

**(9)　事業主が危険又は健康障害の生ずるおそれがある旨を行政機関から指摘されたにもかかわらず、事業所において当該危険又は健康障害を防止するために必要な措置を講じなかったこと**

参考 (9)については、改善に係る指摘後、**概ね１箇月経過後**においても当該法令違反に係る改善が行われていない場合がこれに該当する。　(則36条５号ニ)

**(10)　事業主が法令に違反し、妊娠中若しくは出産後の労働者又は子の養育若しくは家族の介護を行う労働者を就業させ、若しくはそれらの者の雇用の継続等を図るための制度の利用を不当に制限したこと又は妊娠したこと、出産したこと若しくはそれらの制度の利用の申出をし、若しくは利用をしたこと等を理由として不利益な取扱いをしたこと。** H30-5A　(則36条５号ホ)

**(11)　事業主が労働者の職種転換等に際して、当該労働者の職業生活の継続のために必要な配慮を行っていないこと** H30-5B

**参考** 次の場合がこれに該当する。
①採用時に特定の職種を遂行するために採用されることが労働契約上明示されていた者について、当該職種と別の職種を遂行することとされ、かつ、当該職種の転換に伴い賃金が低下することとなり、職種転換が通知され（職種転換の1年前以内に限る。）、職種転換直後（概ね3箇月以内）に離職した場合
②採用時に特定の職種を遂行することが明示されていなかった者であって、**10年以上同一の職種に就いていたもの**について、職種転換に際し、事業主が十分な教育訓練を行わなかったことにより、労働者が専門の知識又は技能を十分に発揮できる機会を失い、新たな職種に適応することが困難なため離職した場合
③労働契約上、勤務場所が特定されていた場合に遠隔地（通常の交通機関を利用して通勤した場合に概ね**往復4時間以上**要する場合。以下④において同じ。）に転勤（在籍出向を含む。）を命じられ、これに応じることができないために離職した場合
④家族的事情（常時本人の介護を必要とする親族の疾病、負傷等の事情がある場合をいう。）を抱える労働者が、遠隔地に転勤を命ぜられたための離職等、権利濫用に当たるような事業主の配転命令がなされた場合 R3-4C　（則36条6号）

### ⑿　期間の定めのある労働契約の更新により3年以上引き続き雇用されるに至った場合において当該労働契約が更新されないこととなったこと H30-5E

期間の定めがある**労働契約が更新され**※、雇用された時点から**継続して3年以上雇用されている場合**であり、かつ、**労働契約の更新を労働者が希望していたにもかかわらず**、契約更新がなされなかったために離職した場合が該当する。

※　3年の労働契約を結んで最初（雇用後3年経過したとき）に、当該労働契約を解除された（更新されなかった）場合は、「労働契約の更新により」という要件を満たさないので、これに該当しない（あくまで「労働契約が1回以上更新」された上で、**3年以上**継続雇用されていることが必要となる。）。

**参考** 定年退職後の再雇用時に契約更新の上限が定められている場合などあらかじめ定められていた再雇用期限の到来に伴い離職した場合はこの基準に該当しない。
なお、上記の「**継続して3年以上雇用されている場合**」について、派遣労働者で、派遣就業と派遣先での直接雇用を繰り返すことについて派遣元が積極的に関与するなど一定の要件を満たす場合は、派遣先で直接雇用されていた期間を含める場合がある。（則36条7号）

### ⒀　期間の定めのある労働契約の締結に際し当該労働契約が更新されることが明示された場合において当該労働契約が更新されないこととなったこと（⑿に該当する場合を除く。）

**参考** 期間の定めのある労働契約の締結に際し、当該契約の更新又は延長を行う旨が雇入通知書等により明示されている場合（労使で契約を更新又は延長することについて**確約がある場合**）であり、かつ、**労働契約の更新を労働者が希望していたにもかかわらず**、契約更新がなされなかったために離職した場合が該当する。（則36条7号の2）

### ⒁　事業主又は当該事業主に雇用される労働者から就業環境が著しく害されるような言動を受けたこと

参考 次の場合がこれに該当する。
①上司、同僚等の「故意」の排斥又は著しい冷遇若しくは嫌がらせを受けたことにより離職した場合
②事業主がセクシュアル・ハラスメントの事実を把握していながら、雇用管理上の措置〔事業主等に相談後、概ね1か月においても、労働者の雇用継続を図る上での必要な改善措置（事業主による対象者に対する指導、配置転換等の措置)〕を講じなかったために離職した場合
　ただし、ヌードポスターの掲示等の視覚型セクシュアル・ハラスメントについては、特定の労働者を対象としているような場合を除き、これにより離職を決意するに至る蓋然性が低いと考えられることから、原則としてこれに該当しない。
③事業主が育児・介護休業法、男女雇用機会均等法に規定する職場における妊娠、出産、育児休業、介護休業等に関する言動により労働者の就業環境が害されている（以下「妊娠、出産等に関するハラスメント」という。）事実を把握していながら、雇用管理上の必要な措置〔事業主等に相談後、概ね1か月においても、労働者の雇用継続を図る上での必要な改善措置（就業規則その他の職場における服務規律等を定めた文書における職場における妊娠、出産等に関するハラスメントに関する規定等に基づく、事業主による対象者への必要な懲戒等、対象者の謝罪等)〕を講じなかったために離職した場合

（則36条8号）

### ⒂ 事業主から**退職**するよう**勧奨**を受けたこと

参考 次の場合がこれに該当する。
①企業整備における人員整理等に伴う退職勧奨など退職勧奨が事業主（又は人事担当者）より行われ離職した場合
②希望退職募集（希望退職募集の名称を問わず、**人員整理**を目的とし、措置が導入された時期が離職者の離職前1年以内であり、かつ、当該希望退職の募集期間が3箇月以内であるものに限る。）への応募に伴い離職した場合。なお、従来から恒常的に設けられている早期退職優遇制度等への応募はこれに含まれない。（則36条9号）

### ⒃ 事業所において**使用者の責めに帰すべき事由**により行われた休業が引き続き3箇月以上となったこと

参考 経済情勢の変動その他により正常な事業活動を継続することが困難となった場合に、一時的に全日休業し、労働基準法の規定により休業手当の支払が3箇月以上連続していた場合がこれに該当する。ただし、休業手当の支給が終了し、通常の賃金支払がなされるようになってから離職した場合はこれに該当しない。（則36条10号）

### ⒄ 事業所の業務が法令に違反したこと

参考 事業所が法令違反の製品を製造・販売する等、事業所の業務が法令に違反した場合であり、当該法令違反の事実を知った後3箇月以内に離職した場合がこれに該当する。なお、事業所において製造する製品が品質管理上の問題があった場合等はこれに該当しない。

（則36条11号）

## 3 特定理由離職者（法13条3項、則19条の2） ★★★

**特定理由離職者**とは、離職した者のうち、第23条第2項各号のいずれかに該当する者［倒産・解雇等離職者］以外の者であって、次のい

ずれかに該当する者をいう。

ⅰ　**期間の定めのある労働契約の期間が満了**し、かつ、当該**労働契約の更新**がないこと（その者が当該**更新を希望したにもかかわらず**、当該**更新**についての**合意が成立するに至らなかった**場合に限る。）により**離職した者**（本書において「**特定理由離職者Ⅰ**」という。） R3-4B

ⅱ　法第33条第1項［**離職理由による給付制限**］の**正当な理由**により**離職した者**（本書において「**特定理由離職者Ⅱ**」という。）

## 1．特定理由離職者Ⅰ

特定理由離職者Ⅰは、期間の定めのある労働契約について、当該労働契約の更新又は延長があることは明示されているが更新又は延長することの**確約まではない場合**（契約更新条項が「契約を更新する場合がある」とされている場合など）であって、かつ、労働者本人が契約期間満了日までに当該契約の更新又は延長を申し出たにもかかわらず、当該労働契約が更新又は延長されなかったために離職した場合がこれに該当する。

したがって、**労働契約**において、**当初から契約の更新がないことが明示されている場合**には、基本的に**特定理由離職者には該当しない**こととなる。

参考 いわゆる登録型派遣労働者については、派遣就業に係る雇用契約が終了し、雇用契約の更新・延長について合意形成がないが、派遣労働者が引き続き当該派遣元事業主のもとでの派遣就業を希望していたにもかかわらず、派遣元事業主から当該雇用契約期間の満了日までに派遣就業を指示されなかったことにより、離職に至った場合が上記ⅰに該当する。
R3-4B（行政手引50305-2）

## 2．特定理由離職者Ⅱ

次の「正当な理由があると認められる場合」のいずれかに該当することにより自己都合退職した者を特定理由離職者Ⅱという。H27-2E

(1)　**イ）体力の不足、ロ）心身の障害、ハ）疾病、ニ）負傷、ホ）視力の減退、ヘ）聴力の減退、ト）触覚の減退等によって退職した場合**

参考 この基準を満たすためには、次のいずれかに該当することが必要である〔イ）からト）までその他これに準ずる身体的条件のため、その者が従来就いていた業務（従来の勤務場所への通勤を含む。）を続けることは不可能又は困難であるが、事業主から新たな業務に就くこと（勤務場所の変更を含む。）を命ぜられ、当該業務（当該勤務場所への通勤を含む。）を遂行することが可能な場合は含まれない。〕。

①イ）からト）までその他これに準ずる身体的条件のため、その者の就いている業務（勤務場所への通勤を含む。）を続けることが不可能又は困難となったこと。

②イ）からト）までその他これに準ずる身体的条件のため、事業主から新たに就くべきことを命ぜられた業務（当該勤務場所への通勤を含む。）を遂行することが不可能又は困

難であること。

### (2) 妊娠、出産、育児等により退職し、雇用保険法第20条第１項［職業に就けない場合の特例］の受給期間延長措置を受けた場合

参考 この基準は、次のいずれにも該当する場合に適用される。
①離職理由が雇用保険法第20条第１項の受給期間の延長事由に該当すること。
②離職の日の翌日から引き続き30日以上職業に就くことができないことを理由として、当該事由により受給期間の延長措置の決定を受けたこと。ただし、離職の日の翌日から受給期間の延長措置の決定を受けたとしても、受給期間の延長期間が90日未満の場合は、法第33条の給付制限の対象となる。なお、公的機関の行う海外技術指導に応募し、離職の日後おおむね１箇月以内の日より、海外に派遣されること〔派遣前の訓練（研修）を含む。〕により受給期間の延長の決定を受けた場合は、これに該当する。

### (3) 家庭の事情が急変したことによって退職した場合（父若しくは母の死亡、疾病、負傷等のため、父若しくは母を扶養するために退職を余儀なくされた場合又は常時本人の看護を必要とする親族の疾病、負傷等のために退職を余儀なくされた場合等）

参考 この基準の詳細は、次の通りである。
①父又は母の死亡、疾病、負傷等に伴う扶養の例及び常時本人の看護を必要とする親族の疾病、負傷等の例は、あくまで例であり、この基準は「家庭の事情の急変」による退職が該当する。
②常時本人の看護を必要とする親族の疾病、負傷等により離職した者（心身に障害を有する者の看護のために離職した者を含む。）といえるためには、事業主に離職を申し出た段階で、看護を必要とする期間がおおむね30日を超えることが見込まれていたことが必要である。
③自家の火事、水害等により勤務継続が客観的に不可能又は困難となった理由があると認められるときは、この基準に該当する。
④配偶者（婚姻の届出をしていないが、事実上婚姻関係と同様の事情にある者を含む。）から暴力を受け、加害配偶者との同居を避けるため住所又は居所を移転したことにより離職した場合〔裁判所が発行する配偶者暴力防止法に基づく保護命令に係る書類の写し又は女性相談支援センター等が発行する配偶者からの暴力の被害者の保護に関する証明書（雇用保険用）が確認できた場合に限る。〕も、この基準に該当する。
⑤学校入学、訓練施設入校（所）、子弟教育等のために退職することはこの基準に該当しない。 R3-4E

### (4) 配偶者又は扶養すべき親族と別居生活を続けることが困難となったことによって退職した場合

参考 この基準の詳細は、次の通りである。
①配偶者又は扶養すべき親族と別居を続けることが、家庭生活の上からも、経済的事情等からも困難となったため、それらの者と同居するために事業所への通勤が不可能又は困難な地へ住所を移転し退職した場合が、この基準に該当する。
②「配偶者」は、婚姻の届出をしていないが、事実上婚姻関係と同様の事情にあった者を含み、その者が職業を有していると否とを問わない（(5)において同じ。）。
③「扶養すべき親族」とは、直系血族、兄弟姉妹及び家庭裁判所が扶養の義務を負わせた三親等内の親族をいう（民法877条。(5)において同じ。）。

**(5)　次の理由により通勤不可能又は困難となったことにより退職した場合**

①　**結婚に伴う住所の変更**

②　育児に伴う保育所その他これに準ずる施設の利用又は親族等への保育の依頼

③　事業所の通勤困難な地への移転（2 1.「**倒産等による離職者**」(4)に該当する場合を除く。）

④　自己の意思に反しての住所又は居所の移転を余儀なくされたこと

⑤　鉄道、軌道、バス等の運輸機関の廃止又は運行時間の変更等

⑥　事業主の命による転勤又は出向に伴う別居の回避

⑦　配偶者の事業主の命による転勤若しくは出向又は配偶者の再就職に伴う別居の回避

**参考** この基準の詳細は、次の通りである。

①上記①については、結婚に伴う住所の移転のために、事業所への通勤が不可能又は困難となったことにより勤務の継続が客観的に不可能又は困難となり退職した場合（事業主の都合で退職日を年末、年度末としたような場合を除き、退職から住所の移転までの間がおおむね１箇月以内であることを要する。）に適用される。

②上記②については、育児（小学校就学の始期に達するまでの乳幼児の保育をいう。）に伴う保育所等保育のための施設の利用又は親族等への保育の依頼のために、事業所への通勤が不可能又は困難となったことにより勤務の継続が客観的に不可能又は困難となったことにより退職した場合に適用される。

③上記③については、2 1.「**倒産等による離職者**」(4)に該当しない場合であって、移転後の事業所への通勤が、被保険者にとって不可能又は困難となる客観的事情がある場合に適用される。

④上記④の「自己の意思に反して」とは、例えば、住居の強制立退き、天災等による移転をいう。

⑤上記⑤については、上記④と同様に、他動的な原因による通勤困難な場合が該当する。

⑥上記⑥は、被保険者本人が事業主から通勤が不可能又は困難な事業所へ転勤又は出向を命ぜられ、配偶者又は扶養すべき同居の親族と別居することを余儀なくされたために退職した場合に適用される。

⑦上記⑦は、被保険者の配偶者が、その事業主から、被保険者と同居している住所地から通勤が不可能又は困難な事業所へ転勤又は出向を命ぜられ、或いは被保険者と同居している住所地から通勤が不可能又は困難な事業所に再就職したために、当該配偶者が住居を移転することとなった場合において、被保険者本人が当該配偶者と同居を続けるために住所を移転することとなったが、その結果、移転後の住所地から事業所への通勤が不可能又は困難となった場合に適用される。

**(6)　事業主が労働条件を変更したことにより採用条件と実際の労働条件が著しく異なることとなったことを理由に、退職した場合（2 2.「解雇等による離職者」(2)に該当する場合を除く。）**

**参考** **当該事由発生後１年を経過した後**に離職した場合等が該当する。

**(7)　新技術が導入された場合において、自己の有する専門の知識又は技能を十分に発揮する機会が失われ当該新技術へ適応することが困難であることに**

よって退職した場合

(8) 結婚、妊娠、出産又は育児に伴い退職することが慣行となっている場合や定年制があるにも関わらず、定年年齢の前に早期退職をすることが慣行となっている場合等環境的に離職することが期待され、離職せざるを得ない状況に置かれたことにより離職した場合

(9) 企業整備による人員整理等で希望退職者が募集に応じて離職した場合（2 2.「解雇等による離職者」⒂に該当する場合を除く。） （行政手引50305）



## 4 就職困難な受給資格者（則32条） ★★★

**就職困難な受給資格者**とは、次のいずれかに該当する**受給資格者**である。

i 障害者の雇用の促進等に関する法律に規定する**身体障害者、知的障害者**及び**精神障害者** H30-4ア

ii 更生保護法の規定による**保護観察対象者**及び**更生緊急保護**の**対象者**であって、その者の**職業のあっせん**に関し**保護観察所長**から**公共職業安定所長**に**連絡**のあったもの H30-4ウ

iii **社会的事情**により**就職が著しく阻害**されている者

**Check Point!**

□「就職困難な者」に該当するかどうかは、**受給資格決定時**の状態で決定する。H30-4エ

参考 受給資格決定に際して就職困難な者であるか否かの確認を行う場合に、公共職業安定所長が必要であると認めるときには、その者が就職困難な者の要件に該当する者であることの事実を証明する書類の提出を命ずることができることとされており、就職困難な者であるか否かの確認は、原則として職業紹介部門に照会して確認することとするが、これによって確認できない場合には、医師の証明書その他の一定の書類によって確認するものとする。H30-4オ （行政手引50304）

## 5 算定基礎期間（法22条3項～5項、法61条の7,9項、法61条の8,6項） ★★★

I **算定基礎期間**は、**受給資格者**が**基準日**まで**引き続いて同一の事業主の適用事業**に**被保険者**として**雇用された期間**（当該**雇用された期**

**間**に係る**被保険者**となった日前に**被保険者**であったことがある者については、当該**雇用された期間**と当該**被保険者であった期間**を通算した期間）とし、当該**雇用された期間**又は当該**被保険者であった期間**に**育児休業給付金**又は**出生時育児休業給付金の支給**に係る休業の期間があるときは、当該休業の期間を**除いて**算定した期間とする。ただし、当該**雇用された期間**又は当該**被保険者であった期間**に次のⅰⅱに掲げる期間が含まれているときは、ⅰⅱに掲げる期間に該当するすべての期間を**除いて**算定した期間とする。R3-3A R4-4A~E

ⅰ　当該**雇用された期間**又は当該**被保険者であった期間**に係る**被保険者**となった日の直前の**被保険者**でなくなった日が当該**被保険者となった日前１年の期間内**にないときは、当該直前の**被保険者**でなくなった日前の**被保険者であった期間** R3-3D

ⅱ　当該**雇用された期間**に係る**被保険者**となった日前に**基本手当**又は**特例一時金**の**支給を受けたことがある者**については、これらの**給付**の**受給資格**又は**特例受給資格**に係る**離職の日以前**の**被保険者であった期間** R3-3E

Ⅱ　一の**被保険者であった期間**に関し、**被保険者**となった日が第９条［**確認**］の規定による**被保険者**となったことの**確認があった日の２年前の日より前**であるときは、当該**確認のあった日の２年前の日**に当該**被保険者**となったものとみなして、Ⅰの規定による算定を行うものとする。H27-2D R3-3B

Ⅲ　次に掲げる要件のいずれにも該当する者（ⅰに規定する**事実を知っていた者を除く**。）に対するⅡの規定の適用については、Ⅱ中「当該**確認のあった日の２年前の日**」とあるのは、「次のⅱに規定する**被保険者**の負担すべき額に相当する額がその者に支払われた**賃金から控除されていたことが明らかである時期**のうち**最も古い時期**として厚生労働省令で定める日」とする。

ⅰ　その者に係る第７条［被保険者に関する届出］の規定による**届出がされていなかった**こと。

ⅱ　厚生労働省令で定める書類に基づき、第９条［**確認**］の規定による**被保険者**となったことの**確認があった日の２年前の日**より**前**

に徴収法第32条第１項［賃金からの労働保険料の控除］の規定により**被保険者の負担すべき額に相当する額**がその者に支払われた**賃金から控除されていたことが明らかである時期**があること。 H27-2D R3-3B

**Check Point!**

□ 雇用された期間に係る被保険者となった日前に受給資格等を取得したことがあっても、当該受給資格に係る基本手当等を受給していない場合は、上記Ⅰⅱには該当しない。



### 1. 算定基礎期間に含めない期間

算定基礎期間とは、離職の日以前の被保険者であった期間を通算した期間をいうが、当該期間の算定にあたっては、次の期間は被保険者であった期間に通算しない。 H29-2B

**(1) 育児休業給付の支給に係る休業の期間（上記Ⅰ本文）** R3-3A R4-4A～E

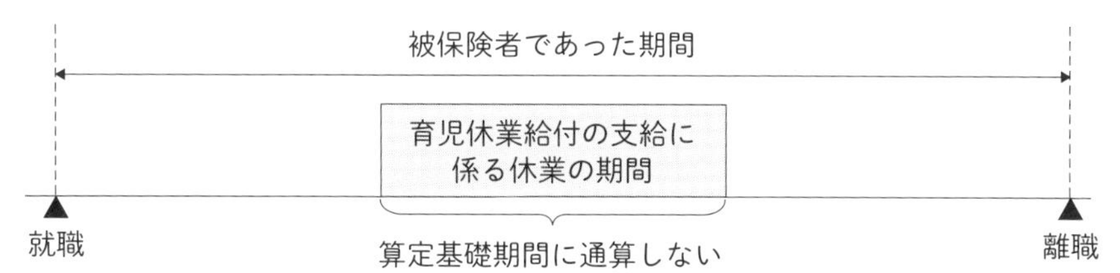


**(2) 離職後１年以内に被保険者資格を再取得しなかった場合の前の被保険者であった期間（上記Ⅰⅰ）** H27-2C R3-3D

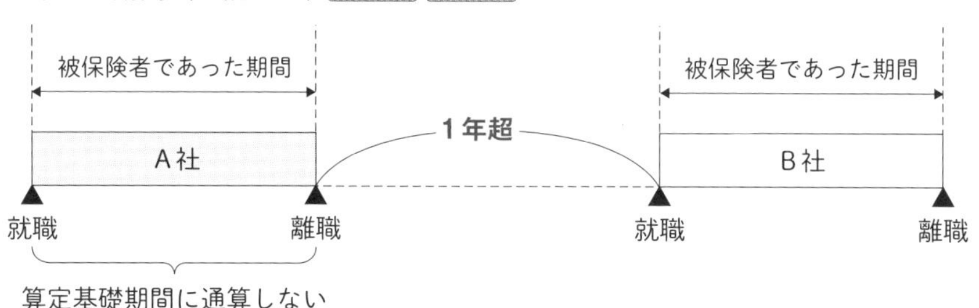

### (3) 以前に基本手当又は特例一時金の支給を受けたことがある場合の当該給付の支給の算定基礎となった期間（上記Ⅰⅱ） R3-3E

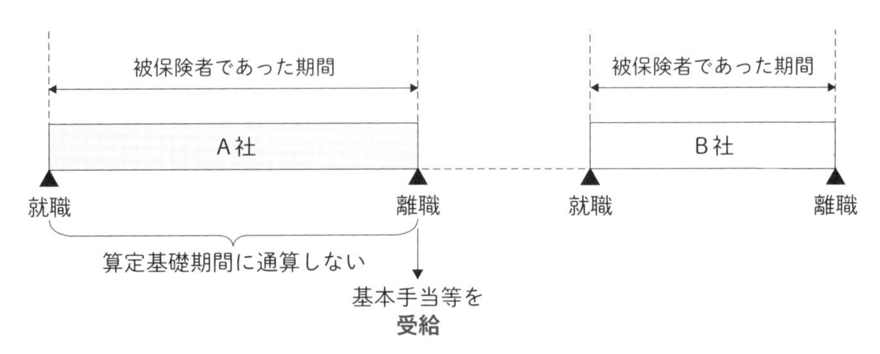


### (4) 被保険者となったことの確認があった日の２年前の日より前の期間（上記Ⅱ） R3-3B

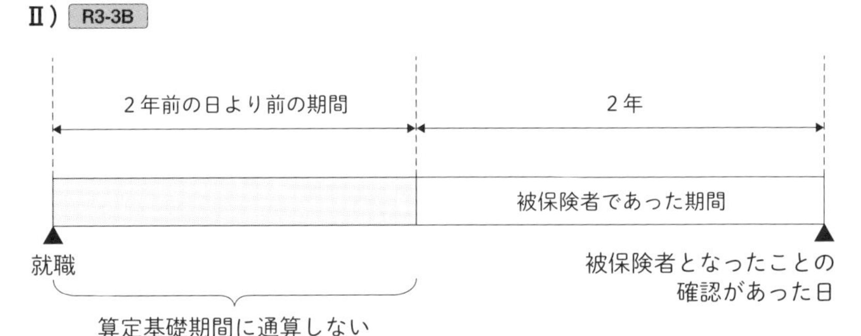


**参考** 各被保険者であった期間を加算する場合には、暦年、暦月及び暦日のそれぞれごとに加算し、暦月の12月をもって１年、暦日の30日をもって１月とする。（行政手引50302）

## 2. 遡及適用期間の特例（上記Ⅲ）

前述の通り、原則としては、「被保険者となったことの確認があった日の２年前の日より前の期間」は算定基礎期間には算入しないこととされているが、事業主が被保険者資格取得の届出を行わなかったため未加入とされていた者のうち、事業主から雇用保険料を控除されていたことが賃金台帳等の書類により確認された者（徴収法第26条に規定する「**特例対象者**」）については、２年を超えて遡及適用が可能となる。 H27-2D R3-3B

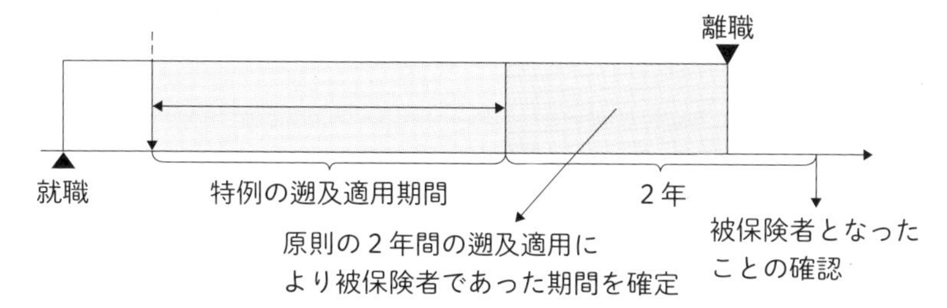
賃金台帳等により「雇用保険料の控除」が
確認される最も古い日（≒被保険者となった日）
離職
就職
特例の遡及適用期間
2年
被保険者となった
ことの確認
原則の２年間の遡及適用に
より被保険者であった期間を確定

# 延長給付

## ① 種類 重要度 C

★

　基本手当の所定給付日数は、算定基礎期間、年齢、その者が就職困難な者であるかどうか及び離職理由により特定受給資格者に該当するか否かを考慮して決定することとしているが、さらに、その時の雇用失業情勢、地域の特殊状況等により、所定給付日数分の基本手当では十分な保護に欠ける場合が生ずることがある。このため、給付日数の延長制度として、次のものが設けられている。

<table>
<tr><td rowspan="3">訓練延長給付</td><td rowspan="3">公共職業訓練等を受講する場合の給付延長</td><td>待期中（90日以内）</td></tr>
<tr><td>受講中（2年以内）</td></tr>
<tr><td>受講後（30日以内）</td></tr>
<tr><td>個別延長給付</td><td colspan="2">災害等の場合の給付延長</td></tr>
<tr><td>広域延長給付</td><td colspan="2">広域職業紹介適格者の認定を受けた者に対する給付延長</td></tr>
<tr><td>全国延長給付</td><td colspan="2">全国的に失業の状況が著しく悪化した場合における給付延長</td></tr>
</table>

　また、暫定的に雇用機会が不足していると認められる地域に居住する者に対する給付延長（**地域延長給付**）が設けられている。

　なお、延長給付により所定給付日数を超えて基本手当が支給される場合、その日額は、本来支給される基本手当の日額と同額である。

R2-3A

## ② 訓練延長給付 重要度 A

### 1 待期中及び受講中の訓練延長給付（法24条1項、令4条）

★★★

　**受給資格者**が**公共職業安定所長の指示**した**公共職業訓練等**（その期

間が**2年を超える**ものを**除く**。）を受ける場合には、当該**公共職業訓練等を受ける期間**〔その者が当該**公共職業訓練等**を受けるため**待期**している期間（当該**公共職業訓練等を受け始める日の前日まで**の**引き続く90日間の期間**に限る。）を**含む**。〕内の**失業している日**について、**所定給付日数**を超えてその者に**基本手当**を支給することができる。

H27-3E R5-4BD

### 1. 待期中の訓練延長給付

公共職業安定所長の指示した公共職業訓練等（**2年以内のものに限る**。）を受けるために待期している者に対しては、当該待期している期間のうちの当該公共職業訓練等を受け始める日の前日までの引き続く**90日間**の期間内の失業している日について、所定給付日数を超えて基本手当が支給（この場合受給期間も延長）される。

### 2. 受講中の訓練延長給付

公共職業安定所長の指示した公共職業訓練等（**2年以内のものに限る**。）を受講している場合には、当該公共職業訓練等を受け終わる日までの失業している日について所定給付日数を超えて基本手当が支給（この場合受給期間も延長）される。

**参考** 受講届及び通所届を提出した受給資格者は、法第24条第１項［待期中及び受講中の訓練延長給付］の規定による基本手当の支給を受けようとするときは、失業の認定を受ける都度、公共職業訓練等受講証明書を提出しなければならない。 R5-4A （則37条）

## 2 受講後の訓練延長給付（法24条2項、令5条）

★★★

**公共職業安定所長**が、その指示した**公共職業訓練等**（その期間が**2年を超える**ものを**除く**。）を受ける**受給資格者**〔その者が当該**公共職業訓練等を受け終わる日**における**基本手当**の**支給残日数**（当該**公共職業訓練等を受け終わる日**の翌日から**受給期間**の最後の日までの間に**基本手当**の支給を受けることができる日数をいう。）が**30日に満たないものに限る**。〕で、政令で定める基準に照らして当該**公共職業訓練等**を受け終わってもなお**就職が相当程度に困難な**者であると認めたものについては、当初の**受給期間**に**30日**から**支給残日数**を差し引いた日数を加えた**期間内**の**失業している日**について、**所定給付日数**を超えてその者に**基本手当**を支給することができる。この場合において、**所定給付日数**を超えて**基本手当**を支給する日数は、**30日**から**支給残日数**を差し引いた日数を**限度**とするものとする。R5-4C

### 1. 支給対象者

公共職業安定所長の指示した公共職業訓練等を受け終わった者に対する訓練延長給付の支給対象者は次のいずれにも該当する者である。

① 受講終了日における基本手当の支給残日数が**30日に満たない**者であること。

② 公共職業安定所長が当該公共職業訓練等を受け終わってもなお就職が相当程度に困難な者であると認めた者

参考 「公共職業訓練等を受け終わってもなお就職が相当程度に困難であること」とは、次の(a)～(d)全ての要件を満たすものとする。
(a)受講終了日における支給残日数分の基本手当の支給を受け終わる日（受講終了日において、支給残日数がない者にあっては、受講終了日）までに職業に就くことができる見込みがなく、かつ、特に職業指導その他再就職の援助を行う必要があると認められる者に該当すること
(b)当該公共職業訓練等を受け終わった者が受講終了日において、受講した訓練に係る職種の被保険者となる就職を希望していること
(c)受講終了日前までの４週間において受講した訓練に係る職種の求人に対する応募の実績が複数回あるにもかかわらず、採用内定に至っていないこと
(d)地域における希望職種の労働力需給の状況が厳しいこと　（行政手引52355）

### 2. 給付日数

公共職業安定所長の指示した公共職業訓練等を受け終わった者に対する訓練延長給付の給付日数は、**30日から支給残日数を差し引いた日数**（受給期間もその分延長される）が**限度**である。

## ③ 個別延長給付（法24条の2,1項、2項） 重要度A ★★★

Ⅰ　第22条第２項に規定する**就職が困難な受給資格者以外**の受給資格者のうち、第13条第３項に規定する**特定理由離職者**（**希望に反して契約更新がなかった**ことにより**離職**した者に限る。）である者又は第23条第２項に規定する**特定受給資格者**であって、次のⅰⅱⅲのいずれかに該当し、かつ、公共職業安定所長が厚生労働省令で定める基

準（Ⅱにおいて「**指導基準**」という。）に照らして**再就職**を促進するために必要な**職業指導**を行うことが適当であると認めたものについては、延長後の受給期間内の**失業**している日（**失業**していることについての**認定**を受けた日に限る。）について、**所定給付日数**を超えて基本手当を支給することができる。

ⅰ　**心身の状況**が厚生労働省令で定める基準に該当する者

ⅱ　雇用されていた適用事業が激甚災害法第２条の規定により激甚災害として政令で指定された災害（ⅲにおいて「**激甚災害**」という。）の被害を受けたため**離職**を余儀なくされた者又は激甚災害法第25条第３項の規定により離職したものとみなされた者であって、政令で定める基準に照らして職業に就くことが**特に困難**であると認められる地域として厚生労働大臣が指定する地域内に**居住する者** R6-選D

ⅲ　雇用されていた**適用事業**が**激甚災害**その他の災害（厚生労働省令で定める災害に限る。）の被害を受けたため**離職**を余儀なくされた者又は激甚災害法第25条第３項の規定により**離職**したものとみなされた者（ⅱに該当する者を除く。）

Ⅱ　第22条第２項に規定する**就職が困難な受給資格者**であって、Ⅰⅱに該当し、かつ、公共職業安定所長が指導基準に照らして**再就職**を促進するために必要な**職業指導**を行うことが適当であると認めたものについては、延長後の受給期間内の**失業**している日（**失業**していることについての**認定**を受けた日に限る。）について、**所定給付日数**を超えて基本手当を支給することができる。

**Check Point!**

□ 特定理由離職者Ⅱは、個別延長給付の対象とはならない。

□ 特定理由離職者Ⅰ、特定受給資格者又は就職が困難な受給資格者のいずれにも該当しない受給資格者は、個別延長給付を受けることができない。 R2-3B

□ 上記Ⅰⅱ（及びⅡ）については、発動基準に該当しなければ個別延長給付は行われない。

## 1. 発動基準

Ⅰⅱ（及びⅡ）の個別延長給付が行われるのは、次の⑴⑵のいずれかに該当する場合である。

⑴　災害地域のうち、その地域における基本手当の**初回受給率**が、全国平均の基本手当の**初回受給率**の**２倍以上**となり、かつ、**その状態が継続する**と認められる地域であること。

⑵　⑴の基準を満たす地域に近接する地域（災害地域に限る。）のうち、失業の状況が⑴の状態に準ずる地域であって、所定給付日数に相当する日数分の基本手当の支給を受け終わるまでに職業に就くことができない受給資格者が相当数生じると認められるものであること。（令5条の２）

参考 1．前記Ⅰの「指導基準」は、受給資格者が⑴⑵のいずれにも該当することとする。
⑴**特に誠実かつ熱心に求職活動を行っている**にもかかわらず、所定給付日数分の基本手当の支給終了日（又は受給期間満了日）までに**職業に就くことができる見込みがなく**、かつ特に職業指導その他再就職の援助を行う必要があると認められること。
⑵当該受給資格に係る離職後最初に公共職業安定所に求職の申込みをした日以後、**正当な理由がなく**、公共職業安定所の紹介する職業に就くこと、公共職業安定所長の指示した公共職業訓練等を受けること及び公共職業安定所が行う再就職を指導するために必要な職業指導を受けることを**拒んだことがない**こと。（則38条の３）

2．前記Ⅰⅰは、具体的には、以下のいずれかに該当するものであること。
⑴**難治性疾患**を有すること。
⑵発達障害者支援法第２条に規定する**発達障害者**であること。
⑶⑴及び⑵に掲げるもののほか、障害者雇用促進法第２条第１号に規定する障害者であること。（則38条の４）

3．前記Ⅰⅲの激甚災害その他の災害とは具体的には、以下のいずれかに該当するものである。
⑴激甚災害法第２条の規定により**激甚災害**として政令で指定された災害
⑵**災害救助法による救助**が行われた災害（災害救助法第２条の規定に基づき、都道府県知事により市町村等の区域が指定され、災害救助法が適用された災害をいう。）
⑶⑵に準ずる災害として厚生労働省職業安定局長が定める災害（則38条の５）

## 2. 給付日数

個別延長給付は、次の⑴⑵⑶に掲げる受給資格者の区分に応じ、⑴⑵⑶に定める日数を限度として支給（受給期間は当該定める日数が延長）される。

| | |
|---|---|
| ⑴　前記Ⅰⅰⅲに該当する受給資格者 | **60**日（算定基礎期間が**20年以上**、かつ、基準日の年齢が**35歳以上60歳未満**である受給資格者にあっては、**30**日） |
| ⑵　前記Ⅰⅱに該当する受給資格者 | **120**日（算定基礎期間が**20年以上**、かつ、基準日の年齢が**35歳以上60歳未満**である受給資格者にあっては、**90**日）R6-選D |
| ⑶　前記Ⅱに該当する受給資格者 | **60**日 |

（法24条の2,3項、４項）

## ④ 広域延長給付（法25条1項、令6条3項） 重要度A

★★★

**厚生労働大臣**は、その**地域**における**雇用に関する状況**等から判断して、その**地域内**に居住する求職者がその**地域**において**職業に就くことが困難**であると認める**地域**について、求職者が**他の地域**において職業に就くことを促進するための**計画を作成**し、**関係都道府県労働局長**及び**公共職業安定所長**に、当該**計画**に基づく**広範囲の地域**にわたる**職業紹介活動**（以下「**広域職業紹介活動**」という。）を行わせた場合において、当該**広域職業紹介活動**に係る**地域**について、政令で定める基準に照らして必要があると認めるときは、その**指定する期間内**に限り、**公共職業安定所長**が当該**地域**に係る当該**広域職業紹介活動**により**職業のあっせん**を受けることが適当であると**認定**する受給資格者について、**所定の受給期間**に**90日**を加えた期間内の**失業している日**について、**90日を限度**として、**所定給付日数**を超えて**基本手当**を支給する措置を決定することができる。

**Check Point!**

☐ 広域延長給付が行われるのは、その地域における基本手当の初回受給率が、全国平均の基本手当の初回受給率の２倍以上となり、かつ、その状態が継続すると認められる場合である。 R2-3C （令６条１項）

### 1. 給付日数

広域延長給付は、**90日を限度**として支給（**受給期間は90日延長**）される。

（法25条４項、令６条３項）

### 2. 延長給付の打切り

広域職業紹介活動命令の実施期間が終了した場合や広域延長措置の指定期間の末日が到来した場合は、広域延長給付の支給終了前であっても給付は打ち切られる。

（行政手引52405）

**参考**（他の地域からの移転）
広域延長措置が決定された日以後に他の地域から当該措置に係る地域に移転した受給資格者であって、その移転について**特別の理由がないと認められる**ものには、**当該措置に基づく基本手当は支給されない**。
特別の理由があるかどうかの認定は、公共職業安定所長が厚生労働大臣の定める基準に従ってするものとする。
受給資格者が当該措置に基づく基本手当の支給を受けようとするときは、管轄公共職業安定所に出頭し、その移転について特別の理由がある旨を申し出なければならない。
（法26条、則40条１項）

（他の地域への移転）
広域延長給付を受けることができる者が厚生労働大臣の指定する地域に住所又は居所を変更したときは、引き続き当該延長給付を受けることができるが、延長できる日数の限度は**移転前後を通じ90日**である。 H27-3C （法25条２項、行政手引52412）

## ⑤ 全国延長給付（法27条1項、令7条2項） 重要度A ★★★

**厚生労働大臣**は、**失業の状況**が**全国的に著しく悪化**し、政令で定める基準に該当するに至った場合において、**受給資格者**の**就職状況**からみて**必要がある**と認めるときは、その**指定する期間内**に限り、**所定の受給期間**に**90日**を加えた期間内の**失業している日**について、**90日を限度**として、**所定給付日数**を超えて**受給資格者**に**基本手当**を支給する措置を決定することができる。

**Check Point!**

□ 全国延長給付が行われるのは、連続する４月間の全国平均の基本手当の受給率が４％を超え、同期間の全国の基本手当の初回受給率が低下する傾向になく、かつ、これらの状態が継続すると認められる場合である。
（令７条１項）

### 1．給付日数

全国延長給付は、**90日を限度**として支給（受給期間は**90日延長**）される。

H27-3A （法27条３項、令７条２項）

### 2．延長給付の打切り

全国延長措置の指定期間の末日が到来したときは、支給終了前であっても給付は打ち切られる。
（行政手引52453）

参考 厚生労働大臣は、全国延長措置を決定した後において、失業の状況が改善されない場合には、当初の指定期間を延長することができる。 R2-3D （法27条２項、令８条）

## ⑥ 地域延長給付
### （法附則5条1項、2項、則附則19条）重要度A ★★★

**受給資格に係る離職の日が令和９年３月31日以前**である**受給資格者**〔第22条第２項に規定する就職が困難な受給資格者以外の受給資格者のうち第13条第３項に規定する**特定理由離職者**（**希望に反して契約更新**がなかったことにより**離職**した者に**限る**。）である者及び第23条第２項に規定する**特定受給資格者**に限る。〕であって、厚生労働省令で定める基準に照らして**雇用機会**が不足していると認められる地域として厚生労働大臣が指定する地域内に居住し、かつ、公共職業安定所長が第24条の２第１項に規定する指導基準に照らして**再就職**を**促進**するために必要な**職業指導**を行うことが適当であると認めたもの（**個別延長給付**を受けることができる者を**除く**。）については、附則第５条第３項の規定による延長後の受給期間内の**失業している日**（**失業**していることについての**認定**を受けた日に限る。）について、**60日**（**所定給付日数**が第23条第１項第２号イ又は第３号イに該当する**受給資格者**［**算定基礎期間**が**20年以上**、かつ、**基準日**の**年齢**が**35歳以上60歳未満**である者］にあっては、**30日**）を限度として、**所定給付日数**（当該**受給資格者が**当初の受給期間内に**基本手当**の支給を受けた日数が**所定給付日数**に満たない場合には、その支給を受けた日数）を超えて、**基本手当**を支給することができる。

**Check Point!**

- □ 地域延長給付は令和９年３月31日までの暫定措置として設けられている。
- □ 特定理由離職者Ⅱは、地域延長給付の対象とはならない。

#### 1. 支給対象者

地域延長給付の支給対象者は、次のいずれかに該当する者であって、雇用機会が不足していると認められる地域として厚生労働大臣が指定する地域（指定地域）内に居住し、かつ、公共職業安定所長が指導基準に照らして再就職を促進するために必要な職業指導を行うことが適当であると認めたものである。R2-3E

⑴ **特定理由離職者Ⅰ**（希望に反して契約更新がなかったことにより離職した者）

⑵ **特定受給資格者**

### 2. 給付日数

地域延長給付は、**60日を限度**として支給（**受給期間は60日延長**）される。ただし、**算定基礎期間が20年以上**であって、**かつ**、基準日の年齢が**35歳以上60歳未満**である場合には**30日を限度**として支給（**受給期間は30日延長**）される。

# ⑦ 延長給付に関する調整 重要度A

## 1 延長給付間の優先順位（法28条1項、法附則5条4項） ★★★

**個別延長給付**又は**地域延長給付**を受けている受給資格者については、当該**個別延長給付**又は**地域延長給付**が終わった後でなければ**広域延長給付**、**全国延長給付**及び**訓練延長給付**は行わず、**広域延長給付**を受けている受給資格者については、当該**広域延長給付**が終わった後でなければ**全国延長給付**及び**訓練延長給付**は行わず、**全国延長給付**を受けている受給資格者については、当該**全国延長給付**が終わった後でなければ**訓練延長給付**は行わない。H27-3D

**概要**

各延長給付を順次行う場合の優先度は、次のとおりである。

① **個別延長給付又は地域延長給付**※
② **広域延長給付**
③ **全国延長給付**
④ **訓練延長給付**

※　なお、個別延長給付と地域延長給付の要件に同時に該当する場合は、個別延長給付が優先される。

## 2 延長給付間の調整（法28条2項、法附則5条4項）

★★★

訓練**延長給付**を受けている受給資格者について**個別延長給付**、**地域延長給付**、**広域延長給付**又は**全国延長給付**が行われることとなったときは、これらの**延長給付**が行われる間は、その者について**訓練延長給付**は行わず、**全国延長給付**を受けている受給資格者について**個別延長給付**、**地域延長給付**又は**広域延長給付**が行われることとなったときは、これらの**延長給付**が行われる間は、その者について**全国延長給付**は行わず、**広域延長給付**を受けている受給資格者について**個別延長給付**又は**地域延長給付**が行われることとなったときは、**個別延長給付**又は**地域延長給付**が行われる間は、その者について**広域延長給付**は行わない。

**概要**

延長給付を受けている受給資格者について、当該延長給付より優先度の高い延長給付を中途で行うようになったときは、優先度の低い当該延長給付は一時延期され、優先度の高い延長給付が終わり次第引き続いて優先度の低い当該延長給付が支給される。

# 第2章 第3節

# 基本手当以外の求職者給付


1 一般被保険者に対する求職者給付
❶ 技能習得手当
❷ 寄宿手当
❸ 傷病手当
2 高年齢被保険者に対する求職者給付
❶ 高年齢求職者給付金
3 短期雇用特例被保険者に対する求職者給付
❶ 特例一時金
4 日雇労働被保険者に対する求職者給付
❶ 普通給付
❷ 特例給付
❸ 併給調整

# 一般被保険者に対する求職者給付

## ① 技能習得手当（法36条1項、法24条1項、令4条1項、則56条）重要度A

★★★

Ⅰ　**技能習得手当**は、**受給資格者**が**公共職業安定所長**の**指示**した**公共職業訓練等**（**2年を超える**ものを**除く**。）を受ける場合に、その**公共職業訓練等**を受ける期間について支給する。

Ⅱ　**技能習得手当**は、**受講手当**及び**通所手当**とする。R5-選A

**Check Point!**

- □ 技能習得手当は、受講手当と通所手当の２種類である。
- □ 技能習得手当は、「待期期間中」「基本手当の給付制限期間中」「傷病手当の支給の対象となる日」については、支給されない。
- □ 技能習得手当は、所定の要件を満たす限り、短時間就労による収入に応じた減額により基本手当が支給されない日についても、支給される。

### 1．受講手当

#### (1)　支給要件

受講手当は、受給資格者が公共職業安定所長の指示した公共職業訓練等（２年を超えるものを除く。）を受けた日について、**40日分を限度として**支給される。R5-選B　（則57条１項）

#### (2)　受講手当が支給されない日

受講手当は次の日については支給されない。

① 公共職業訓練等を受講しない日

② **基本手当の支給対象日（短時間就労による収入に応じた減額により基本手当が支給されない日を含む。）以外**の日　（行政手引52851）

#### (3)　支給額

支給額は、日額**500円**である。　（則57条２項）

### 2. 通所手当

#### (1) 支給要件

通所手当は、公共職業訓練等（2年を超えるものを除く。）を行う施設（訓練等施設）への通所のため交通機関、自動車等を利用する受給資格者に対し、**通所距離が原則として片道2㎞以上**である場合に支給される。

（則59条1項）

#### (2) 支給額

通所手当は**月額**で支給される。支給額については、次の通りである。

① 交通機関等利用者…**月額42,500円**を**上限**とする実費相当額

② 自動車等利用者…利用距離及び居住地域によって、月額3,690円、5,850円又は8,010円のいずれかの額 （則59条2項）

#### (3) 減額される場合

次に掲げる日のある月の通所手当の月額は日割計算で減額された額となる。

① 公共職業訓練等を受ける期間に属さない日

② **基本手当の支給対象日**（**短時間就労による収入に応じた減額により基本手当が支給されない日を含む。**）**以外**の日

③ 受給資格者が、天災その他やむを得ない理由がないと認められるにもかかわらず、公共職業訓練等を受けなかった日 （行政手引52854）

**参考** 平成29年9月29日より、通所を常例とせず、かつ実施日が特定されていない科目を含む公共職業訓練の委託訓練（いわゆる「eラーニング委託訓練」）受講者が、スクーリング等で現に訓練等施設に通所した場合にも通所手当が支給されることとなった。支給額は、次の通りである。

| | |
|---|---|
| 交通機関等利用者 | 当該交通機関等の利用区間についての1日の通所に要する運賃等の額に、現に通所した日数を乗じて得た額（月額42,500円上限） |
| 自動車等利用者 | 利用距離及び居住地域によって、月額3,690円、5,850円又は8,010円のいずれかの額を当該通所のある日の月の現日数で除し、現に通所した日数を乗じて得た額 |

（則59条6項、行政手引52854）

## ② 寄宿手当（法36条2項、法24条1項、令4条1項） 重要度A

★★★

**寄宿手当**は、**受給資格者**が、**公共職業安定所長**の**指示**した**公共職業訓練等**（**2年を超える**ものを**除く。**）を受けるため、その者により**生計を維持**されている**同居の親族**（**婚姻の届出をしていないが、事実上そ**

**の者と婚姻関係と同様の事情にある者を含む**。）と**別居して寄宿する**場合に、**その寄宿する期間**について支給する。

**Check Point!**

- □ 寄宿手当は、「待期期間中」「基本手当の給付制限期間中」「傷病手当の支給の対象となる日」については、支給されない。
- □ 寄宿手当は、所定の要件を満たす限り、短時間就労による収入に応じた減額により基本手当が支給されない日についても、支給される。

### 1. 支給対象日

寄宿手当は、公共職業訓練等受講期間中の日についてのみ支給されるものであり、公共職業訓練等受講開始前の寄宿日又は受講終了後の寄宿日については支給されない。（行政手引52901）

### 2. 支給額

寄宿手当の支給額は、**月額10,700円**である。（則60条２項）

### 3. 減額される場合

次に掲げる日のある月の寄宿手当は日割計算で減額された額となる。

(1) 受給資格者が親族と別居して寄宿していない日

(2) 公共職業訓練等を受ける期間に属さない日

(3) **基本手当の支給対象日（短時間就労による収入に応じた減額により基本手当が支給されない日を含む**。）**以外**の日

(4) 受給資格者が、天災その他やむを得ない理由がないと認められるにもかかわらず、公共職業訓練等を受けなかった日（則60条２項、行政手引52902）

**参考** 技能習得手当及び寄宿手当は、受給資格者に対し、基本手当を支給すべき日又は傷病手当を支給すべき日に、その日の属する月の前月の末日までの分を支給する。（則61条１項）

**問題チェック** H22-5C

正当な理由がなく自己の都合によって退職したため、基本手当について離職理由に基づく給付制限を受けている受給資格者であっても、公共職業安定所長の指示した公共職業訓練等を受けることとなった場合においては、当該公共職業訓練等を受ける期間について、技能習得手当を受給することができる。

 ○　法33条１項ただし書、法36条１項、３項

設問の通り正しい。基本手当の給付制限期間中は、技能習得手当は支給されないが、第２章第６節 3 ❸ 1「**離職理由による給付制限**」ただし書の規定により、公共職業訓練等を受けるため給付制限が解除された場合は、基本手当を受給することができるので、技能習得手当を受給することができる。

---

# ❸ 傷病手当 重要度A

## 1 支給対象者（法37条1項）

★★★

**傷病手当**は、**受給資格者**が、**離職後公共職業安定所**に**出頭し**、**求職の申込みをした後**において、**疾病又は負傷**のために**職業に就くことができない**場合に、**基本手当の受給期間内**の当該**疾病又は負傷**のために**基本手当の支給を受けることができない日**（**疾病又は負傷のために基本手当の支給を受けることができないことについての認定を受けた日に限る**。）について支給する。R6-3A

### 概要

受給資格者が疾病・負傷の状態にある場合、その疾病・負傷期間の長さにより、次の３つの取扱いが考えられる。

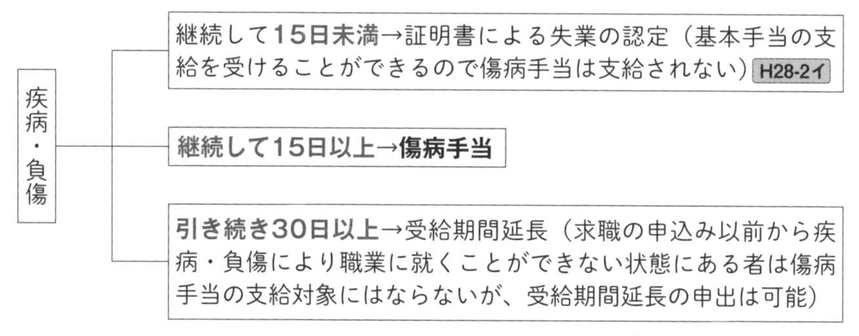


（行政手引50271、53002、53003）

傷病手当は、次の要件を満たす**受給資格者**に対し、**基本手当に代え**、**傷病の認定**を受けた日について支給される。

(1)　**離職後**公共職業安定所に出頭し、**求職の申込みをしている**こと

(2) **求職の申込み後**に疾病又は負傷のために、**継続して15日以上職業に就くことができなくなった**こと R2-4AE　(行政手引53002、53003)

参考 (つわり等の場合)
つわり又は切迫流産（医学的に疾病と認められるものに限る。）のため職業に就くことができない場合には、その原因となる妊娠（受胎）の日が求職申込みの日前であっても当該つわり又は切迫流産が求職申込後に生じた場合には、傷病手当を支給し得る。R2-4C
(行政手引53002)

(求職の申込みの取消し等の場合)
有効な求職の申込みを行った後において、当該求職の申込みの取消し又は撤回を行い、その後において疾病又は負傷のため職業に就くことができない状態となったときは傷病手当は支給されない。R2-4B　(同上)

(産休期間中)
労働の意思又は能力がないと認められる者が傷病となったときは、「疾病又は負傷のため職業に就くことができない」とは認められないので傷病手当は支給されない。H28-2ア
例えば、その者が傷病を併発しているとしても出産予定日以前6週間から出産日後8週間までの期間について傷病手当は支給されない。　(行政手引53002、53003)

## 2 不支給日
### (法37条5項、8項、9項、令10条7号、行政手引53003)

★★★

Ⅰ　第32条第1項［**就職拒否又は受講拒否**による**給付制限**］若しくは第2項［**職業指導拒否**による**給付制限**］又は第33条第1項［**離職理由**による**給付制限**］の規定により基本手当を支給しないこととされる期間については、**傷病手当**を**支給しない**。

Ⅱ　第37条第1項の認定［**傷病の認定**］を受けた**受給資格者**が、当該認定を受けた日について、次の給付の支給を受けることができる場合には、傷病手当は、支給しない。

ⅰ　健康保険法第99条の規定による傷病手当金 R6-3D

ⅱ　労働基準法第76条の規定による休業補償

ⅲ　労働者災害補償保険法の規定による休業補償給付、複数事業労働者休業給付又は休業給付

ⅳ　その他これらに相当する給付（国家公務員共済組合法、地方公務員等共済組合法等の規定による傷病手当金等）

Ⅲ　第21条［**待期**］の規定は、傷病手当について**準用する**（待期期間中、傷病手当は支給されない。）。R6-3A

**参考**（他の法令の給付との調整）
傷病手当と他の法令の規定に基づき支給される傷病手当に相当する給付との調整については、雇用保険法第37条第８項において「…傷病手当金…の支給を受けることができる場合には、傷病手当は、支給しない。」と規定されている。したがって、受給資格者本人が選択する余地はなく、他の法令の規定に基づく給付を受けられる場合には、当然に傷病手当は支給されない。（昭和61.8.30雇保発34号）

（自動車損害賠償保障法に基づく保険金との調整）
交通事故により自動車損害賠償保障法に基づく保険金の支給を受けることができる受給資格者に対しても傷病手当は支給される。（昭和53.9.22雇保発32号）

（労災保険法における休業（補償）等給付の待期期間中）
休業（補償）等給付の待期期間中については、所定の要件を満たせば傷病手当は支給される。（同上）



## 3 支給日（法37条7項）

★★★

**傷病手当**は、厚生労働省令で定めるところにより、**疾病**又は**負傷**のために**基本手当の支給を受けることができない**ことについての**認定**を受けた日分を、当該**職業に就くことができない理由がやんだ後最初に基本手当を支給すべき日**（当該**職業に就くことができない理由がやんだ後**において**基本手当**を支給すべき日がない場合には、**公共職業安定所長**の定める日）に支給する。

### 概要

傷病の認定を受けようとする者は、職業に就くことができない理由がやんだ後における**最初の支給日**（口座振込受給資格者にあっては支給日の直前の失業の認定日とし、支給日がないときは受給期間の最後の日から起算して**1箇月**を経過した日）までに、**受給資格者証**を添えて（当該受給資格者が受給資格通知の交付を受けた場合にあっては、**個人番号カード**を**提示**して）傷病手当支給申請書を管轄公共職業安定所の長に提出しなければならない。

H28-2オ　R6-3C　（則63条１項、２項）

なお、天災その他傷病の認定を受けなかったことについてやむを得ない理由があるときは、上記の期限を過ぎても認定を受けることができるが、この場合には、当該理由がやんだ日の翌日から起算して７日以内に傷病の認定を受けなければならない。R6-3C　（則63条１項、３項）

**Check Point!**

- □ 受給資格者が傷病手当の支給を受けるには、傷病の認定（疾病又は負傷のために基本手当の支給を受けることができないことについての認定）を受けなければならない。
- □ 傷病の認定手続は郵送によって行うことも代理人によって行うこともできる。また、口座振込にしていない場合の傷病手当の受給も代理人によって行うことができる。（則65条、行政手引53006、53007）

## 4 支給内容（法37条3項、4項、6項、9項）

★★★

Ⅰ　**傷病手当の日額**は、第16条の規定による**基本手当の日額**に相当する額とする。H28-2エ R6-3E

Ⅱ　**傷病手当を支給する日数**は、**疾病**又は**負傷**のために**基本手当**の支給を受けることができないことについての**認定**を受けた**受給資格者**の**所定給付日数**から当該**受給資格**に基づき既に**基本手当を支給した日数**を差し引いた日数とする。R6-3B

Ⅲ　**傷病手当**を支給したときは、雇用保険法の規定の適用については、当該**傷病手当を支給した日数**に相当する日数分の**基本手当を支給したものとみなす**。

Ⅳ　第19条［**基本手当の減額**］、第21条［**待期**］、第31条［**未支給の基本手当**］並びに第34条第1項及び第2項［**不正受給による給付制限**］の規定は、傷病手当について準用する。

**Check Point!**

- □ 延長給付に係る基本手当を受給中の受給資格者については、傷病手当は支給されない。H28-2ウ R2-4D（行政手引53004）

### 1. 支給日数

傷病手当を支給し得る日数は、受給資格者の**所定給付日数から既に基本手当を支給した日数を差し引いた日数**である。したがって、所定給付日数を超えて支給される**延長給付に係る基本手当を受給中の受給資格者については、傷病手当は支**

**給されない**。

また、疾病又は負傷を理由として受給期間を延長した場合において、その後受給資格者が当該疾病又は負傷を理由として傷病手当の支給を申請したときの支給日数は、当該疾病又は負傷を理由とする受給期間の延長がないものとした場合における支給できる日数が限度となる。

参考「基本手当を支給した日数」には、次の日数も含まれる。
(1)不正受給により基本手当の支給停止処分があった場合には、その不支給とされた日数
(2)既に傷病手当の支給があった場合において、基本手当の支給があったものとみなされる日数
(3)再就職手当の支給があった場合において、基本手当の支給があったものとみなされる日数
（行政手引53004）

### 2. 基本手当の規定の準用

上記Ⅳにより、傷病手当については基本手当の規定が準用されるので、具体的には、次のようになる。

(1) **自己の労働による収入**があった場合は、基本手当と同様に**減額支給**される。

(2) 受給資格者が死亡したため傷病の認定（疾病又は負傷のために基本手当の支給を受けることができないことについての認定）を受けることができなかった期間に係る傷病手当の支給を請求する者は、当該受給資格者についての傷病の認定を受けなければならない（**未支給の給付の請求**）。

(3) 不正の行為により求職者給付若しくは就職促進給付を受給し、又は受給しようとした者には、原則として、受給し又は受給しようとした日以後傷病手当は支給されない。

# 2 高年齢被保険者に対する求職者給付

## ① 高年齢求職者給付金 重要度A

### 1 高年齢受給資格（法37条の3）

★★★

Ⅰ　**高年齢求職者給付金**は、**高年齢被保険者**が**失業**した場合において、**離職の日以前１年間**〔当該期間に**疾病、負傷**その他厚生労働省令で定める理由により**引き続き30日以上賃金の支払を受けることができなかった高年齢被保険者**である被保険者については、当該理由により**賃金の支払を受けることができなかった**日数を**１年**に加算した期間（その期間が**４年を超える**ときは、**４年間**）〕に、**被保険者期間**が**通算して６箇月以上**であったときに、支給する。H27-選A

Ⅱ　Ⅰの規定により**高年齢求職者給付金**の支給を受けることができる資格（「**高年齢受給資格**」という。）を有する者を「**高年齢受給資格者**」という。

**概要**

高年齢受給資格要件は、次の通りである。

(1)　離職による**被保険者資格の喪失の確認**を受けたこと

(2)　**失業の状態**（労働の意思及び能力を有するにもかかわらず、職業に就くことができない状態）にあること

(3)　原則として、**離職の日以前１年間**（算定対象期間）※に**被保険者期間**が**通算して６箇月以上**あること

※　離職の日以前１年間に疾病、負傷等の理由により引き続き30日以上賃金の支払を受けることができなかった期間がある場合には、その日数を１年に加算した期間（**最大４年間**）とする。
（行政手引54102）

**Check Point!**

□ 高年齢受給資格要件は、「基本手当の受給資格要件の特例」の場合と同様である。

## 2 受給手続（法37条の4,5項、法37条の3,2項、則65条の4,1項、2項、則65条の5）

★★★

Ⅰ **高年齢求職者給付金**の支給を受けようとする**高年齢受給資格者**は、**離職の日の翌日**から起算して**1年を経過する日まで**に、厚生労働省令で定めるところにより、**管轄公共職業安定所**に出頭し、**求職の申込み**をした上、**失業**していることについての**認定**を受けなければならない。

Ⅱ **管轄公共職業安定所の長**は、**求職の申込み**の際に提出された**離職票**によって、**離職票**を提出した者が**高年齢受給資格者**であると認めたときは、その者の**失業の認定日**及び**高年齢求職者給付金**を**支給すべき日**を定め、その者に知らせるとともに、**高年齢受給資格者証**（**個人番号カード**を**提示**して**離職票**を提出した者であって、**雇用保険高年齢受給資格通知**※の交付を希望するものにあっては、**高年齢受給資格通知**）に必要な事項を記載した上、交付しなければならない。

※ 当該者の氏名、被保険者番号、性別、生年月日、離職理由、基本手当日額、所定給付日数、給付に係る処理状況その他の職業安定局長が定める事項を記載した通知をいい、以下「**高年齢受給資格通知**」という。

Ⅲ **高年齢受給資格者**は、**失業の認定**を受けようとするときは、**失業の認定日**に、**管轄公共職業安定所**に出頭し、**高年齢受給資格者証**を添えて（当該高年齢受給資格者が高年齢受給資格通知の交付を受けた場合にあっては、**個人番号カード**を**提示**して）**高年齢受給資格者失業認定申告書**を提出した上、**職業の紹介**を求めなければならない。

Ⅳ **管轄公共職業安定所の長**は、必要があると認めるときは、**失業の認定日**及び**高年齢求職者給付金**を**支給すべき日**を変更することができる。

Ⅴ **高年齢受給資格者**が**離職の日の翌日**から起算して**1年を経過する**

**日までの期間内**に**高年齢求職者給付金**の支給を受けることなく就職した後再び失業した場合（新たに**高年齢受給資格**又は**特例受給資格**を取得した場合を除く。）において、当該期間内に**管轄公共職業安定所**に出頭し、**求職の申込み**をした上、**失業の認定**を受けたときは、その者は、当該**高年齢受給資格**に基づく**高年齢求職者給付金**の支給を受けることができる。

**概要**

(1) 高年齢求職者給付金は一時金であるので、**失業の認定日**（支給日と同一の日である。）は、**管轄**公共職業安定所長がその者について指定する日**１回のみ**である。H29-5D

(2) **受給期限内**（**離職日の翌日から起算して１年を経過する日まで**）でなければ、失業の認定も高年齢求職者給付金の受給もできない（**受給期限の延長は一切行われない**。）。（行政手引54131）

(3) **自己の労働による収入**があっても**減額されない**。（法37条の2,2項）

(4) 失業の認定日に失業の状態にありさえすれば支給され、翌日から就職したとしても高年齢求職者給付金を返還する必要もない。H29-5A

（行政手引54201）

(5) **待期**、未支給給付、**給付制限**、返還命令等については、受給資格者の場合と同様である。なお、特例高年齢被保険者が、同日付で2つの事業所を離職した場合で、その離職理由が異なっている場合には、法第33条の離職理由による給付制限については、給付制限の取扱いが離職者にとって不利益とならない方の離職理由に一本化して給付する。R4-1B

（法37条の4,6項、法10条の4,1項、行政手引22270）

**Check Point!**

□ 高年齢受給資格者に対しては、基本手当、各種延長給付、技能習得手当、寄宿手当、傷病手当及び就業促進手当（常用就職支度手当を除く）も支給されない。H29-5B

## 3 支給額（法37条の4,1項）

★★★

**高年齢求職者給付金**の額は、**高年齢受給資格者**を**受給資格者**とみなして第16条から第18条までの規定［**基本手当の日額**］を適用した場合にその者に支給されることとなる**基本手当の日額**に、次のⅰⅱに掲げる**算定基礎期間**の区分に応じ、当該ⅰⅱに定める日数（**失業の認定**があった日から**受給期限日**までの日数が当該ⅰⅱに定める日数に満たない場合には、当該認定のあった日から**受給期限日**までの日数に相当する日数）を乗じて得た額とする。

ⅰ　**1年以上　50日**

ⅱ　**1年未満　30日**

**概要**

高年齢求職者給付金（一時金）の額は、原則として基本手当日額相当額に次表の日数を乗じた額となる。ただし、失業の認定日から受給期限日までの日数が次表の日数未満であるときは、当該**認定日から受給期限日までの日数分**しか支給されない。

| 算定基礎期間 | 1年未満 | 1年以上 |
|---|---|---|
| 給付日数 | **30日** | **50日** |

なお、算定基礎期間の算定にあたっては、次の期間は被保険者であった期間に通算しない。

① 育児休業給付の支給に係る休業の期間

② 離職後1年以内に被保険者資格を再取得しなかった場合の前の被保険者であった期間

③ 以前に基本手当、**高年齢求職者給付金**又は特例一時金の支給を受けたことがある場合の当該給付の支給の算定基礎となった期間

④ 被保険者となったことの確認があった日の2年前の日より前の期間

（法37条の4,3項、4項、法61条の7,9項、法61条の8,6項）

**参考** 賃金日額の算定方法は受給資格者の場合とほぼ同様であり、最低・最高限度額の適用があるが、この場合の**最高限度額**は「**30歳未満の者**」に適用される額（14,130円）となる。なお、最低限度額は受給資格者と同様に2,869円であるが、特例高年齢被保険者がいずれか一の適用事業を離職した場合に支給される高年齢求職者給付金の額の算定基礎となる賃金日額（離職事業に係る賃金日額）については、最低限度額は適用されない。 R4-1D

（法37条の4,2項、法37条の6,2項）

**問題チェック** H24-5B

高年齢受給資格者であるXの当該高年齢受給資格に係る算定基礎期間が15か月である場合、Xが支給を受けることのできる高年齢求職者給付金の額は、基本手当の日額の50日分に相当する額を下回ることはない。

**解答** ×　法37条の4,1項

失業の認定日から受給期限日までの日数が50日未満の場合には、当該認定日から受給期限日までの日数分しか支給されない（基本手当の日額の50日分に相当する額を下回ることがある）。

# 短期雇用特例被保険者に対する求職者給付

## ① 特例一時金 重要度A

### 1 特例受給資格（法39条、法附則３条）

★★★

Ⅰ　**特例一時金**は、**短期雇用特例被保険者**が**失業**した場合において、**離職の日以前１年間**〔当該期間に**疾病**、**負傷**その他厚生労働省令で定める理由により**引き続き30日以上賃金の支払を受けることができなかった短期雇用特例被保険者**である被保険者については、当該理由により**賃金の支払を受けることができなかった**日数を**１年**に加算した期間（その期間が**４年を超える**ときは、**４年間**）〕に、**被保険者期間**が**通算して６箇月以上**であったときに、支給する。

Ⅱ　**短期雇用特例被保険者**が当該**短期雇用特例被保険者**でなくなった場合（引き続き同一事業主に被保険者として雇用される場合を除く。）における当該**短期雇用特例被保険者**となった日（資格取得日）から当該**短期雇用特例被保険者**でなくなった日（資格喪失日）の前日までの間の**短期雇用特例被保険者**であった期間についての第14条第１項及び第３項［被保険者期間］の規定の適用については、当分の間、当該**短期雇用特例被保険者**は、**資格取得日の属する月の初日から資格喪失日の前日の属する月の末日まで引き続き短期雇用特例被保険者**として雇用された後当該**短期雇用特例被保険者**でなくなったものとみなす。

Ⅲ　Ⅰの規定により**特例一時金**の支給を受けることができる資格（「**特例受給資格**」という。）を有する者を「**特例受給資格者**」という。

**概要**

特例受給資格要件は、次の通りである。

(1)　離職による**被保険者資格の喪失の確認**を受けたこと

⑵　**失業の状態**（労働の意思及び能力を有するにもかかわらず、職業に就くことができない状態）にあること

⑶　原則として、**離職の日以前1年間**（算定対象期間）※に、**被保険者期間**が**通算して6箇月以上**あること　（行政手引55102）

※　離職の日以前1年間に疾病、負傷等の理由により引き続き30日以上賃金の支払を受けることができなかった期間がある場合には、その日数を1年に加算した期間（**最大4年間**）とする。

当分の間、短期雇用特例被保険者に係る被保険者期間は**暦月で計算**され、月の途中で就職した場合には、その月の初日から、月の途中で離職した場合には、その月の末日まで雇用されたものとみなされ、この1暦月中に賃金支払基礎日数が11日以上※あるものを被保険者期間1箇月として計算する。

※　離職日以前1年間に賃金支払基礎日数11日以上の月が6か月に満たない場合は、賃金支払基礎日数が11日以上又は賃金支払基礎時間数が80時間以上

（行政手引55103）

**【例】**

| 4月 | 5月 | 6月 | 7月 | 8月 | 9月 | 10月 |
|---|---|---|---|---|---|---|
| ▲ 4/10入社 | | | | | | ▲ 10/25退職 |

上記の4月から10月の各月とも賃金支払基礎日数が11日以上あれば、これを1箇月とし、この場合の被保険者期間は7箇月となる。

**Check Point!**

☐ 短期雇用特例被保険者に係る被保険者期間は暦月で計算する（被保険者期間が2分の1箇月となることはない）。

**参考**「同一暦月において2以上の事業所にそれぞれ賃金支払の基礎となった日数が11日以上ある場合、又は通算して11日以上ある場合の被保険者期間」については、被保険者期間は、暦月をとって計算するものであるから、同一暦月においてAの事業所において賃金支払の基礎となった日数が11日以上で離職し、直ちにB事業所に就職して、その月に賃金支払の基礎となった日数が11日以上ある場合でも、被保険者期間2か月として計算するのでなく、その日数はその暦月において合計して計算されるのであり、したがって、被保険者期間1か月として計算する。
同一暦月において、賃金支払の基礎となった日数がA事業所に6日、B事業所に5日ある場合でも、その暦月において賃金支払の基礎となった日数は合計して11日となるのであるから、被保険者期間1か月として計算される。
なお、賃金の支払の基礎となった時間数が80時間以上の場合も同様に取り扱う。R3-5D
（行政手引55104）

## 2 受給手続（法39条2項、法40条3項、則68条1項、2項、則69条）

★★★

Ⅰ　**特例一時金**の支給を受けようとする**特例受給資格者**は、**離職の日の翌日**から起算して**6箇月を経過する日まで**に、厚生労働省令で定めるところにより、**管轄公共職業安定所**に出頭し、**求職の申込み**をした上、**失業**していることについての**認定**を受けなければならない。

R3-5A

Ⅱ　**管轄公共職業安定所の長**は、**求職の申込み**の際に提出された**離職票**によって、**離職票**を提出した者が**特例受給資格者**であると認めたときは、その者の**失業の認定日**及び**特例一時金**を**支給すべき日**を定め、その者に知らせるとともに、**特例受給資格者証**（**個人番号カード**を**提示**して**離職票**を提出した者であって、**雇用保険特例受給資格通知**※の交付を希望するものにあっては、**特例受給資格通知**）に必要な事項を記載した上、**交付**しなければならない。

※　当該者の氏名、被保険者番号、性別、生年月日、離職理由、基本手当日額、所定給付日数、給付に係る処理状況その他の職業安定局長が定める事項を記載した通知をいい、以下「**特例受給資格通知**」という。

Ⅲ　**特例受給資格者**は、**失業の認定**を受けようとするときは、**失業の認定日**に、**管轄公共職業安定所**に出頭し、**特例受給資格者証**を添えて（当該特例受給資格者が特例受給資格通知の交付を受けた場合にあっては、**個人番号カード**を**提示**して）**特例受給資格者失業認定申告書**を提出した上、**職業の紹介**を求めなければならない。

Ⅳ　**管轄公共職業安定所の長**は、必要があると認めるときは、**失業の認定日**及び**特例一時金**を**支給すべき日**を変更することができる。

Ⅴ　**特例受給資格者**が**離職の日の翌日**から起算して**6箇月を経過する日までの期間内**に**特例一時金**の支給を受けることなく就職した後再び失業した場合（新たに**受給資格**、**高年齢受給資格**又は**特例受給資格**を取得した場合を除く。）において、当該期間内に**管轄公共職業安定所**に出頭し、**求職の申込み**をした上、**失業の認定**を受けたときは、その者は、当該**特例受給資格**に基づく**特例一時金**の支給を受けることができる。

**概要**

(1) 特例一時金は一時金であるので、**失業の認定日**（支給日と同一の日である。）は、**管轄**公共職業安定所長がその者について指定する日**1回のみ**である。

(2) **受給期限内**（**離職日の翌日から起算して6箇月を経過する日まで**）でなければ、失業の認定も特例一時金の受給もできない（**受給期限の延長は一切行われない**）。 R3-5B （行政手引55151）

(3) **自己の労働による収入**があっても**減額されない**。 （行政手引55357）

(4) 失業の認定日に失業の状態にありさえすれば支給され、翌日から就職したとしても特例一時金を返還する必要もない。 （行政手引55301）

(5) **待期**、未支給給付、**給付制限**、返還命令等については、受給資格者の場合と同様である。 R3-5C （法40条4項、法10条の4,1項）

## 3 支給額（法40条1項、法附則8条）

★★★

**特例一時金の額**は、**特例受給資格者**を**受給資格者**とみなして第16条から第18条までの規定［**基本手当の日額**］を適用した場合にその者に支給されることとなる**基本手当の日額**の**40日分**（**失業の認定**があった日から**受給期限日**までの日数が**40日**に満たない場合には、**その日数に相当する日数分**）とする。

**概要**

特例一時金の額は、原則として、基本手当日額相当額の**40日**分※である。

| 特例一時金の額 ＝ 基本手当日額 × 40日 |
|---|

※ 「40日」は、法第40条第1項には「30日」と規定されているが、法附則第8条により、当分の間、「40日」と読み替えることとされている（下記4の「40日」についても同様）。

ただし、失業の認定日から受給期限日までの日数が40日未満であるときは、当該認定日から受給期限日までの日数分しか支給されない。

**参考** 賃金日額の算定方法は受給資格者の場合とほぼ同様であり、最低・最高限度額の適用があるが、**65歳以上の特例受給資格者**の**最高限度額**は「**30歳未満の者**」に適用される額（14,130円）となる。なお、最低限度額は受給資格者と同様に2,869円である。
（法40条2項）

## 4 公共職業訓練等を受ける場合の特例（法41条1項、法24条1項、令4条1項、令11条、令附則4条、則70条2項、3項）

★★★

Ⅰ　**特例受給資格者**が、当該**特例受給資格**に基づく**特例一時金の支給を受ける前**に**公共職業安定所長**の指示した**公共職業訓練等**（その期間が**40日以上2年以内**のものに**限る**。）を受ける場合には、**特例一時金**を支給しないものとし、その者を**受給資格者**とみなして、当該**公共職業訓練等を受け終わる日までの間に限り**、第2節［一般被保険者の求職者給付］（第33条第1項ただし書［公共職業訓練等を受けた場合の離職理由による給付制限の解除］の規定を除く。）に定めるところにより、**求職者給付**を支給する。R3-5E

Ⅱ　**特例受給資格者証**の交付を受けた者は、Ⅰに該当するに至ったときは、その保管する**特例受給資格者証**を**管轄公共職業安定所の長**に返還しなければならない。この場合において、**管轄公共職業安定所の長**は、**受給資格者証**に必要な事項を記載した上、その者に交付しなければならない。

Ⅲ　**特例受給資格通知**の交付を受けた者がⅠに該当するに至ったときは、**管轄公共職業安定所の長**は、必要な事項を記載した**受給資格通知**をその者に交付しなければならない。

**概要**

**特例受給資格者**が、特例一時金を受給する前に、**40日以上2年以内**の公共職業訓練等を受講する場合には、その者を**受給資格者**とみなし、**訓練等終了までの間**、求職者給付が支給される。

**Check Point!**

□ 当該特例により受給できる特例受給資格者に対する求職者給付は基本手当、技能習得手当及び寄宿手当（受給資格者に対する傷病手当以外の求

職者給付）に限られる。（行政手引56401）

### 1. 特例の場合の失業の認定

公共職業訓練等受講中の失業の認定は、一般の受給資格者の場合と同様に、**証明書**により**毎月1回**行うことになる。（行政手引56403）

### 2. 離職理由による給付制限の適用を受ける者

公共職業訓練等を受ける場合の特例に該当する特例受給資格者については、公共職業訓練等を受講する場合であっても、**離職理由による給付制限は解除されない**。（法41条1項カッコ書）

なお、当該特例の対象となる特例受給資格者は、当該特例受給資格に係る被保険者となった日前に第29条第1項［延長給付を受けている者についての給付制限］又は第34条第1項［不正受給による給付制限］の規定により基本手当の支給を受けることができないこととされている場合であっても、当該給付制限処分を受けた後に、新たに短期雇用特例被保険者となり、その後離職して特例受給資格を得た場合には、特例一時金の支給を受けることができるとともに、当該受給資格者が公共職業訓練等を受講することとなったときには、上記特例により求職者給付の支給を受けることができる。（法41条2項）

**問題チェック** H9-3A

特例受給資格者が公共職業安定所長の指示した公共職業訓練等を受けることとなったため、特例一時金にかえて基本手当を受給することとなった場合には、当該者の離職理由にかかわらず、離職理由による給付制限は行われない。

**解答** ×　法41条1項

設問の場合は、離職理由による給付制限は解除されない（給付制限が行われる）。

# 日雇労働被保険者に対する求職者給付

## ① 普通給付 重要度 A

### 1 日雇受給資格（法45条）

★★★

**日雇労働求職者給付金**は、**日雇労働被保険者**が**失業**した場合において、その**失業の日の属する月の前２月間**に、その者について、**印紙保険料**が**通算して26日分以上納付**されているときに支給する。R5-選C

**概要**

「その失業の日の属する月の前２月間」とは、失業している日の属する月の**前２暦月**をいい、例えば、９月のある日に失業したときは、７月及び８月が前２月間となる。

通算して26日分以上とは、その２月の各月において印紙保険料を納付していることを要件とするものではなく、例えば、初めて日雇労働被保険者になった者が、その月において26日分以上の印紙保険料を納付している場合は、その翌月及び翌々月に失業している場合においても日雇受給資格がある。

（行政手引90401）

**参考** 印紙保険料は、印紙の貼付又は納付印の押なつによって納付されることとなっているので、現実には、日雇労働被保険者の被保険者手帳に貼付された印紙の枚数又は押なつ納付印数によって日雇受給資格が決定される。したがって、１日に２枚貼付又は２回押なつした者については、これを２日分として計算する。

（同上）

### 2 受給手続（法47条1項、2項、法51条1項）

★★★

Ⅰ　**日雇労働求職者給付金**は、**日雇労働被保険者**が**失業**している日（**失業**していることについての**認定を受けた日**に限る。）について支給する。

Ⅱ　Ⅰの**失業**していることについての**認定**（「**失業の認定**」という。）

を受けようとする者は、厚生労働省令で定めるところにより、**公共職業安定所**に出頭し、**求職の申込み**をしなければならない。

Ⅲ　**日雇労働求職者給付金**は、**公共職業安定所**において、**失業の認定**を行った日に支給するものとする。

**概要**

日雇労働被保険者の失業の認定は、**その者の選択する**（その者が希望する任意の）**公共職業安定所**において、**日々その日**について行われる。

**日雇労働被保険者**は、失業した場合に日雇労働求職者給付金の支給を受けようとするときは、**所定の時限**までに、**公共職業安定所**に**出頭**して、**被保険者手帳**を提出し、**求職の申込み**を行わなければならない。この時限後に出頭した者については失業の認定は行われない。

なお、**公共職業安定所長**は、その公共職業安定所において**失業の認定**及び日雇労働求職者給付金の**支給を行う時刻を定め**、これを日雇労働被保険者が出頭する場所に掲示する等の方法によって、**あらかじめ**、日雇労働被保険者に**知らせて**おかなければならない。

日雇労働求職者給付金は、公共職業安定所において**失業の認定を行った日**に、**その日分**を支給するのを原則とする。

### 1．届出による失業の認定

日雇労働被保険者の失業の認定は、失業している当日に行われるのが原則であるが、失業の認定を受けようとする日が次に掲げる日であるときは、その日（その日が年末年始のように連続しているときには、その最後の日）の後**1箇月以内**にその日に職業に就くことができなかったことを届け出ることにより失業の認定を受けることができる。

⑴　**行政機関の休日**であって、かつ、公共職業安定所が日雇労働被保険者の職業紹介について平常通り業務を行わない日

⑵　降雨、降雪その他やむを得ない理由のため事業主が事業を休止したことにより、あらかじめ公共職業安定所から紹介されていた職業に就くことができなかった日

⑶　日雇労働被保険者について公共職業安定所が職業の紹介を行わないこととなる日としてあらかじめ指定した日

（則75条2項、行政手引90458）

### 2. 認定日に出頭できないとき

失業の認定を受けようとする日において、天災その他やむを得ない理由のために公共職業安定所に出頭することができないときは、その理由がやんだ日の翌日から起算して７日以内の日において、官公署又は公共職業安定所長が適当と認める者の証明書を公共職業安定所に提出することによって失業の認定を受けることができる。（則75条３項、４項）

参考（支給時限）
日雇労働求職者給付金の支給時限は、失業の認定時限経過後とし、当該給付金の支給は、失業の認定時限を経過した直後より開始される（この時点で公共職業安定所に提出されていた被保険者手帳が返還される。）。（行政手引90555）

（未支給の給付の請求）
日雇受給資格者が死亡したため失業の認定を受けることができなかった期間に係る日雇労働求職者給付金の支給を請求する者は、当該日雇受給資格者について失業の認定を受けなければならない。（法51条３項）

（日雇派遣労働者の失業の認定）
日雇派遣労働者は、失業した場合に日雇労働求職者給付金の支給を受けようとするときは、所定の時限までに、職業安定局長の定める公共職業安定所に出頭して、被保険者手帳に労働者派遣契約不成立証明書を添付して提出し、求職の申込みを行わなければならない。
事業主は、その雇用する又は雇用していた日雇派遣労働者が、失業の認定を受けるため労働者派遣契約不成立証明書の交付を求めたときは、これをその者に交付しなければならない。（行政手引90912、90914、90916）



## 3 日雇労働求職者給付金の日額及び自動的変更（法48条、法49条1項、徴収法22条1項）

★★★

Ⅰ **日雇労働求職者給付金**の**日額**は、次表に定める額とする。

| 前２月間の印紙保険料の納付状況 | 等級区分 | 日額 |
|---|---|---|
| 第１級印紙保険料（**176**円）が**24**日分以上納付されているとき | 第１級給付金 | **7,500**円 |
| 第１級印紙保険料及び第２級印紙保険料（**146**円）が合計して**24**日分以上納付されているとき | 第２級給付金 | **6,200**円 |
| 第１級、第２級、第３級印紙保険料（96円）の順に選んだ24日分の印紙保険料の**平均**額が第**２**級印紙保険料の日額以上であるとき | 第２級給付金 | **6,200**円 |
| 上記以外のとき | 第３級給付金 | **4,100**円 |

Ⅱ **厚生労働大臣**は、**平均定期給与額**が、直近の**日雇労働求職者給付金**の**日額**等の変更の基礎となった**平均定期給与額**の**100分の120**を

**超え**、又は**100分の83**を**下る**に至った場合において、**その状態が継続すると認める**ときは、その**平均定期給与額**の上昇し、又は低下した比率を基準として、**日雇労働求職者給付金**の**日額**等を変更しなければならない。

**概要**

日雇労働求職者給付金の日額は、失業の日の属する月の前２月間に納付された印紙保険料の額及び納付日数に応じて決定される。

**【例】** 日雇労働被保険者の失業の日の属する月の前２月間に印紙保険料が26日分以上納付されており、うち、24日分以上が第１級印紙保険料である場合には、第１級給付金（日額7,500円）が支給される。

また、日雇労働求職者給付金の日額等については、上記Ⅱのような賃金スライド制が採用されている。

当該自動的変更の対象となる「日雇労働求職者給付金の日額等」とは、日雇労働求職者給付金の日額（第１級給付金の7,500円、第２級給付金の6,200円、第３級給付金の4,100円）及び第１級印紙保険料、第２級印紙保険料及び第３級印紙保険料の区分に係る賃金の日額（11,300円及び8,200円）である。
（法49条１項、２項）

**参考** 印紙保険料の日額は、日雇労働被保険者の賃金の日額に応じて次表のように定められている。
（徴収法22条１項）

| 賃金の日額 | 級 | 日額 |
|---|---|---|
| 11,300円以上 | 第１級印紙保険料 | 176円 |
| 8,200円以上11,300円未満 | 第２級印紙保険料 | 146円 |
| 8,200円未満 | 第３級印紙保険料 | 96円 |

## 4 日雇労働求職者給付金の支給日数等（法50条）

★★★

Ⅰ **日雇労働求職者給付金**は、**日雇労働被保険者**が**失業した日の属する月**における**失業の認定**を受けた日について、その月の**前２月間**に、その者について納付されている**印紙保険料**に応じ、次の日数分を限度として支給する。

| 納付された印紙保険料 | 支給日数 |
|---|---|
| 通算して**26**日分～**31**日分 | 通算して**13**日 |
| 通算して**32**日分～**35**日分 | 通算して**14**日 |
| 通算して**36**日分～**39**日分 | 通算して**15**日 |
| 通算して**40**日分～**43**日分 | 通算して**16**日 |
| 通算して**44**日分以上 | 通算して**17**日 |

Ⅱ　**日雇労働求職者給付金**は、**各週**（**日曜日**から**土曜日**までの**７日**をいう。）につき**日雇労働被保険者**が**職業に就かなかった最初の日**については、支給しない。



### 1.　支給日数

日雇労働被保険者が失業した日の属する月における日雇労働求職者給付金の支給日数は、その月前２月間の印紙保険料の納付状況（被保険者手帳に貼付された印紙枚数又は押なつされた納付印数）に応じて、**通算して13日から17日**までとなる。

なお、法第50条第１項をそのまま引用すると、次の通りとなる。

「日雇労働求職者給付金は、日雇労働被保険者が失業した日の属する月における失業の認定を受けた日について、その月の前２月間に、その者について納付されている印紙保険料が通算して**28日**分以下であるときは、通算して**13日**分を限度として支給し、その者について納付されている印紙保険料が通算して**28日**分を超えているときは、通算して、**28日**分を超える４日分ごとに１日を**13日**に加えて得た日数分を限度として支給する。ただし、その月において通算して17日分を超えては支給しない。」H27-選DE

法第45条の日雇受給資格に係る「28日」については、法改正により平成６年７月１日より「26日」となったが、法第50条の支給日数に係る「28日」はそのまま残っている。

### 2.　職業に就かなかった日（不就労日）

各週における最初の不就労日については、日雇労働求職者給付金を支給しないものとされている。これは、基本手当等におけるいわゆる待期期間に相当するものである。

職業に就かなかった日（不就労日）とは、必ずしも失業していた日であることを要しないので、その日については労働の意思及び能力を問う必要がなく、単に

職業に就かなかった事実があればよい。（行政手引90502）

【例】

| 日 | 月 | 火 | 水 | 木 | 金 | 土 |
|---|---|---|---|---|---|---|
| 不就労 | 就労 | 就労 | 失業 | 就労 | 就労 | 就労 |

日雇労働求職者給付金は支給される

## ❷ 特例給付 重要度A

### 1 受給要件・受給手続（法53条、法55条3項、則79条1項）

Ⅰ　**日雇労働被保険者**が**失業**した場合において、次のⅰからⅲのいずれにも該当するときは、その者は、公共職業安定所長に申し出て、第54条に定める**特例給付による日雇労働求職者給付金**の支給を受けることができる。

ⅰ　**継続する6月間**に当該**日雇労働被保険者**について**印紙保険料**が**各月11日分以上**、**かつ**、**通算して78日分以上納付**されていること。

ⅱ　ⅰに規定する**継続する6月間**（「**基礎期間**」という。）のうち**後の5月間**に第45条［普通給付］の規定による**日雇労働求職者給付金**の支給を受けていないこと。

ⅲ　**基礎期間**の**最後の月の翌月以後2月間**（申出をした日が当該**2月**の期間内にあるときは、同日までの間）に第45条［普通給付］の規定による**日雇労働求職者給付金**の支給を受けていないこと。

Ⅱ　Ⅰの申出は、**基礎期間**の**最後の月の翌月以後4月の期間内**に行わなければならない。

Ⅲ　第53条第1項［特例給付］の申出をした者が受ける**失業の認定**は、管轄**公共職業安定所**において、当該**申出をした日**から起算して**4週間に1回**ずつ行うものとする。

**概要**

日雇労働被保険者の中には、ある期間は比較的失業することなく就業し、他の特定の期間に継続的に失業する者がある。これらの者についても一定の受給要件を満たせば日雇労働求職者給付金が受給できるようにしようとするのが、特例給付の制度である。

特例給付の受給要件をまとめると次の通りとなる。

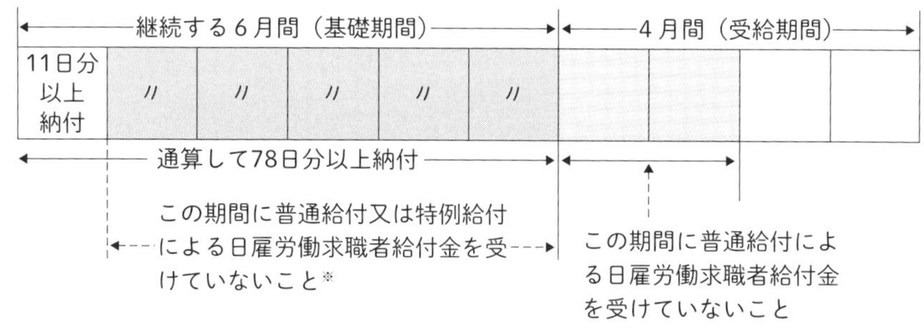


（行政手引90602）

※　第45条の規定による日雇労働求職者給付金とは、普通給付のことであるが、第55条第３項に「上記Ⅰⅱの適用については、特例給付の支給を受けた者は普通給付の支給を受けたものとみなす」旨の規定があるので、結果的には、上記Ⅰⅱの日雇労働求職者給付金には特例給付も含まれる。

・受給手続

特例給付についての失業の認定は、基本手当と同様、**４週間に１回**ずつ**管轄公共職業安定所**で行われる。

特例給付による日雇労働求職者給付金は、失業の認定を行った日に当該認定に係る日分が支給される。したがって、通常は、**４週間に１回失業の認定を行った日に、24日分（各週の最初の不就労日計４日分が除かれる。）が支給される**ことになる。

また、認定日の変更や証明書による認定（証明認定）の取扱いも基本手当の場合と同様である。

（則79条２項、４項、行政手引90603）

## 2 特例給付による日雇労働求職者給付金の日額
### （法54条2号、徴収法22条1項）

★★★

特例給付による日雇労働求職者給付金の日額は、次表に定める額とする。

| 基礎期間の印紙保険料の納付状況 | 等級区分 | 日額 |
|---|---|---|
| **第1級印紙保険料**（176円）が72日分以上納付されているとき | 第1級給付金 | 7,500円 |
| **第1級印紙保険料**及び**第2級印紙保険料**（146円）が合計して72日分以上納付されているとき | 第2級給付金 | 6,200円 |
| **第1級、第2級、第3級印紙保険料**（96円）の順に選んだ72日分の印紙保険料の平均額が第2級印紙保険料の日額以上であるとき | | |
| 上記以外のとき | 第3級給付金 | 4,100円 |

**Check Point!**

□ 日額の決定方法は普通給付の場合と同様である。普通給付は2月の納付状況で決定するのに対し、特例給付は6月の納付状況で決定するので「24日分」がその3倍の「72日分」となる。

## 3 特例給付による日雇労働求職者給付金の支給日数
### （法54条1号）

**特例給付**による**日雇労働求職者給付金**の支給を受けることができる**期間**及び**日数**は、**基礎期間**の**最後の月**の**翌月以後4月の期間内**の**失業している日**（**失業**していることについての**認定を受けた日**に限る。）について、**通算して60日分を限度**とする。R5-選D

# ❸ 併給調整 重要度A

## 1 特例給付と普通給付の調整（法55条1項、2項）

★★★

Ⅰ　**基礎期間**の**最後の月の翌月以後２月の期間内**に第53条第１項［**特例給付**］の申出をした者については、当該**２月を経過する日**までは、第45条［**普通給付**］の規定による**日雇労働求職者給付金**は、支給しない。

Ⅱ　第53条第１項［**特例給付**］の申出をした者が、**基礎期間**の**最後の月の翌月から起算して第３月目**又は**第４月目**に当たる月において、第45条［**普通給付**］の規定による**日雇労働求職者給付金**の支給を受けたときは当該**日雇労働求職者給付金**の支給の対象となった日については前条［**特例給付**］の規定による**日雇労働求職者給付金**を支給せず、同条［**特例給付**］の規定による**日雇労働求職者給付金**の支給を受けたときは当該**日雇労働求職者給付金**の支給の対象となった日については第45条［**普通給付**］の規定による**日雇労働求職者給付金**を支給しない。

### 概要

特例給付と普通給付の両方の要件を満たした場合であっても、次の通り、両者は併給できない仕組みとされている。

■上記Ⅰについて

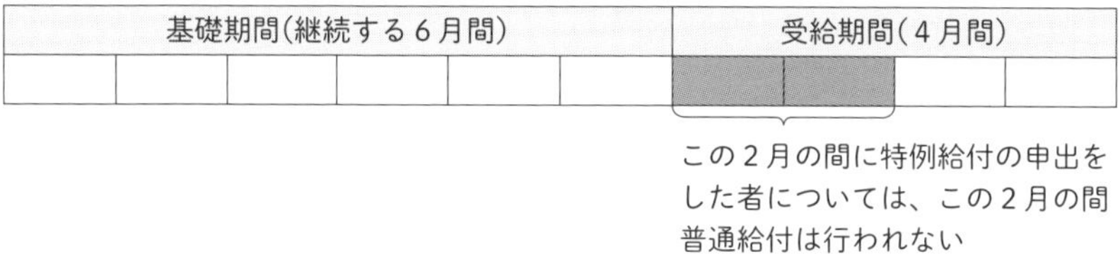

| 基礎期間（継続する６月間） | | | | | | 受給期間（４月間） | | | |
|---|---|---|---|---|---|---|---|---|---|
| | | | | | | ■ | ■ | | |

この２月の間に特例給付の申出をした者については、この２月の間普通給付は行われない

■上記Ⅱについて

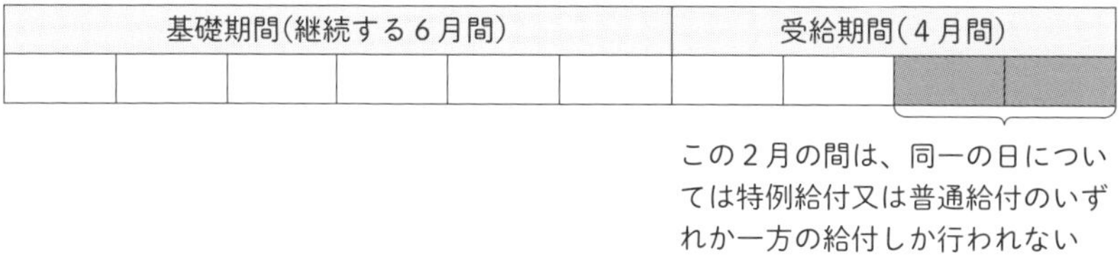

| 基礎期間（継続する６月間） | | | | | | 受給期間（４月間） | | | |
|---|---|---|---|---|---|---|---|---|---|
| | | | | | | | | ■ | ■ |

この２月の間は、同一の日については特例給付又は普通給付のいずれか一方の給付しか行われない

## 2 基本手当との調整（法46条、法55条４項）

★★

**日雇労働求職者給付金**の支給を受けることができる者が**受給資格者**である場合において、その者が、**基本手当**の支給を受けたときはその支給の対象となった日については**日雇労働求職者給付金**を支給せず、**日雇労働求職者給付金**の支給を受けたときはその支給の対象となった日については**基本手当**を支給しない。

### 概要

一般の受給資格者が日雇労働被保険者として就業した場合には、基本手当と日雇労働求職者給付金双方の受給資格を満たす場合があるが、このようなときであっても日雇労働求職者給付金と基本手当を併給することはできない。

**参考**（併給の禁止）
同一日について同時に基本手当、高年齢求職者給付金、特例一時金、日雇労働求職者給付金の併給は行われない。
受給資格者、高年齢受給資格者又は特例受給資格者が、日雇労働求職者給付金の受給資格を取得した場合には、当該日雇労働求職者給付金の支給を受けた日は、基本手当、高年齢求職者給付金又は特例一時金の待期日数に算入されない。
基本手当、高年齢求職者給付金又は特例一時金の支給を受けた日が、その日の属する週において職業に就かなかった最初の日であるときは、その日は「不就労日」とされる。
（行政手引90851）

# 第2章 第4節

# 求職者給付以外の失業等給付

## 1 就職促進給付

❶ 就業促進手当の種類
❷ 再就職手当
❸ 就業促進定着手当
❹ 常用就職支度手当
❺ 移転費
❻ 求職活動支援費

## 2 教育訓練給付

❶ 教育訓練給付金制度
❷ 支給要件
❸ 支給要件期間
❹ 支給額
❺ 支給申請手続
❻ 教育訓練支援給付金

## 3 雇用継続給付

❶ 高年齢雇用継続給付
❷ 高年齢雇用継続基本給付金
❸ 高年齢再就職給付金
❹ 介護休業給付金

# 就職促進給付

## ❶ 就業促進手当の種類（法56条の3,1項、2項、則82条の4、則82条の5,1項）重要度A

★★★

Ⅰ　**就業促進手当**は、次のⅰⅱのいずれかに該当する者に対して、**公共職業安定所長**が厚生労働省令で定める基準に従って必要があると認めたときに、支給する。改正

ⅰ　厚生労働省令で定める**安定した職業に就いた受給資格者**であって、当該**職業に就いた日の前日**における**基本手当の支給残日数**が当該**受給資格**に基づく**所定給付日数**の**３分の１以上**であるもの R6-6B

ⅱ　厚生労働省令で定める**安定した職業に就いた**受給資格者（当該**職業に就いた**日の前日における**基本手当の支給残日数**が当該受給資格に基づく**所定給付日数**の**３分の１未満**である者に**限る**。）、**高年齢受給資格者**（**高年齢求職者給付金**の支給を受けた者であって、当該**高年齢受給資格**に係る離職の日の翌日から起算して**１年を経過していないもの**を**含む**。以下就職促進給付の規定において同じ。）、**特例受給資格者**（**特例一時金**の支給を受けた者であって、当該**特例受給資格**に係る**離職の日の翌日**から起算して**６箇月を経過していないもの**を**含む**。以下就職促進給付の規定において同じ。）又は**日雇受給資格者**であって、**身体障害者**その他の**就職が困難な者**として厚生労働省令で定めるもの R元-5C R5-5ア

Ⅱ　**受給資格者、高年齢受給資格者、特例受給資格者**又は**日雇受給資格者**（以下❺「**移転費**」及び❻「**求職活動支援費**」において「**受給資格者等**」という。）が、**安定した職業に就いた**日前**３年以内**の就職について**就業促進手当**の支給を受けたことがあるときは、Ⅰの規定にかかわらず、**就業促進手当**は、支給しない。R5-5イ

**Check Point!**

□ 就業促進手当には、再就職手当、就業促進定着手当及び常用就職支度手当の３種類がある。 R元-5C R5-5アイ 改正

<table>
<tr><th></th><th>再就職手当※…Ⅰi</th><th>常用就職支度手当…Ⅰii</th></tr>
<tr><td>対象者</td><td>受給資格者</td><td>受給資格者、高年齢受給資格者、特例受給資格者又は日雇受給資格者であって、身体障害者等の就職困難者</td></tr>
<tr><td>基本手当の支給残日数</td><td>所定給付日数の<br>1/3以上 R6-6B</td><td>受給資格者の場合：<br>所定給付日数の1/3未満</td></tr>
<tr><td rowspan="8">その他</td><td colspan="2">安定した職業に就いた</td></tr>
<tr><td>1年を超えて<br>引き続き雇用されることが確実であると認められる職業に就き又は事業を開始した</td><td>1年以上<br>引き続き雇用されることが確実であると認められる職業に就いた</td></tr>
<tr><td colspan="2">離職前の事業主に再雇用されたものでない</td></tr>
<tr><td>待期期間経過後職業に就き、又は事業を開始した</td><td>待期又は離職理由若しくは就職拒否等による給付制限期間が経過した後職業に就いた</td></tr>
<tr><td>待期期間満了後、離職理由による給付制限期間1箇月の期間内<br>→公共職業安定所又は職業紹介事業者等の紹介により職業に就いた</td><td>公共職業安定所又は職業紹介事業者等の紹介により職業に就いた</td></tr>
<tr><td>求職の申込日前に雇入れを約した事業主に雇用されたものでない</td><td></td></tr>
<tr><td colspan="2">安定した職業に就いた日前3年以内に再就職手当又は常用就職支度手当を受けていない</td></tr>
<tr><td>同一の就職について高年齢再就職給付金を受給していない R6-6B</td><td></td></tr>
</table>

※ 一定の要件を満たした場合に就業促進定着手当が追加的に支給される。

**参考** (支給残日数の意義)

「支給残日数」とは、原則として、所定給付日数から、同一の受給資格に基づいて既に基本手当の支給を受けた日数又は傷病手当若しくは再就職手当等の支給を受けたことにより基本手当の支給を受けたものとみなされた日数を差し引いた日数である。

また、そのように計算して得た日数が就業日（就職拒否、受講拒否、職業指導拒否又は離職理由による給付制限期間中に就職した場合については、当該給付制限期間の末日の翌日）から受給期間の最後の日までの日数を超えるときは、受給期間の最後の日までの間に失業の認定を受け基本手当の支給対象となり得る日数が支給残日数となる。

(法56条の3,1項１号カッコ書、行政手引57002)

(不正受給による基本手当の給付制限を受けた日数の取扱い)

求職者給付又は就職促進給付について不正受給があり、以後基本手当を支給しないことと

された場合の基本手当の支給を受けることができないこととされた日数は、支給残日数の計算に当たり、既に当該日数分の基本手当等の支給がなされたものとして取り扱われる。

（行政手引57051）

# ② 再就職手当 重要度 A

## 1 支給要件（法56条の3,1項、2項、法61条の2,4項、則82条1項、則82条の2、則82条の4、行政手引57052）

★★★

**再就職手当**は、次のすべての要件を満たす場合に支給される。

| | |
|---|---|
| i | iiの就業日（就職日又は事業開始日）の前日における基本手当の**支給残日数が**、**所定給付日数の３分の１以上の受給資格者**であること R6-6B |
| ii | **１年を超えて引き続き雇用**されることが**確実**であると認められる**職業に就き**、又は**事業**（当該事業により**自立**することができると**公共職業安定所長**が認めたものに限る）を**開始**した**受給資格者**であって、再就職手当を支給することがその者の**職業の安定**に資すると認められるものであること H30-1エ |
| iii | 受給資格に係る離職について**離職理由による**給付制限（**給付制限期間**の長短を問わない）を受けた場合において、**待期期間の満了後１箇月間**については、**公共職業安定所**又は**職業紹介事業者等の紹介**により職業に就いたこと |
| iv | 離職前の**事業主**に**再び雇用**されたものでないこと H30-1ア |
| v | **待期期間**が経過した後**職業に就き**、又は**事業を開始**したこと |
| vi | **受給資格**の決定に係る**求職の申込みをした日前**に**雇入れ**をすることを**約した**事業主に雇用されたものでないこと |
| vii | **就職日**又は**事業開始日前３年以内**の**就職**又は**事業開始**について**再就職手当**又は**常用就職支度手当**の支給を受けたことがないこと R5-5イ |
| viii | **同一の就職**について、**高年齢再就職給付金**の支給を受けていないこと R6-6B |

**Check Point!**

□ 給付制限期間中の就業についても、再就職手当が支給される場合がある（上記iii参照）。

### 1. 1年を超えて引き続き雇用されることが確実

１年以下の期間の定めのある雇用に就いた場合であっても、その雇用契約が1年を超えて更新されることが確実であると認められるときは、この基準を満たすもの（１年を超えて引き続き雇用されることが確実であると認められる職業に就いたもの）として取り扱う。

（行政手引57052）

### 2. 安定した職業に就いた受給資格者

上記 ii の「再就職手当を支給することがその者の職業の安定に資する」と認められるためには、職業に就いた受給資格者については、適用事業の事業主に雇用され、一般被保険者資格又は高年齢被保険者資格（特例高年齢被保険者資格を除く。）を取得した者であることを要する。 （行政手引57052）

### 3. 事業を開始した場合

上記 ii の「再就職手当を支給することがその者の職業の安定に資する」と認められるためには、事業を開始した者については、**雇用保険の適用事業主とならない場合であっても、自立したと認められる一定の要件を満たせば再就職手当の支給対象**とされる。 H30-1エ （同上）

**問題チェック** H8-3A

基本手当に係る待期期間中に雇入れを約した事業所に、公共職業安定所の紹介によらずに受給資格者が再就職した場合は、再就職手当は支給されない。

**解答** ×　　法56条の3,1項1号、則82条1項4号

受給資格の決定に係る求職の申込みをした日前に雇入れをすることを約した事業主に雇用された場合、再就職手当は支給されないが、待期期間は求職の申込みをした日より後のため、設問の場合、他の要件を満たしていれば再就職手当は支給される。

## 2 支給額（法56条の3,3項1号）

★★★

**再就職手当**の額は、**基本手当日額**に**支給残日数**に相当する日数に**10分の6**（その**職業に就いた日**の**前日**における**基本手当**の**支給残日数**が当該受給資格に基づく**所定給付日数**の**3分の2以上**である者にあっては、**10分の7**）を**乗じて得た数**を乗じて得た額とする。 R元-5D

**概要**

再就職手当の支給額の算定方法は次の通りである。

| 職業に就いた日の前日における支給残日数 | 支給額 |
|---|---|
| 所定給付日数の**3分の2未満** | 基本手当日額 × 支給残日数 × **0.6** |
| 所定給付日数の**3分の2以上** R元-5D | 基本手当日額 × 支給残日数 × **0.7** |

**参考** 基本手当日額の上限は、12,790円に100分の50（受給資格に係る離職の日において60歳以上65歳未満である受給資格者にあっては、11,490円に100分の45）を乗じて得た金額とされる（小数点以下切捨て）。したがって、当該上限は原則6,395円（12,790円×0.5）、60歳以上65歳未満は5,170円（11,490円×0.45）となる。

（法56条の3,3項１号カッコ書、行政手引50801）

再就職手当の端数処理については、10分の６（10分の７）相当日数に基本手当日額を乗じて得た額の小数点以下を切り捨てる。（行政手引57101）

## 3 支給申請手続（則82条の7,1項、則83条）

★★★

Ⅰ　**再就職手当**の支給を受けようとする受給資格者は、**安定した職業に就いた日**の**翌日**から起算して**１箇月以内**に、再就職手当の支給要件を満たす事実を証明することができる一定の書類及び**受給資格者証**を添えて（当該受給資格者が**受給資格通知**の**交付**を受けた場合にあっては、当該事実を証明することができる一定の書類の添付に併せて個人番号カードを提示して）**再就職手当支給申請書**を**管轄公共職業安定所の長**に提出しなければならない。

Ⅱ　**管轄公共職業安定所の長**は、**受給資格者**に対する再就職手当の支給を**決定**したときは、その日の翌日から起算して**７日以内**に再就職手当を支給するものとする。

## 4 支給の効果（法56条の3,4項）

★★★

再就職手当を支給したときは、雇用保険法の規定（第10条の４［不正受給者に対する返還・納付命令］及び第34条［不正受給者に対する基本手当の給付制限］の規定を除く。）の適用については、当該**再就職手当の額**を**基本手当日額で除して得た日数**に相当する日数分の**基本手当を支給した**ものとみなす。

**概要**

再就職手当が支給されたときは、その額に相当する日数分の基本手当が支給されたものとみなされる。なお、再就職手当の支給を受けて就職した者が再び失業した場合には、受給期間内において、就職日の前日における基本手

当の支給残日数から再就職手当の額に相当する日数分を差し引いた日数分の基本手当の支給が行われる。（行政手引57151）

## 5 再就職手当の支給を受けた場合の特例

**（法57条、法附則10条1項、則82条の7,1項、則85条の2、則附則23条の2、行政手引57253）**

★★

Ⅰ　**特定就業促進手当受給者**について、ⅰに掲げる期間がⅱに掲げる期間を超えるときは、当該**特定就業促進手当受給者**の**基本手当の受給期間**は、当該**超える期間**を**加えた期間**とする。

ⅰ　**再就職手当**に係る**基本手当**の**受給資格**に係る**離職の日**の**翌日**から**再離職**〔当該**再就職手当**の支給を受けた後の**最初の離職**（**新たに受給資格**、**高年齢受給資格**又は**特例受給資格**を取得した場合における当該**受給資格**、**高年齢受給資格**又は**特例受給資格**に係る**離職**を**除く**。）をいう。Ⅱにおいて同じ。〕の日までの期間に次のⓘ及びⓘⓘに掲げる日数を加えた期間

ⓘ　**20日以下の範囲内**で厚生労働省令で定める日数（**14日**）

ⓘⓘ　当該**再就職手当**に係る職業に就いた日の前日における**支給残日数**から**再就職手当及び就業促進定着手当**を支給したことにより**基本手当**を支給したものとみなされた日数を差し引いた日数

ⅱ　当該職業に就かなかったこととした場合における当該**受給資格**に係る**基本手当**の**受給期間**

Ⅱ　Ⅰの**特定就業促進手当受給者**とは、**再就職手当**の支給を受けた者であって、**再離職**の日が当該**再就職手当**に係る**基本手当**の**受給資格**に係る**基本手当**の**受給期間内**にあり、かつ、次のⅰⅱのいずれか〔**再離職**の日が平成21年３月31日から令和９年３月31日までの間である受給資格者にあっては、次のⅰⅱのいずれか又は当該**再離職**について第13条第３項に規定する**特定理由離職者**（希望に反して契約更新がなかったことにより離職した者に限る。）〕に該当するものをいう。

ⅰ　**再離職**が、その者を**雇用していた事業主**の事業について発生し

た**倒産**又は当該**事業主**の**適用事業**の**縮小**若しくは**廃止**に伴うものである者として厚生労働省令で定めるもの

ii　ｉに定めるもののほか、**解雇**その他の厚生労働省令で定める理由により**離職した者**

**概要**

特定就業促進手当受給者の基本手当の受給期間については、次の計算式で算出した日数が当初の受給期間に加算される。

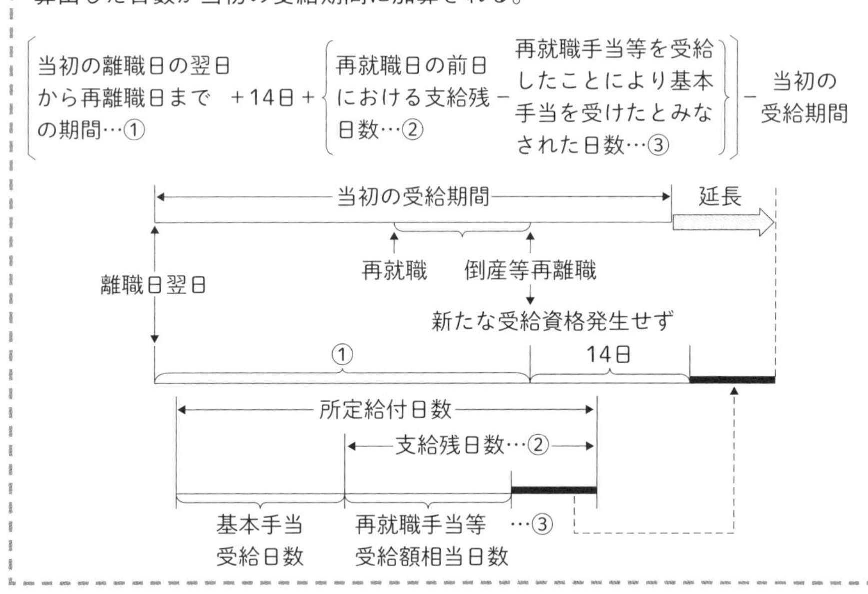


**・特定就業促進手当受給者**

再就職手当の支給を受けた者であって、基本手当の受給期間内に倒産・解雇等により再離職した者（再離職の日が平成21年３月31日から令和９年３月31日までの間である受給資格者にあっては、当該再離職について特定理由離職者Ｉに該当する者を含む。）をいう。

# ❸ 就業促進定着手当 重要度A

## 1 支給要件（法56条の3,3項1号、則83条の2）

★★★

Ⅰ　**就業促進定着手当**は、再就職手当を受けた者が、当該再就職手当の支給に係る**同一の事業主**の**適用事業**（以下「同一事業主の適用事業」という。）にその**職業に就いた日**から**引き続いて6箇月以上雇用**された場合であって、**みなし賃金日額**が**算定基礎賃金日額**を**下回った**ときに支給される。

Ⅱ　Ⅰの**みなし賃金日額**とは、**同一事業主の適用事業**について、その**職業に就いた日**から**6箇月間**に支払われた**賃金**を法第17条に規定する**賃金**とみなして同条の規定を適用した場合に算定されることとなる**賃金日額**に相当する額をいう。

Ⅲ　Ⅰの**算定基礎賃金日額**とは、**再就職手当**に係る法第16条の規定による**基本手当の日額**（以下「**基本手当日額**」という。）の算定の基礎となった**賃金日額**をいう。

**趣旨**

再就職時点での賃金低下が早期再就職を躊躇させる一因となっていると考えられることを踏まえ、再就職手当を受ける者の再就職後の賃金が、離職前の賃金を下回った場合には、6月間職場に定着することを条件に、基本手当の支給残日数の20%相当額を上限として、離職前の賃金から再就職後の賃金を減じて得た額に6箇月の雇用期間のうち賃金の支払の基礎となった日数を乗じて得た額を一時金として追加的に支給することとされている。

・**対象者**

再就職をした者であって、次のすべての要件を満たしている者 H30-1ウ

(1)　**再就職手当の支給を受けている**こと

(2)　再就職の日から、**同一の事業主に6箇月以上雇用保険の被保険者として雇用**されていること（起業により再就職手当を受給した者は対象外）

(3)　**みなし賃金日額**（再就職後の賃金日額）が**算定基礎賃金日額**（離職前の賃金日額）を**下回っている**こと

## 2 支給額（法56条の3,3項1号、則83条の3） 改正

★★★

就業促進定着手当の額は、**基本手当日額**に**支給残日数**に相当する日数に**10分の2**を乗じて得た数を乗じて得た額を限度として、**算定基礎賃金日額**から**みなし賃金日額**を**減じて得た額**に**同一事業主**の**適用事業**にその**職業に就いた日**から**引き続いて雇用**された**6箇月間**のうち**賃金の支払の基礎となった日数**を乗じて得た額とする。

**概要**

就業促進定着手当の支給額は、**基本手当日額×支給残日数×20%を上限**として次の計算式で算出した額である。

| | |
|---|---|
| **（算定基礎賃金日額－みなし賃金日額）×** | **同一事業主**の**適用事業**にその**職業に就いた日**から**引き続いて雇用**された**6箇月間**のうち**賃金の支払の基礎となった日数** |

参考（基本手当日額の上限）
基本手当日額の上限は、再就職手当の場合と同様（原則6,395円、60歳以上65歳未満は5,170円）である。

（みなし賃金日額の算定方法）
算定基礎賃金日額については、算定対象期間を対象に離職日から遡って完全な賃金月を優先して対象にすることとなっているが、みなし賃金日額の算定は、各賃金締切日の翌日から次の賃金締切日までの期間について賃金支払基礎日数が11日以上あるか否かは問わないものである。（行政手引57263）

（就業促進定着手当の額）
就業促進定着手当の額は、算定基礎賃金日額からみなし賃金日額を減じて得た額にみなし賃金日額の算定に係る期間の賃金支払基礎日数を乗じて得た額とする。ただし、当該額は、基本手当日額に再就職手当の支給前の支給残日数に10分の2を乗じて得た数を乗じて得た額を上限とする。（行政手引57264）

## 3 支給申請手続（則83条の4,1項、則83条の5）

★★★

Ⅰ　**受給資格者**は、就業促進定着手当の支給を受けようとするときは、就業促進定着手当の支給要件を満たす事実を証明することができる一定の書類及び**受給資格者証**を添えて（当該受給資格者が**受給資格通知**の**交付**を受けた場合にあっては、当該事実を証明することがで

きる一定の書類の添付に併せて個人番号カードを提示して）**就業促進定着手当支給申請書**を**管轄公共職業安定所の長**に提出しなければならない。

Ⅱ　Ⅰの規定による**就業促進定着手当支給申請書**の提出は、**同一事業主の適用事業**に雇用され、その**職業に就いた日から起算して6箇月目に当たる日の翌日から起算して2箇月以内**にしなければならない。

Ⅲ　**管轄公共職業安定所の長**は、**受給資格者**に対する就業促進定着手当の支給を決定したときは、その日の翌日から起算して**7日以内**に就業促進定着手当を支給するものとする。

## 4 支給の効果（法56条の3,4項）

★★★

**就業促進定着手当を支給したとき**は、雇用保険法の規定（第10条の4［不正受給者に対する返還・納付命令］及び第34条［不正受給者に対する基本手当の給付制限］の規定を除く。）の適用については、当該**就業促進定着手当の額を基本手当日額で除して得た日数に相当する日数分**の**基本手当を支給したもの**とみなす。

### 概要

**就業促進定着手当が支給されたとき**は、**その額に相当する日数分**の**基本手当が支給されたもの**とみなされる。

なお、再就職手当の支給を受けて就職した者が就業促進定着手当の支給を受けた後再び失業した場合には、受給期間内において、就職日の前日における基本手当の支給残日数から再就職手当及び就業促進定着手当の額に相当する日数分を差し引いた日数分の基本手当の支給が行われる。

（行政手引57151、57264）

# ④ 常用就職支度手当 重要度 A

## 1 支給要件（法56条の3,1項2号、2項、則82条2項、則82条の3、則82条の4、則84条1項、行政手引57352）

★★★

**常用就職支度手当**は、次のすべての要件を満たす場合に支給される。

| |
|---|
| i　次のいずれかに該当する者（以下④において「**受給資格者等**」という）であって、**身体障害者**その他の就職が困難な者として厚生労働省令で定めるものであること<br>ⓘ　**受給資格者**（当該職業に就いた日の前日における**基本手当の支給残日数**が当該受給資格に基づく**所定給付日数**の**３分の１未満**である者に限る） R5-5ア<br>ⓘⓘ　**高年齢受給資格者**（**高年齢求職者給付金**の支給を受けた者であって、当該**高年齢受給資格**に係る離職の日の翌日から起算して**１年を経過していないもの**を**含む**）<br>ⓘⓘⓘ　**特例受給資格者**（**特例一時金**の支給を受けた者であって、当該**特例受給資格**に係る離職の日の翌日から起算して**６箇月を経過していない**ものを**含む**）<br>ⓘⓥ　**日雇受給資格者** |
| ii　**１年以上引き続き雇用**されることが確実であると認められる**職業に就いた**受給資格者等であって、常用就職支度手当を支給することがその者の**職業の安定**に資すると認められるものであること R5-5ア |
| iii　**給付制限**を受ける者については、**給付制限**の期間が**経過した後**に職業に就いたこと |
| iv　**公共職業安定所又は職業紹介事業者等の紹介**により職業に就いたこと |
| v　離職前の**事業主**に**再び雇用**されたものでないこと H30-1ア |
| vi　**待期期間**が経過した後**職業に就いた**こと |
| vii　**就職日前３年以内**の**就職**又は事業開始について**再就職手当**又は**常用就職支度手当**の支給を受けたことがないこと |

**Check Point!**

□ 常用就職支度手当は給付制限期間中の就業については支給されない（上記ⅲ参照）。

**・身体障害者その他の就職が困難な者**

「身体障害者その他の就職が困難な者として厚生労働省令で定めるもの」とは、「所定給付日数」で述べた「就職困難な者（身体障害者、知的障害者、精神障害

者、保護観察対象者等又は社会的事情により就職が著しく阻害されている者)」のほか、次に該当する者をいう。R5-5ア

(1) 就職日において**45歳以上**の受給資格者であって、労働施策総合推進法の規定による公共職業安定所長の認定を受けた**再就職援助計画**に係る**援助対象労働者**又は高年齢者雇用安定法に規定する求職活動支援書等の対象となる者(「**高年齢支援対象者**」という。)に該当するもの

(2) 季節的に雇用されていた特例受給資格者であって、積雪又は寒冷の度が特に高い地域として厚生労働大臣が指定する地域(指定地域)内に所在する事業所の事業主に通年雇用されるもの

(3) 日雇労働被保険者として雇用されることを常態とする日雇受給資格者であって、就職日において**45歳以上**であるもの

(4) 認定駐留軍関係離職者

(5) 沖縄失業者求職手帳所持者

(6) 一般旅客定期航路事業等離職者求職手帳所持者 (則82条の3,2項、行政手引57351)

**参考** 上記表中 ii の「常用就職支度手当を支給することがその者の職業の安定に資する」と認められるためには、適用事業の事業主に雇用され、一般被保険者資格又は高年齢被保険者資格(特例高年齢被保険者資格を除く。)を取得した者であることを要する。
なお、常用就職支度手当の支給を請求した受給資格者等が、常用就職支度手当の支給の要否に関する調査を行う際、既に当該事業所を離職している場合には、採用条件と実際の労働条件が相違しているなど離職がやむを得ないものであると認められるときを除き、常用就職支度手当は支給されない。 (行政手引57352)

## 問題チェック H18-6C

基本手当の所定給付日数について雇用保険法第22条第2項に規定する「厚生労働省令で定める理由により就職が困難なもの」に該当しない受給資格者であっても、就業促進手当の1つである常用就職支度手当の支給を受けることができる場合がある。

**解答** ○ 法22条2項、法56条の3,1項2号、則32条、則82条の3,2項

設問の通り正しい。常用就職支度手当の規定における「就職が困難なもの」の範囲の方が、所定給付日数の規定における「就職が困難なもの」の範囲よりも広い。

## 2 支給額 (法56条の3,3項2号、則83条の6)

★★★

**常用就職支度手当**の額は、**基本手当日額等**に**90**〔当該受給資格者(受給資格に基づく**所定給付日数**が**270日以上**である者を**除く**。)に係

る基本手当の**支給残日数**が**90日未満**である場合には、**支給残日数**（その数が**45を下回る**場合にあっては、**45**)〕に**10分の4**を乗じて得た数を乗じて得た額とする。

**概要**

常用就職支度手当の支給額は次の通りである。

| 支給対象者 | 支給額 |
| --- | --- |
| ・基本手当の支給残日数**90日以上**の受給資格者<br>・高年齢受給資格者<br>・特例受給資格者<br>・日雇受給資格者 | 基本手当日額等×36（＝**90×0.4**） |
| ・基本手当の支給残日数が**45日以上90日未満**の受給資格者 | 基本手当日額×支給残日数×**0.4** |
| ・基本手当の支給残日数が**45日未満**の受給資格者 | 基本手当日額×18（＝**45×0.4**） |
| 所定給付日数が**270日以上**の受給資格者にあっては、支給残日数にかかわらず「**基本手当日額×36**（＝**90×0.4**)」 | |

**参考**「基本手当日額等」とは、受給資格者の場合は「基本手当日額」をいい、高年齢受給資格者及び特例受給資格者の場合は、「その者を基本手当の受給資格者とみなした場合の基本手当日額」をいい、日雇受給資格者については、「日雇労働求職者給付金の日額」をいう。

（法56条の3,3項2号）

基本手当日額の上限は、原則6,395円、60歳以上65歳未満は5,170円である。

（法56条の3,3項1号カッコ書、2号イ、ロ、ハ）

## 3 支給申請手続（則84条、則85条）

★★

Ⅰ　**常用就職支度手当**の支給を受けようとする**受給資格者等**は、**安定した職業に就いた日の翌日**から起算して**1箇月以内**に、離職前の事業主に再び雇用されたものでないことの事実を証明することができる書類及び**受給資格者証、高年齢受給資格者証、特例受給資格者証**又は**日雇労働被保険者手帳**（以下「受給資格者証等」という。）を添えて（受給資格者、高年齢受給資格者又は特例受給資格者がそれぞれ**受給資格通知、高年齢受給資格通知**又は**特例受給資格通知**の**交付**

を受けた場合にあっては、当該事実を証明することができる書類の添付に併せて**個人番号カード**を**提示**して）**常用就職支度手当支給申請書**を**管轄公共職業安定所の長**（**日雇受給資格者**にあっては、**安定した職業に係る事業所の所在地を管轄する公共職業安定所の長**。Ⅱにおいて同じ。）に提出しなければならない。

Ⅱ　**管轄公共職業安定所の長**は、**受給資格者等**に対する**常用就職支度手当**の支給を**決定**したときは、その日の翌日から起算して**7日以内**に**常用就職支度手当**を支給するものとする。

# ❺ 移転費 重要度A

## 1 支給要件等（法56条の3,2項、法58条1項、則87条1項） ★★★

Ⅰ　**移転費**は、**受給資格者等**が**公共職業安定所**、職業安定法第4条第9項に規定する**特定地方公共団体**若しくは同法第18条の2に規定する**職業紹介事業者**の紹介した**職業に就く**ため、又は**公共職業安定所長**の指示した**公共職業訓練等**を受けるため、その**住所又は居所**を**変更**する場合において、**公共職業安定所長**が**厚生労働大臣**の定める基準に従って必要があると認めたときに、支給する。R元-5B

Ⅱ　**移転費**は、**鉄道賃**、**船賃**、**航空賃**、**車賃**、**移転料及び着後手当**とする。

### 概要

移転費の支給要件は次の通りである。

| |
|---|
| (1)　受給資格者等が**公共職業安定所**、**特定地方公共団体**若しくは**職業紹介事業者**（職業安定法施行規則に規定する事業停止命令又は改善命令対象者を除く。以下同じ。）**の紹介した職業に就く**ため、又は**公共職業安定所長の指示した公共職業訓練等を受ける**ため、その**住所又は居所**を**変更**する場合であること。 |
| (2)　**待期**又は**就職拒否・受講拒否・職業指導拒否**による**給付制限**の**期間が経過した後**に就職し、又は公共職業訓練等を受けることとなった場合であって、管轄公共職業安定所の長が住所又は居所の変更を必要と認めたこと。 |

| |
|---|
| (3)　当該就職又は公共職業訓練等の受講について、就職準備金その他移転に要する費用（就職支度費）が就職先の事業主等※から支給されないこと、又はその支給額が移転費の額に満たないこと。H30-1イ<br>※「事業主、訓練等施設（公共職業訓練等を行う施設）の長その他の者」をいう。 |
| (4)　その者の雇用期間が**1年未満でない**こと。R5-5ウ |
| (5)　出稼労働者のように毎年循環的に離職、再雇用を繰り返す者等が離職前と同様の状態で再雇用された場合ではないこと。 |
| (6)　移転費の支給処分が取り消され、既支給金額の返還を請求された者については、当該既支給金額の全額を返還していること。 |

（則86条、行政手引57551）

**Check Point!**

□ 離職理由による給付制限期間中であっても移転費は支給され得る。

## 2 支給額（法58条2項、法36条2項）

★★★

**移転費**の額は、**受給資格者等**及び**その者により生計を維持されている同居の親族**（**婚姻の届出**をしていないが、**事実上**その者と**婚姻関係と同様の事情にある者を含む**。）の**移転**に**通常要する費用**を考慮して、厚生労働省令で定める。H28-選D

### 1. 鉄道賃、船賃、航空賃、車賃及び移転料

これらは、移転費の支給を受けることができる者及びその者が随伴する親族について、その旧居住地から新居住地までの区間の順路によって算定した額が支給される。

### 2. 着後手当

着後手当は、移転費の支給要件に該当する限り上記の鉄道賃等とともに支給され、その額は、**親族を随伴する**場合は**76,000円**（鉄道賃の額の計算の基礎となる距離が100キロメートル以上である場合は、**95,000円**）、親族を随伴しない場合（独身者が移転する場合を含む）は**38,000円**（鉄道賃の額の計算の基礎となる距離が100キロメートル以上である場合は、**47,500円**）である。

（則90条、行政手引57604）

### 3. 就職支度費が支給された場合

就職先の事業主等から就職支度費が支給される場合にあっては、その支給額が移転費の規定によって計算された額に満たないときは、その差額に相当する額が移転費として支給される。（則91条）

## 3 支給申請手続（則92条）

★★

**受給資格者等**は、**移転費**の支給を受けようとするときは、**移転の日の翌日**から起算して**1箇月以内**に、**受給資格者証等**を添えて（受給資格者、高年齢受給資格者又は特例受給資格者がそれぞれ**受給資格通知**、**高年齢受給資格通知**又は**特例受給資格通知**の交付を受けた場合にあっては、**個人番号カード**を**提示**して）**移転費支給申請書**を**管轄公共職業安定所の長**に提出しなければならない。

この場合において、**親族**を**随伴**するときは、その**親族**がその者により**生計を維持**されている者であることを**証明**することができる**書類**を添えなければならない。

参考（実費相当額等の届出）
受給資格者等は、移転費支給申請書を提出する場合において、次の⑴⑵に該当する場合は、当該⑴⑵に定める額を管轄公共職業安定所の長に届け出なければならない。

| | |
|---|---|
| ⑴就職先の事業主等が所有する自動車等を使用して住所又は居所を変更する場合 | 実費相当額 |
| ⑵就職先の事業主等から就職支度費を受け、又は受けるべき場合 | 就職支度費の額 |

（則92条２項）

（移転費の支給を受けた場合の手続）
就職したことにより移転費の支給を受けた受給資格者等は、移転費支給の際に交付された移転費支給決定書を就職先の事業主に提出しなければならず、移転費支給決定書の提出を受けた事業主は、移転費支給決定書に基づいて移転証明書を作成し、移転費を支給した公共職業安定所長に送付しなければならない。（則93条、則94条）

## 4 移転費の返還（則95条1項）

★★★

**移転費**の支給を受けた**受給資格者等**は、次の場合には、その**事実が確定した日の翌日から起算して10日以内**に**移転費**を支給した**公共職業安定所長**にその旨を**届け出る**とともに、その支給を受けた**移転費に相**

当する額を返還しなければならない。

ⅰ　公共職業安定所、特定地方公共団体若しくは職業紹介事業者の紹介した職業に就かなかったとき

ⅱ　公共職業安定所長の指示した公共職業訓練等を受けなかったとき

## ❻ 求職活動支援費 重要度A

### 1 種類（法59条、則95条の2）

Ⅰ　求職活動支援費は、受給資格者等が求職活動に伴い次のⅰⅱⅲのいずれかに該当する行為をする場合において、公共職業安定所長が厚生労働大臣の定める基準に従って必要があると認めたときに、支給する。

ⅰ　公共職業安定所の紹介による広範囲の地域にわたる求職活動（広域求職活動費）

ⅱ　公共職業安定所の職業指導に従って行う職業に関する教育訓練の受講その他の活動（短期訓練受講費）

ⅲ　求職活動を容易にするための役務の利用（求職活動関係役務利用費）

Ⅱ　求職活動支援費の額は、Ⅰのⅰⅱⅲの行為に通常要する費用を考慮して、厚生労働省令で定める。

### 2 広域求職活動費（則96条、則97条1項）

★★★

Ⅰ　広域求職活動費は、鉄道賃、船賃、航空賃、車賃及び宿泊料とする。

Ⅱ　広域求職活動費は、受給資格者等が公共職業安定所の紹介により広範囲の地域にわたる求職活動（以下「広域求職活動」という。）をする場合であって、次のⅰⅱのいずれにも該当するときに支給するものとする。

i　法第21条［**待期**］、第32条第１項［**就職拒否又は受講拒否による給付制限**］若しくは第２項［**職業指導拒否による給付制限**］※又は法第52条第１項（法第55条第４項において準用する場合を含む。）［**就職拒否による日雇労働求職者給付金の給付制限**］の規定による期間が**経過した後**に**広域求職活動**を**開始**したとき。

※　これらの規定を法第37条の４第６項［高年齢求職者給付金］及び第40条第４項［特例一時金］において準用する場合を含む。

ii　**広域求職活動**に要する費用（以下「**求職活動費**」という。）が**広域求職活動**のために訪問する事業所（以下「**訪問事業所**」という。）の**事業主**から**支給されない**とき、又はその支給額が**広域求職活動費**の**額に満たない**とき。

**Check Point!**

□ 離職理由による給付制限期間中であっても広域求職活動費は支給され得る。



## 1．支給額

### ⑴　鉄道賃、船賃、航空賃及び車賃

これらは、管轄公共職業安定所の所在地から、訪問事業所の所在地を管轄する公共職業安定所の所在地を経て、管轄公共職業安定所の所在地に帰着するまでの通常の経路に従って、移転費の場合に準じて計算した額が支給される。　（則97条２項、則98条１項、行政手引57801、57802）

### ⑵　宿泊料

宿泊料は**１泊8,700円**（一定地域については7,800円）とし、この額に鉄道賃の額の計算の基礎となる距離と訪問事業所の数に応じて定められた宿泊数を乗じて得た額が支給される。

なお、近距離である場合（鉄道賃の額の計算の基礎となる距離が400キロメートル未満である場合）には、宿泊料は支給されない。　（則98条２項）

### ⑶　求職活動費が支給された場合

訪問事業所の事業主から求職活動費が支給される場合にあっては、その支給額が広域求職活動費の規定によって計算された額に満たないときは、その差額に相当する額が広域求職活動費として支給される。　（則98条の２）

### 2. 支給申請手続

**受給資格者等**は、広域求職活動費の支給を受けようとするときは、**公共職業安定所**の指示による**広域求職活動を終了した日の翌日**から起算して**10日以内**に、**受給資格者証等**を添えて（受給資格者、高年齢受給資格者又は特例受給資格者がそれぞれ**受給資格通知**、**高年齢受給資格通知**又は**特例受給資格通知**の交付を受けた場合にあっては、**個人番号カード**を**提示**して）**求職活動支援費（広域求職活動費）支給申請書**を**管轄公共職業安定所の長**に提出しなければならない。（則99条１項）

**参考**（広域求職活動証明書等の提出命令）
管轄公共職業安定所の長は、広域求職活動費の支給を受けようとする受給資格者等に対し、広域求職活動を行ったことを証明することができる書類その他必要な書類の提出を命ずることができる。（則99条２項）

（求職活動費の額の届出）
受給資格者等は、求職活動支援費（広域求職活動費）支給申請書を提出する場合において、訪問事業所の事業主から求職活動費を受けるときは、その金額を届け出なければならない。（則99条３項）

（広域求職活動費の支給）
管轄公共職業安定所の長は、受給資格者等に対する広域求職活動費の支給を決定したときは、その日の翌日から起算して７日以内に広域求職活動費を支給するものとする。（則100条）

## 3 短期訓練受講費（則100条の2）

★★★

**短期訓練受講費**は、**受給資格者等**が公共職業安定所の職業指導により**再就職の促進を図る**ために必要な**職業**に関する**教育訓練**を受け、当該**教育訓練を修了**した場合（**待期期間**が経過した後に当該教育訓練を開始した場合に限る。）において、当該**教育訓練**の**受講のために支払った費用**〔**入学料**（**受講の開始**に際し**納付する料金**をいう。以下同じ。）及び**受講料**に限る。〕について**教育訓練給付金**の**支給を受けていない**ときに、厚生労働大臣の定める基準に従って、支給するものとする。

R5-5オ

**概要**

短期訓練受講費は、受給資格者等が公共職業安定所の職業指導により再就職の促進を図るために必要な職業に関する教育訓練（教育訓練給付金の対象講座として指定されていない訓練期間が１箇月未満の公的資格に係る訓練等）を受け、修了した場合（待期期間が経過した後に当該教育訓練を開始した場合に限る）に支給される（給付制限期間中の訓練についても支給される）。

### 1. 支給額

短期訓練受講費の額は、受給資格者等が教育訓練の受講のために支払った費用（入学料及び受講料に限る）の額に**100分の20**を乗じて得た額（その額が**10万円を超える**ときは、**10万円**）とする。 R元-5E R5-5オ

（則100条の２カッコ書、則100条の３）

### 2. 支給申請手続

受給資格者等は、短期訓練受講費の支給を受けようとするときは、当該短期訓練受講費の支給に係る教育訓練を**修了した日の翌日**から起算して**１箇月以内**に、短期訓練受講費の支給要件を満たす事実を証明することができる一定の書類及び受給資格者証等を添えて（受給資格者、高年齢受給資格者又は特例受給資格者がそれぞれ受給資格通知、高年齢受給資格通知又は特例受給資格通知の交付を受けた場合にあっては、当該事実を証明することができる一定の書類の添付に併せて個人番号カードを提示して）求職活動支援費（短期訓練受講費）支給申請書を管轄公共職業安定所の長に提出しなければならない。（則100条の4,1項）

**参考** 管轄公共職業安定所の長は、受給資格者等に対する短期訓練受講費の支給を決定したときは、その日の翌日から起算して７日以内に短期訓練受講費を支給するものとする。

（則100条の５）

## 4 求職活動関係役務利用費（則100条の6、行政手引57962）

★★★

求職活動関係役務利用費は、**受給資格者等**が**求人者**との**面接等**をし、又は法第60条の２第１項の**教育訓練給付金**の支給に係る**教育訓練**若しくは**短期訓練受講費**の支給に係る**教育訓練**、公共職業訓練等若しくは職業訓練の実施等による特定求職者の就職の支援に関する法律第４条第２項に規定する**認定職業訓練**（以下「**求職活動関係役務利用費対象訓練**」という。）を受講するため、その子に関して、次のⅰⅱⅲに掲げる役務（以下「**保育等サービス**」という。）を利用する場合（待期期間が経過した後に保育等サービスを利用する場合に限る。）に支給するものとする。 H30-1オ

第2章 第4節

ⅰ　児童福祉法第39条第1項に規定する**保育所**、認定こども園法第2条第6項に規定する**認定こども園**又は児童福祉法第24条第2項に規定する**家庭的保育事業等**における**保育**

ⅱ　子ども・子育て支援法第59条第2号［延長保育事業］、第5号［放課後児童健全育成事業］、第6号［子育て短期支援事業］及び第10号から第12号まで［一時預かり事業、病児保育事業、子育て援助活動支援事業］に規定する事業における役務

ⅲ　その他ⅰⅱに掲げる役務に準ずるものとして職業安定局長が定めるもの

**概要**

求職活動関係役務利用費は、受給資格者等が求人者に面接等をするため、又は教育訓練・職業訓練を受講するため、その子に関して、保育等サービスを利用した場合（待期期間が経過した後に保育等サービスを利用する場合に限る。）に支給される（給付制限期間中の面接等についても支給される）。

保育所・認定こども園で行われる保育、地域子ども・子育て支援事業（一時預かり事業等）又はこれらに準ずる役務（認可外保育所で行われる保育、ベビーシッター等）等が支給対象となる保育等サービスとされている。

## 1. 支給額

求職活動関係役務利用費の額は、受給資格者等が保育等サービスの利用のために負担した費用の額〔次の⑴⑵に掲げる区分に応じ、当該⑴⑵に定める日数を限度とし、受給資格者等が求人者との面接等をした日又は求職活動関係役務利用費対象訓練を受講した日に係る費用の額（1日当たり**8,000円**を限度とする。）をいい、**1日を超える期間**を単位として費用を負担した場合においては、当該費用の額は、その期間の日数を基礎として、**日割り**によって計算して得た額（1日当たり**8,000円**を限度とする。）に限る。〕に**100分の80**を乗じて得た額とする。

| | |
|---|---|
| ⑴　求人者との面接等をした日 | **15日** |
| ⑵　求職活動関係役務利用費対象訓練を受講した日 | **60日** |

（則100条の7）

## 2. 支給申請手続

⑴　受給資格者等は、求職活動関係役務利用費の支給を受けようとするとき

は、求職活動関係役務利用費の支給要件を満たす事実を証明することができる一定の書類及び受給資格者証等を添えて（受給資格者、高年齢受給資格者又は特例受給資格者がそれぞれ**受給資格通知**、**高年齢受給資格通知**又は**特例受給資格通知**の**交付**を受けた場合にあっては、当該事実を証明することができる一定の書類の添付に併せて**個人番号カード**を**提示**して）**求職活動支援費（求職活動関係役務利用費）支給申請書**を**管轄**公共職業安定所の長に提出しなければならない。

⑵ ⑴の規定による求職活動支援費（**求職活動関係役務利用費**）支給申請書の提出は、失業の認定の対象となる日について、当該**失業の認定を受ける日**にしなければならない。ただし、**高年齢受給資格者**、**特例受給資格者**又は**日雇受給資格者**が求職活動支援費（**求職活動関係役務利用費**）支給申請書を提出する場合にあっては、当該求職活動関係役務利用費の支給に係る**保育等サービスを利用した日の翌日**から起算して**４箇月以内**に行うものとする。

（則100条の8,1項、３項）

# 2 教育訓練給付 改正

## ① 教育訓練給付金制度 重要度A ★★★

教育訓練給付金制度は、平成10年に創設され、**労働者**が**主体的**に職業能力開発に取り組むことを支援し雇用の安定等を図るため、労働者が自ら費用を負担して一定の教育訓練を受けた場合に、その教育訓練に要した費用の一部に相当する額を支給する制度である。支給対象となる教育訓練は、「労働者の職業能力の開発及び向上に資する職業に関する教育訓練であって、労働力需給の状況等にかんがみ、雇用の安定及び就職の促進を図るために必要な教育訓練と認められるものであること」とされている。したがって、例えば、「**趣味的又は教養的**な教育訓練」「**入門的又は基礎的な水準**の教育訓練」は、対象とならない。

**概要**

教育訓練給付金の対象訓練は、次の通りである。

**教育訓練**
- **一般教育訓練**
  雇用の安定及び就職の促進を図るために必要な職業に関する教育訓練として厚生労働大臣が指定する教育訓練をいう。
- **特定一般教育訓練**
  雇用の安定及び就職の促進を図るために必要な職業に関する教育訓練のうち速やかな再就職及び早期のキャリア形成に資する教育訓練として厚生労働大臣が指定する教育訓練をいう。
- **専門実践教育訓練**
  雇用の安定及び就職の促進を図るために必要な職業に関する教育訓練のうち中長期的なキャリア形成に資する専門的かつ実践的な教育訓練として厚生労働大臣が指定する教育訓練をいう。

（則101条の２の７）

1．教育訓練給付金の支給要件の概要

| | 一般教育訓練 | 特定一般教育訓練 | 専門実践教育訓練 |
|---|---|---|---|
| **給付対象者** | ⑴または⑵に該当する者<br>⑴　教育訓練開始日に一般被保険者又は高年齢被保険者である者<br>⑵　一般被保険者又は高年齢被保険者でなくなった日から１年以内に教育訓練を開始した者 | | |
| **支給要件期間** | **3年**以上<br>（初受給：**1年**以上） | | **3年**以上<br>（初受給：**2年**以上） |

2．教育訓練給付金の額の概要

| | 一般教育訓練 | 特定一般教育訓練 | 専門実践教育訓練 |
|---|---|---|---|
| **本体給付** | **20%**<br>（上限：**10万**円） | **40%**<br>（上限：**20万**円） | **50%**<br>（年間上限：**40万**円） |
| **追加給付①**<br>**（資格取得等＋雇用）** | － | **10%**<br>（上限：**5万**円） | **20%**<br>（年間上限：**16万**円） |
| **追加給付②（賃金上昇）**<br>**※①の給付を前提** | － | － | **10%**<br>（年間上限：**8万**円） |
| **最大給付率** | **20%**<br>（上限：**10万**円） | **50%**<br>（上限：**25万**円） | **80%**<br>（年間上限：**64万**円） |



## ❷ 支給要件（法60条の2,1項、法附則11条、則101条の2の3、則101条の2の5,1項）重要度A ★★★

**教育訓練給付金**は、次のⅰⅱのいずれかに該当する者（以下「教育訓練給付対象者」という。）が、厚生労働省令で定めるところにより、**雇用の安定及び就職の促進を図る**ために**必要な職業に関する教育訓練**として**厚生労働大臣**が指定する**教育訓練**を受け、当該**教育訓練**を**修了した**場合（**専門実践教育訓練**を受けている場合であって、当該**専門実践教育訓練**の**受講状況が適切**であると認められるときを含み、当該**教育訓練**に係る**指定教育訓練実施者**により**厚生労働省令で定める証明がされた場合に限る**。）において、**支給要件期間**が**３年**〔当該**教育訓練**を**開始した日**（以下「**基準日**」という。）**前**に**教育訓練給付金の支給を受けたことがない者**については、当分の間、**１年**とする。〕**以上**であるときに、支給する。

ⅰ　**基準日**に**一般被保険者**（被保険者のうち、**高年齢被保険者**、**短期雇用特例被保険者及び日雇労働被保険者**以外の者をいう。以下教育訓練給付の規定において同じ。）又は**高年齢被保険者**である者

ⅱ　ⅰに掲げる者以外の者であって、**基準日**が当該**基準日**の**直前の一般被保険者**又は**高年齢被保険者でなくなった日**から**１年**〔当該**期間内**に**妊娠**、**出産**、**育児**、**疾病**、**負傷**その他**管轄公共職業安定所の長**が**やむを得ない**と**認める理由**により**引き続き30日以上**当該**教育訓練を開始することができない者**が、当該者に該当するに至った日の翌日から、当該者に該当するに至った日の直前の一般被保険者又は高年齢被保険者でなくなった日から起算して**20年**を経過する日までの間（ⅱにより加算された期間が**20年**に満たない場合は、当該期間の最後の日までの間）に**管轄公共職業安定所の長**にその旨を申し出た場合には、当該**理由**により当該**教育訓練を開始することができない日数**を**加算**するものとし、その**加算された期間**が**20年を超える**ときは、**20年**とする。〕の**期間内**にあるもの

## 概要

支給対象者は、次の通りとなる。

| | |
|---|---|
| (1)　一般教育訓練及び特定一般教育訓練 | 下記①又は②に該当し、厚生労働大臣が指定する教育訓練を修了した者 |
| (2)　専門実践教育訓練 | 下記①又は②に該当し、厚生労働大臣が指定する専門実践教育訓練を修了する見込みで受講している者及び修了した者 |

①　**上記ⅰに該当する者**

教育訓練を**開始した日**（**基準日**）に一般被保険者又は高年齢被保険者であり、支給要件期間が**３年**（初めて教育訓練給付金を受給する場合は**１年**※）**以上**あること。H29-5C　R4-選D

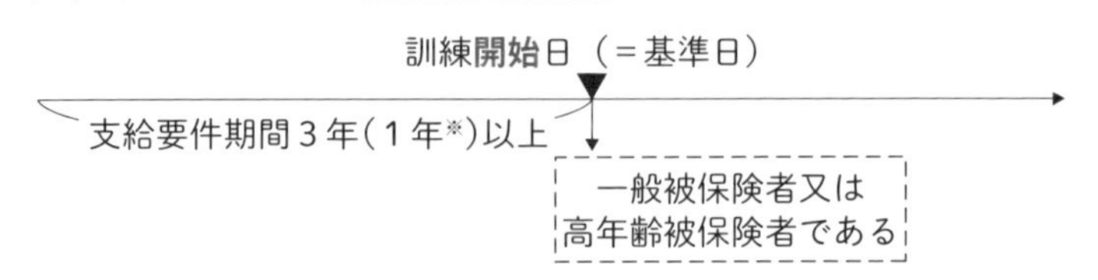


※　専門実践教育訓練の場合は、２年

② 上記ⅱに該当する者

教育訓練を**開始した日**（**基準日**）に一般被保険者又は高年齢被保険者以外のものであって、基準日が直前の一般被保険者又は高年齢被保険者でなくなった日から**1年**（原則）**以内**にあり、かつ、支給要件期間が**3年**（初めて教育訓練給付金を受給する場合は**1年**※）**以上**あること。

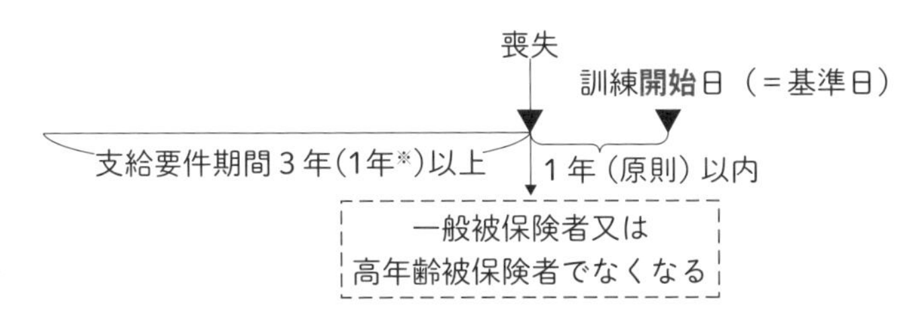


※　専門実践教育訓練の場合は、２年



**・適用対象期間の延長**

基準日において一般被保険者又は高年齢被保険者でない者が、教育訓練給付の支給対象者となるためには、基準日の直前の一般被保険者又は高年齢被保険者でなくなった日が基準日以前１年以内にあることが必要であるが、当該基準日の直前の一般被保険者又は高年齢被保険者でなくなった日から１年以内に**妊娠、出産、育児、疾病、負傷**その他管轄公共職業安定所の長がやむを得ないと認める理由により**引き続き30日以上対象教育訓練の受講を開始することができない日**がある場合には、管轄公共職業安定所長にその旨を申し出ることにより、当該一般被保険者又は高年齢被保険者でなくなった日から基準日までの教育訓練給付の対象となり得る期間（適用対象期間）に当該**教育訓練の受講を開始することができない日数**を加算することができる（**加算後の期間**は**最大20年間**）。

適用対象期間の延長申請は、妊娠、出産、育児、疾病、負傷その他管轄公共職業安定所の長がやむを得ないと認める理由により引き続き30日以上教育訓練の受講を開始できなくなるに至った日の翌日から、当該受講を開始できなくなるに至った日の直前の一般被保険者又は高年齢被保険者でなくなった日から起算して**20年**を経過する日までの間（加算された期間が**20年**に満たない場合は、当該期間の最後の日までの間）に行わなければならない。　（行政手引58021、58024）

**参考** 疾病又は負傷を理由として傷病手当の支給を受ける場合であっても、当該疾病又は負傷に係る期間を適用対象期間の延長の対象に含めるものとする。 R3-6E　（行政手引58022）

## ❸ 支給要件期間（法60条の2,2項、3項）重要度A ★★★

Ⅰ　第60条の２第１項の**支給要件期間**は、教育訓練給付対象者が**基準日**までの間に**同一の事業主**の**適用事業**に引き続いて**被保険者**として**雇用された期間**（当該**雇用された期間**に係る**被保険者となった日前**に**被保険者であった**ことがある者については、当該**雇用された期間**と当該**被保険者であった期間**を**通算した期間**）とする。ただし、当該**期間**に次のⅰⅱに掲げる**期間**が含まれているときは、当該**ⅰⅱに掲げる期間に該当する全ての期間を除いて算定**した期間とする。

ⅰ　当該**雇用された期間**又は当該**被保険者であった期間**に係る**被保険者となった日**の**直前の被保険者でなくなった日**が当該**被保険者となった日前１年の期間内にない**ときは、当該**直前の被保険者でなくなった日前**の**被保険者であった期間**

ⅱ　当該**基準日前**に**教育訓練給付金**の**支給を受けたことがある**ときは、当該**給付金**に係る**基準日前**の**被保険者であった期間**

Ⅱ　**一の被保険者であった期間**に関し、**被保険者となった日**が第９条の規定による**被保険者となったこと**の**確認があった日**の**２年前の日より前**であるときは、当該**確認のあった日の２年前の日**に当該**被保険者となったものとみなして**、Ⅰの規定による算定を行うものとする。

**概要**

支給要件期間とは、教育訓練受講開始日までの間に同一の事業主の適用事業に引き続いて被保険者（一般被保険者、高年齢被保険者又は短期雇用特例被保険者）として雇用された期間をいう。

ただし、その被保険者資格を取得する前に被保険者であったことがあり、被保険者資格の空白期間が**１年以内の場合は、その被保険者であった期間も通算する。** R4-選D

【例】次図においては、赤字の１年と２年を通算して支給要件期間が３年となる。

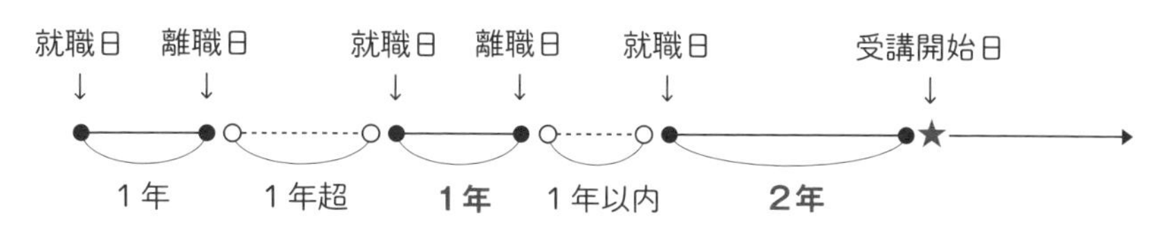


――― ：一般被保険者の期間　　-------- ：被保険者資格喪失期間

・過去に教育訓練給付金を受給したことがある場合、当該教育訓練給付金に係る受講開始日より前の被保険者であった期間は通算しない。

**Check Point!**

□ 離職後1年以内に被保険者資格を再取得した場合には、前の被保険者であった期間も支給要件期間に通算されるが、この場合に基本手当等を受給したかどうかは問われない。 H27-4オ R4-選D （行政手引58012）

# ④ 支給額（法60条の2,4項、則101条の2の2,1項6号、則101条の2の6） 重要度A

## 1 支給対象費用 ★★★

Ⅰ　**教育訓練給付金**の額は、教育訓練給付対象者が第60条の２第１項に規定する**教育訓練**の**受講**のために**支払った費用**の額（当該**教育訓練**の**受講**のために**支払った費用の額**であることについて当該**教育訓練に係る指定教育訓練実施者**により**証明**がされたものに**限る**。）に教育訓練の区分に応じ、**100分の20以上100分の80以下**の範囲内において、それぞれ一定の率を**乗じて得た額**とする。

Ⅱ　Ⅰの**教育訓練**の**受講**のために支払った費用の範囲は次に掲げるものとする。

ⅰ　**入学料**及び**受講料**（**短期訓練受講費**の支給を受けているものを除き、**一般教育訓練**の期間が**1年**を超えるときは、当該**1年**を超える部分に係る**受講料**を除く。）

ⅱ　**一般教育訓練**の**受講開始日前1年以内**に**キャリアコンサルタント**（職業能力開発促進法第30条の３に規定する**キャリアコンサル**

**タント**をいう。以下同じ。）が行う**キャリアコンサルティング**（同法第２条第５項に規定する**キャリアコンサルティング**をいう。以下同じ。）を受けた場合は、その費用（その額が**２万円**を超えるときは、**２万円**）

**・支給対象外の費用**

教育訓練給付金の支給対象となる費用には、**検定試験の受験料**、受講に当たって必ずしも必要とされない**補助教材費**、教育訓練の補講費、教育訓練施設が実施する各種行事参加に係る費用、学債等将来受講者に対して**現金還付**が予定されている費用、受講のための**交通費**及び**パソコン、ワープロ等の器材等の費用**は含まれない。 H27-4エ　（行政手引58014、58215）

## 2 支給率及び上限額等
**（法60条の2,4項、5項、則101条の2の7～則101条の2の10）**

★

Ⅰ　❹1 Ⅰの一定の率（支給率）は、次の通りである。

| | |
|---|---|
| ⅰ　**一般教育訓練**を受け、修了した者 | 100分の**20** |
| ⅱ　**特定一般教育訓練**を受け、修了した者（ⅲに掲げる者を除く。） | 100分の**40** |
| ⅲ　**特定一般教育訓練**を受け、修了し、当該特定一般教育訓練に係る資格の取得等をし、かつ、一般被保険者又は高年齢被保険者（特例高年齢被保険者を除く。以下Ⅰにおいて同じ。）として雇用された者〔当該特定一般教育訓練を修了した日の翌日から起算して１年以内に雇用された者（当該修了した日の翌日から起算して**１年以内**に雇用されることが困難な者として職業安定局長の定める者を含む。）に限る。〕又は雇用されている者〔当該特定一般教育訓練を修了した日において一般被保険者又は高年齢被保険者として雇用されている者であって、当該修了した日の翌日から起算して**１年以内**に当該特定一般教育訓練に係る資格の取得等をしたもの（やむを得ない理由のため当該修了した日の翌日から起算して**１年以内**に当該特定一般教育訓練に係る資格の取得等をすることができない者として職業安定局長の定める者を含む。）に限る。〕 | 100分の**50** |

| | |
|---|---|
| iv　**専門実践教育訓練**を受け、修了した者（当該**専門実践教育訓練を受けている者**を含む。）（v及びviに掲げる者を除く。） | 100分の**50** |
| v　**専門実践教育訓練**を受け、修了し、当該**専門実践教育訓練**に係る資格の取得等をし、かつ、一般被保険者又は高年齢被保険者として雇用された者〔当該修了した日の翌日から起算して**1年以内**に雇用された者（当該修了した日の翌日から起算して**1年以内**に雇用されることが困難な者として職業安定局長の定める者を含む。）に限る。viにおいて同じ。〕又は雇用されている者〔当該修了した日において一般被保険者又は高年齢被保険者として雇用されている者であって、当該修了した日の翌日から起算して**1年以内**に当該専門実践教育訓練に係る資格の取得等をしたもの（やむを得ない理由のため当該修了した日の翌日から起算して**1年以内**に当該専門実践教育訓練に係る資格の取得等をすることができない者として職業安定局長の定める者を含む。）に限る。vi（ロ(1)を除く。）において同じ。〕（viに掲げる者を除く。） | 100分の**70** |
| vi　**専門実践教育訓練**を受け、修了し、当該専門実践教育訓練に係る資格の取得等をし、かつ、一般被保険者又は高年齢被保険者として雇用された者（第101条の2の5第1項［適用対象期間の延長］の規定により加算された期間が**2年を超える者**を除く。）又は雇用されている者のうち、イに掲げる額がロに掲げる額の**100分の105**に相当する額以上である者<br>イ　当該専門実践教育訓練を修了し、当該専門実践教育訓練に係る資格を取得等し、かつ、一般被保険者又は高年齢被保険者として雇用された日から起算して**1年を経過する日までの間**（一般被保険者又は高年齢被保険者として雇用されている者にあっては、当該専門実践教育訓練に係る資格の取得等をした日から起算して**1年を経過する日までの間**）における**連続する6箇月間**（第101条の2の12第7項第1号において「**対象期間**」という。）に支払われた賃金（臨時に支払われる賃金及び3箇月を超える期間ごとに支払われる賃金を除く。）を法第17条［賃金日額］に規定する賃金とみなして同条第1項又は第2項の規定を適用した場合に算定されることとなる賃金日額に相当する額 | 100分の**80** |

| | |
|---|---|
| ロ　次の⑴及び⑵に掲げる者の区分に応じて、それぞれ当該規定に定める額<br>⑴　法第60条の２第１項第１号に規定する**基準日**（専門実践教育訓練に係るものに限る。以下このⅵにおいて「**基準日**」という。）において一般被保険者又は高年齢被保険者として雇用されている者<br>…**基準日の前日**を受給資格に係る離職の日とみなして法第17条（第４項を除く。⑵において同じ。）の規定を適用した場合に算定されることとなる賃金日額に相当する額<br>⑵　⑴に該当しない者<br>…当該者の**基準日前の直近の離職**に係る法第17条の規定に基づき算定される賃金日額 | 100分の**80** |

Ⅱ　教育訓練給付金の額が次のⅰからⅵの区分に応じ、それぞれ当該ⅰからⅵに定める額を超えるときは、当該定める額とする（上限額）。

| | |
|---|---|
| ⅰ　Ⅰⅰに掲げる者 | **10万**円 |
| ⅱ　Ⅰⅱに掲げる者 | **20万**円 |
| ⅲ　Ⅰⅲに掲げる者 | **25万**円 |
| ⅳ　Ⅰⅳに掲げる者※ | **120万**円〔連続した２支給単位期間（当該**専門実践教育訓練**を修了した日が属する場合であって、支給単位期間が連続して２ないときは１支給単位期間）ごとに支給する額は、**40万**円を限度とし、一の**支給限度期間**ごとに支給する額は、**192万**円を限度とする。〕 |
| ⅴ　Ⅰⅴに掲げる者※ | **168万**円〔連続した２支給単位期間（当該**専門実践教育訓練**を修了した日が属する場合であって、支給単位期間が連続して２ないときは１支給単位期間）ごとに支給する額は、**56万**円を限度とし、一の**支給限度期間**ごとに支給する額は、**192万**円を限度とする。〕 |
| ⅵ　Ⅰⅵに掲げる者※ | **192万**円〔連続した２支給単位期間（当該**専門実践教育訓練**を修了した日が属する場合であって、支給単位期間が連続して２ないときは１支給単位期間）ごとに支給する額は、**64万**円を限度とし、一の**支給限度期間**ごとに支給する額は、**192万**円を限度とする。〕 |

※　長期専門実践教育訓練を受講している者は、「120万円」が「160万円」と、「192万円」が「256万円」と、「168万円」が「224万円」となる。

Ⅲ　第60条の２第１項及び1Ⅰの規定にかかわらず、**教育訓練給付金の額**として**算定された額**が**4,000円を超えない**とき、又は**教育訓練給付対象者**が**基準日前３年以内**に**教育訓練給付金**の支給を受けたことがあるときは、**教育訓練給付金**は、**支給しない**。H28-6B R4-選E

**概要**

支給率及び上限額等をまとめると、次の通りとなる。

| | 一般教育訓練 | 特定一般教育訓練 | 専門実践教育訓練 |
|---|---|---|---|
| 本体給付 | 20%※<br>上限10万円 | 40%<br>上限20万円 | 50%<br>上限120万円<br>（連続した２支給単位期間：40万円） |
| 本体給付<br>＋追加給付① | － | 50%<br>上限25万円 | 70%<br>上限168万円<br>（連続した２支給単位期間：56万円） |
| 本体給付<br>＋追加給付①<br>＋追加給付② | － | － | 80%<br>上限192万円<br>（連続した２支給単位期間：64万円） |
| 一の支給限度期間の上限 | － | － | 192万円 |
| 不支給 | ・教育訓練給付金の額として算定された額が**4,000円以下**のとき<br>・今回の教育訓練開始日前**３年以内**に教育訓練給付金の支給を受けたことがあるとき | | |

※　一般教育訓練受講開始日前１年以内に受けたキャリアコンサルティング（任意）の費用（上限：２万円×20%）も対象となる。

### 1．本体給付

教育訓練を受け、修了した者（専門実践教育訓練については、受講中の者を含む。）に対して支給するものをいう。

## 2. 追加給付①

次のいずれかに該当する者に支給するものをいう。

(1) 教育訓練を修了し、当該教育訓練に係る資格の取得等をし、かつ、当該教育訓練の修了日の翌日起算1年以内に一般被保険者又は高年齢被保険者（特例高年齢被保険者を除く。以下同じ。）として雇用された者

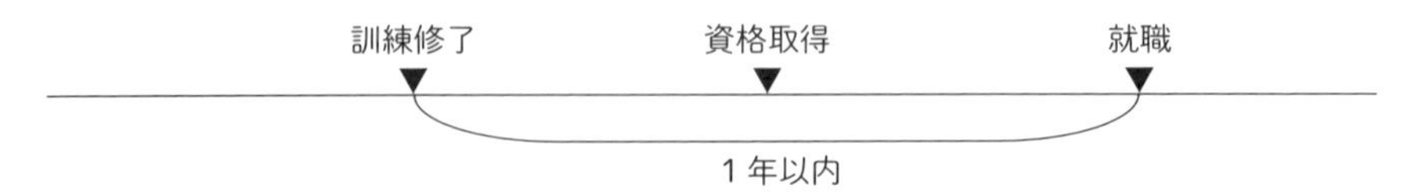


(2) 当該教育訓練の修了日において一般被保険者又は高年齢被保険者として雇用されている者であって、当該修了日の翌日起算1年以内に当該教育訓練に係る資格の取得等をしたもの

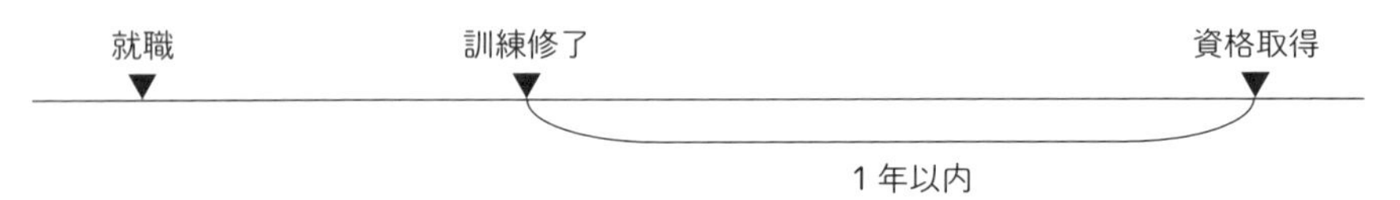


## 3. 追加給付②

教育訓練修了前後の賃金を比較し、**5%以上**上昇していた場合に支給するものをいう。

具体的には、(1)の教育訓練後の賃金額が(2)の教育訓練前の賃金額の**100分の105**に相当する額以上である場合に支給される。

(1) 教育訓練を修了し、当該教育訓練に係る資格を取得等し、かつ、一般被保険者又は高年齢被保険者として雇用された日※1から起算して**1年を経過する日までの間**における連続する6箇月間に支払われた賃金※2を法第17条［賃金日額］に規定する賃金とみなした場合に算定されることとなる賃金日額に相当する額

※1　資格の取得等より先に雇用されている者にあっては、当該資格の取得等をした日

※2　臨時に支払われる賃金及び3箇月を超える期間ごとに支払われる賃金を除く。

(2) 教育訓練開始日前の直近の離職に係る賃金日額※

※　教育訓練開始日において雇用されている者にあっては、訓練開始日の前日を離職日とみなした場合に算定される賃金日額相当額

(例１) 離職者の場合

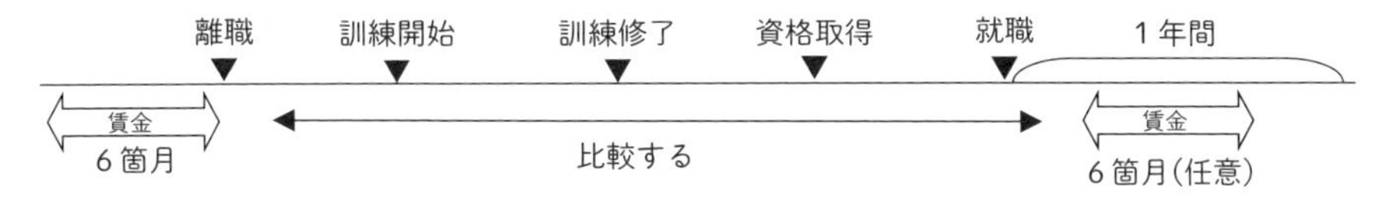


(例２) 在職者の場合

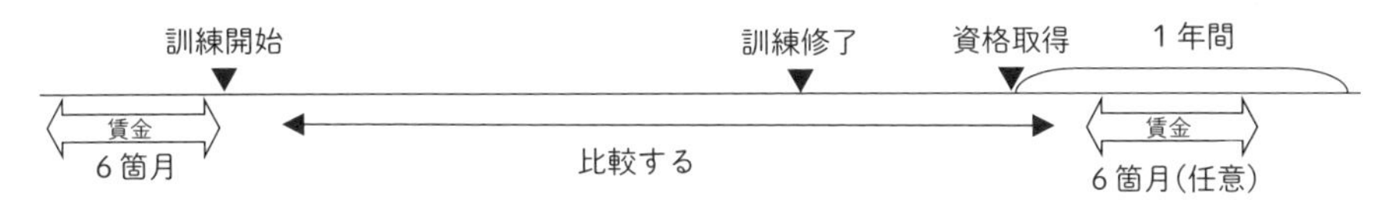




## 4. 支給単位期間

専門実践教育訓練給付金の対象となるか否かについては、専門実践教育訓練の**受講開始日**から**6箇月ごと**の期間を単位として判断する。具体的には、受講開始日又は当該専門実践教育訓練を受けている期間において**6箇月ごと**に**受講開始日**に応当し、かつ当該専門実践教育訓練を受けている期間内にある日（その日に応当する日がない月においては、その月の末日。以下「応当日」という。）から、それぞれその６月後の応当日の前日（当該専門実践教育訓練を修了した日の属する月にあっては、当該専門実践教育訓練を修了した日）までの**6箇月間**を単位とする（以下「支給単位期間」という。）。

この支給単位期間において、支給要件を満たした場合に専門実践教育訓練給付金を支給する。

（則101条の２の12,4項、行政手引58214）

## 5. 支給限度期間

「**支給限度期間**」とは、基準日（専門実践教育訓練に係るものに限る。以下**5.**において「基準日」という。）から**10年**を経過する日までの一の期間をいう。ただし、当該基準日に係る一の支給限度期間内に他の基準日（以下「２回目以降基準日」という。）がある場合における当該２回目以降基準日から10年を経過する日までの一の期間を除く。

（則101条の２の8,2項）

**参考**（長期専門実践教育訓練）
専門実践教育訓練のうち栄養士法に規定する管理栄養士養成施設により行われる教育訓練その他の法令の規定により４年の修業年限が規定されている教育訓練をいう。

（則101条の２の8,3項）

# ⑤ 支給申請手続 重要度A

## 1 支給申請手続の概要

教育訓練給付金の支給申請手続をまとめると、次の通りである。

| | 一般教育訓練 | 特定一般教育訓練 | 専門実践教育訓練 |
|---|---|---|---|
| **訓練開始前（受給資格確認票）**※ | − | 訓練開始**14日前**まで | 訓練開始**14日前**まで |
| **本体給付（支給申請書）** | 訓練修了日翌日起算**1箇月**以内 | 訓練修了日翌日起算**1箇月**以内 | 支給単位期間の末日の翌日起算**1箇月**以内 |
| **追加給付①（支給申請書）** | − | 追加給付①の要件該当日の翌日起算**1箇月**以内 | 追加給付①の要件該当日の翌日起算**1箇月**以内 |
| **追加給付②（支給申請書）** | − | − | 追加給付①の要件該当日の翌日から6箇月経過日起算**6箇月**以内 |
| **提出先** | 管轄公共職業安定所長 | | |

※　特定一般教育訓練及び専門実践教育訓練については、訓練開始14日前までに訓練前キャリアコンサルティング（無料）を受けた上で受給資格確認票を提出しなければならない。

## 2 一般教育訓練に係る教育訓練給付金の支給申請手続（則101条の2の11,1項）

★★★

**教育訓練給付対象者**は、**一般教育訓練**に係る教育訓練給付金の支給を受けようとするときは、当該教育訓練給付金の支給に係る**一般教育訓練**を**修了した日の翌日から起算して1箇月以内**に、**教育訓練給付金支給申請書**に一定の書類を添えて**管轄公共職業安定所の長**に提出しなければならない。 H27-4ア R元-4C R5-7D

参考（申請者）
一般教育訓練給付金の支給申請は、本人自身が管轄公共職業安定所に出頭して行うほか、代理人（提出代行を行う社会保険労務士を含む。）、郵送又は電子申請により行うこととしても差し支えない（代理人による申請の場合は委任状を必要とする。）（特定一般教育訓練給付金及び専門実践教育訓練給付金も同様）。 R5-7B
（行政手引58015、58031、58115、58132、58216、58232）

（添付書類）
教育訓練給付金支給申請書には、原則として、次の書類を添えなければならない。

⑴一般教育訓練修了証明書
⑵当該教育訓練給付金の支給に係る一般教育訓練の受講のために支払った**費用の額を証明**することができる書類
⑶一般教育訓練開始日前１年以内に受けたキャリアコンサルティングに係る費用の額を証明することができる書類及び当該一般教育訓練に係る教育訓練給付金の支給を受けようとする者の就業に関する目標その他職業能力の開発及び向上に関する事項について、キャリアコンサルティングを踏まえて記載した職務経歴等記録書（職業能力開発促進法第15条の４第１項に規定する職務経歴等記録書をいう。）
⑷その他職業安定局長が定める書類
（則101条の２の11,1項）

（支払）
管轄公共職業安定所の長は、一般教育訓練に係る教育訓練給付金の支給を決定したときは、その日の翌日から起算して７日以内に教育訓練給付金を支給するものとする。
（則101条の２の13）

## 3 特定一般教育訓練に係る教育訓練給付金の支給申請手続（則101条の2の11の2）

★★★

Ⅰ　教育訓練給付対象者であって、**特定一般教育訓練**に係る教育訓練給付金の支給を受けようとするもの（以下この条において「**特定一般教育訓練受講予定者**」という。）は、当該**特定一般教育訓練**を**開始**する日の**14日前**までに、教育訓練給付金及び教育訓練支援給付金**受給資格確認票**に一定の書類を添えて**管轄公共職業安定所の長**に提出しなければならない。

Ⅱ　管轄公共職業安定所の長は、Ⅰの規定により教育訓練給付金及び教育訓練支援給付金**受給資格確認票**を提出した特定一般教育訓練受講予定者が教育訓練給付対象者であって第101条の２の７第２号に掲げる者（**本体給付の要件を満たす者**）に該当するものと認めたときは、次のⅰⅱに掲げる事項を通知しなければならない。
ⅰ　教育訓練給付金を支給する旨
ⅱ　第101条の２の７第３号に掲げる者（**追加給付①の要件を満たす者**）に該当するに至ったときに当該特定一般教育訓練に係る教育訓練給付金の支給申請を行うべき期間

Ⅲ　Ⅱの規定による通知を受けた第101条の２の７第２号に掲げる者（**本体給付の要件を満たす者**）に該当する教育訓練給付対象者は、特定一般教育訓練に係る教育訓練給付金の支給を受けようとするときは、当該教育訓練給付金の支給に係る特定一般教育訓練を**修了した**

第2章 第4節

**日の翌日から起算して1箇月以内**に、教育訓練給付金支給申請書に一定の書類を添えて管轄公共職業安定所の長に提出しなければならない。

Ⅳ　Ⅱの規定による通知を受けた第101条の2の7第3号に掲げる者（**追加給付①の要件を満たす者**）に該当する教育訓練給付対象者は、特定一般教育訓練に係る教育訓練給付金（**追加給付①**）の支給を受けようとするときは、一定の書類を添えて教育訓練給付金支給申請書を管轄公共職業安定所の長に提出しなければならない。

Ⅴ　Ⅳの規定による教育訓練給付金支給申請書の提出は、当該特定一般教育訓練を修了し、当該特定一般教育訓練に係る資格を取得等し、かつ、一般被保険者又は高年齢被保険者（特例高年齢被保険者を除く。以下「**❺支給申請手続**」において同じ。）として雇用された日の翌日から起算して**1箇月以内**（一般被保険者又は高年齢被保険者として雇用されている者にあっては、当該特定一般教育訓練を修了し、かつ、当該特定一般教育訓練に係る資格を取得等した日の翌日から起算して**1箇月以内**）にしなければならない。

**Check Point!**

☐ 特定一般教育訓練給付金の支給を受けようとする者は、当該訓練開始14日前までに、訓練前キャリアコンサルティングを受け、職務経歴等記録書（ジョブ・カード）を作成し、管轄公共職業安定所において、受給資格確認を行うことが必要である。

### 1.　受講前の手続

特定一般教育訓練給付金の支給を受けようとする者は、担当キャリアコンサルタントによる訓練前キャリアコンサルティングにおいて就業の目標、職業能力の開発・向上に関する事項を記載した職務経歴等記録書（ジョブ・カード）の交付を受けたあと、**基準日の14日前まで**に教育訓練給付金及び教育訓練支援給付金受給資格確認票に一定の書類を添付して管轄公共職業安定所の長に提出しなければならない。R3-6A

**参考**（特定一般教育訓練受講前の提出書類）

(1)担当キャリアコンサルタント（キャリアコンサルタントであって厚生労働大臣が定めるものをいう。以下（訓練前キャリアコンサルティング実施上の留意事項）及び④において同じ。）が、当該特定一般教育訓練受講予定者の就業に関する目標その他職業能力の開発及び向上に関する事項について、キャリアコンサルティングを踏まえて記載した**職務経歴等記録書** R3-6A R5-7C

(2)運転免許証その他の特定一般教育訓練受講予定者が本人であることを確認することができる書類

(3)過去に特定一般教育訓練又は専門実践教育訓練を受けた場合にあっては、**過去に受けた**特定一般教育訓練又は専門実践教育訓練による**キャリア形成等の効果等**を把握することができる書類

(4)その他職業安定局長が定める書類 （則101条の２の11の2,1項）

（訓練前キャリアコンサルティング実施上の留意事項）

担当キャリアコンサルタントは、次に掲げる事項に留意しつつ、訓練前キャリアコンサルティングを実施するものとする。

①特定一般教育訓練受講予定者の速やかな再就職及び早期のキャリア形成に資する適切な特定一般教育訓練の選択を支援すること。

②特定一般教育訓練受講予定者に対し、自らが役員である又は自らを雇用する法人又は団体の行う特定一般教育訓練を受けるよう不当な勧誘を行わないこと。

（則101条の２の11の2,6項）

## 2. 支給申請手続

### (1) 本体給付の支給申請手続

特定一般教育訓練給付金（本体給付）の支給を受けようとするときは、特定一般教育訓練を修了した日の翌日から起算して１箇月以内に、教育訓練給付金支給申請書に一定の書類を添えて管轄公共職業安定所の長に提出しなければならない。 （則101条の２の11の2,3項）

### (2) 追加給付①の支給申請手続

特定一般教育訓練給付金（**追加給付①**）の支給を受けようとするときは、追加給付①の要件を満たした日（**資格取得等＋雇用の両要件を満たした日**）の翌日から起算して**１箇月以内**に教育訓練給付金支給申請書を管轄公共職業安定所の長に提出しなければならない。 （則101条の２の11の2,4項）

参考（受講中の離職により被保険者資格を喪失した場合の取扱い）

特定一般教育訓練給付金に係る支給要件期間は、基準日（対象教育訓練の受講開始日）において判断されるので、対象特定一般教育訓練を受講中の支給対象者が教育訓練期間中に被保険者資格を喪失した場合であっても、対象特定一般教育訓練開始日において支給要件期間が３年又は１年（当分の間、初回のみ）以上ある者については、対象特定一般教育訓練に係る修了の要件を満たす場合、支給の対象となる。 R5-7A

また、被保険者資格喪失後に基本手当等の受給資格者となった場合についても同様である。

（行政手引58151）

## 4 専門実践教育訓練に係る教育訓練給付金の支給申請手続（則101条の2の12,1項～3項、5項～7項）

★★

Ⅰ　教育訓練給付対象者であって、専門実践教育訓練に係る教育訓練給付金の支給を受けようとするもの（以下「**専門実践教育訓練受講予定者**」という。）は、当該専門実践教育訓練を**開始する日の14日前**までに、**職務経歴等記録書**等の必要書類及び運転免許証その他の専門実践教育訓練受講予定者が本人であることを確認することができる書類を添えて、又は**職務経歴等記録書**等の必要書類の添付に併せて**個人番号カード**を**提示**して**教育訓練給付金及び教育訓練支援給付金受給資格確認票**を**管轄公共職業安定所の長**に提出しなければならない。H28-6A R5-7E

Ⅱ　**管轄公共職業安定所の長**は、Ⅰの規定により**教育訓練給付金**及び**教育訓練支援給付金受給資格確認票**を提出した**専門実践教育訓練受講予定者**が教育訓練給付対象者であって第101条の２の７第４号に掲げる者（**本体給付の要件を満たす者**）に該当するものと認めたときは、**教育訓練給付金**及び**教育訓練支援給付金受給資格者証**（**個人番号カード**を**提示**してⅠの規定による提出をした**教育訓練給付対象者**であって、**教育訓練受給資格通知**※の交付を希望するものにあっては、**教育訓練受給資格通知**）に必要な事項を記載した上、当該**専門実践教育訓練受講予定者**に交付するとともに、次のⅰⅱに掲げる事項を通知しなければならない。

ⅰ　**支給単位期間**（既に行った支給申請に係る支給単位期間を除く。Ⅳにおいて同じ。）ごとに当該専門実践教育訓練に係る教育訓練給付金の**支給申請を行うべき期間**

ⅱ　第101条の２の７第５号又は第６号に掲げる者（**追加給付①又は追加給付②の要件を満たす者**）に該当するに至ったときに当該専門実践教育訓練に係る教育訓練給付金の**支給申請を行うべきそれぞれの期間**

※　当該者の氏名、被保険者番号、性別、生年月日、教育訓練講座名、訓練期間、給付に係る処理状況その他の職業安定局長が定める事項を記載した通知をいう。

Ⅲ　**管轄公共職業安定所の長**は、Ⅱｉに規定する支給申請を行うべき期間を定めるに当たっては、**一支給単位期間**について、当該**支給単位期間の末日の翌日から起算して１箇月**を超えない範囲で定めなければならない。ただし、管轄公共職業安定所の長が必要があると認めるときは、この限りでない。

Ⅳ　Ⅱの規定による通知を受けた第101条の２の７第４号に掲げる者（**本体給付の要件を満たす者**）に該当する**教育訓練給付対象者**は、**支給単位期間**について専門実践教育訓練に係る教育訓練給付金（**本体給付**）の支給を受けようとするときは、Ⅱｉに規定する支給申請を行うこととされた期間内に、**受講証明書**等の必要書類及び教育訓練給付金及び**教育訓練支援給付金受給資格者証**を添えて（当該教育訓練給付対象者が教育訓練受給資格通知の交付を受けた場合にあっては、**受講証明書**等の必要書類の添付に併せて**個人番号カード**を**提示**して）**教育訓練給付金支給申請書**を**管轄公共職業安定所の長**に提出しなければならない。

Ⅴ　Ⅱの規定による通知を受けた第101条の２の７第５号に掲げる者（**追加給付①の要件を満たす者**）に該当する教育訓練給付対象者は、専門実践教育訓練に係る教育訓練給付金（**追加給付①**）の支給を受けようとするときは、**専門実践教育訓練の受講のために支払った費用の額**を証明することができる書類等の必要書類及び**教育訓練給付金及び教育訓練支援給付金受給資格者証**を添えて（当該教育訓練給付対象者が**教育訓練受給資格通知**の**交付**を受けた場合にあっては、当該必要書類の添付に併せて**個人番号カード**を**提示**して）**教育訓練給付金支給申請書**を**管轄公共職業安定所の長**に提出しなければならない。

Ⅵ　Ⅴの規定による教育訓練給付金支給申請書の提出は、当該専門実践教育訓練を修了し、当該専門実践教育訓練に係る資格を取得等し、かつ、一般被保険者又は高年齢被保険者として雇用された日の翌日から起算して**１箇月以内**（一般被保険者又は高年齢被保険者として雇用されている者にあっては、当該専門実践教育訓練を修了し、かつ、当該専門実践教育訓練に係る資格を取得等した日の翌日から起算して**1箇月以内**）にしなければならない。

Ⅶ　Ⅱの規定による通知を受けた第101条の2の7第6号に掲げる者（**追加給付②の要件を満たす者**）に該当する教育訓練給付対象者は、専門実践教育訓練に係る教育訓練給付金（**追加給付②**）の支給を受けようとするときは、次のⅰⅱに掲げる書類及び教育訓練給付金及び教育訓練支援給付金受給資格者証を添えて（当該教育訓練給付対象者が教育訓練受給資格通知の交付を受けた場合にあっては、次のⅰⅱに掲げる書類の添付に併せて個人番号カードを提示して）教育訓練給付金支給申請書を管轄公共職業安定所の長に提出しなければならない。

ⅰ　対象期間に支払われた賃金の額及び当該被保険者の基準日の直前の離職の日前の賃金の額（一般被保険者又は高年齢被保険者として雇用されている者にあっては、基準日前の賃金の額）を証明することができる書類

ⅱ　その他厚生労働大臣が定める書類

Ⅷ　Ⅶの規定による教育訓練給付金支給申請書の提出は、当該専門実践教育訓練を修了し、当該専門実践教育訓練に係る資格を取得等し、かつ、一般被保険者又は高年齢被保険者として雇用された日の翌日から**6箇月を経過した日**から起算して**6箇月以内**（一般被保険者又は高年齢被保険者として雇用されている者にあっては、当該専門実践教育訓練を修了し、かつ、当該専門実践教育訓練に係る資格を取得等した日の翌日から**6箇月を経過した日**から起算して**6箇月以内**）にしなければならない。

### 1.　受講前の手続

専門実践教育訓練給付金の支給を受けようとする者は、担当キャリアコンサルタントによる訓練前キャリアコンサルティングにおいて就業の目標、職業能力の開発・向上に関する事項を記載した職務経歴等記録書（ジョブ・カード）の交付を受けたあと、基準日の14日前までに職務経歴等記録書等の必要書類及び本人確認書類を添えて、又は職務経歴等記録書等の必要書類の添付に併せて個人番号カードを提示して教育訓練給付金及び教育訓練支援給付金受給資格確認票を管轄公共職業安定所の長に提出しなければならない。

**参考**（専門実践教育訓練受講前の提出書類）

(1)担当キャリアコンサルタントが、当該専門実践教育訓練受講予定者の就業に関する目標その他職業能力の開発及び向上に関する事項について、キャリアコンサルティングを踏まえて記載した職務経歴等記録書

(2)過去に特定一般教育訓練又は専門実践教育訓練を受けた場合にあっては、過去に受けた特定一般教育訓練又は専門実践教育訓練によるキャリア形成等の効果等を把握することができる書類

(3)その他職業安定局長が定める書類　（則101条の２の12,1項）

（訓練前キャリアコンサルティング実施上の留意事項）

担当キャリアコンサルタントは、次に掲げる事項に留意しつつ、訓練前キャリアコンサルティングを実施するものとする。

①専門実践教育訓練受講予定者の中長期的なキャリア形成に資する適切な専門実践教育訓練の選択を支援すること。

②専門実践教育訓練受講予定者に対し、自らが役員である又は自らを雇用する法人又は団体の行う専門実践教育訓練を受けるよう不当な勧誘を行わないこと。

（則101条の２の12,9項）

## 2. 支給申請手続

### (1) 本体給付の支給申請手続

専門実践教育訓練給付金（**本体給付**）の支給を受けようとするときは、受給資格決定時に通知された各支給単位期間ごとの支給申請期間内（当該**支給単位期間の末日の翌日**から起算して**１箇月以内**）に支給申請を行わなければならない。　（行政手引58238）

### (2) 追加給付①の支給申請手続

専門実践教育訓練給付金（**追加給付①**）の支給を受けようとするときは、追加給付①の要件を満たした日（**資格取得等＋雇用の両要件を満たした日**）の翌日から起算して**１箇月以内**に教育訓練給付金支給申請書を管轄公共職業安定所の長に提出しなければならない。　（則101条の２の12,6項）

### (3) 追加給付②の支給申請手続

専門実践教育訓練給付金（**追加給付②**）の支給を受けようとするときは、**追加給付①**の要件を満たした日（**資格取得等＋雇用の両要件を満たした日**）の翌日から**６箇月を経過した日**から起算して**６箇月以内**に教育訓練給付金支給申請書を管轄公共職業安定所の長に提出しなければならない。

（則101条の２の12,7項）

# ❻ 教育訓練支援給付金
## （法附則11条の2,1項、則附則25条、26条） 重要度A

★★

Ⅰ　教育訓練支援給付金は、**教育訓練給付対象者**（**教育訓練給付金の支給を受けたことがない者**のうち、一般被保険者でなくなった日から、原則として**１年の期間内**にある者であって、厚生労働省令で定めるものに限る。）であって、厚生労働省令で定めるところにより、**令和９年３月31日以前**に**専門実践教育訓練**を**開始**したもの（当該教育訓練を開始した日における年齢が**45歳未満**であるものに限る。）が、当該教育訓練を受けている日（当該教育訓練に係る指定教育訓練実施者によりその旨の証明がされた日に限る。）のうち**失業**している日（**失業**していることについての**認定**を受けた日に限る。）について支給する。R3-6D

Ⅱ　Ⅰの厚生労働省令で定める者は、専門実践教育訓練に係る教育訓練給付金（**本体給付**）の支給要件に該当する者〔第101条の２の５第１項［適用対象期間の延長］の規定により加算された期間が**４年を超える者**及び**夜間**において教育訓練を行う教育訓練講座その他の**就業を継続して**教育訓練を受けることができる教育訓練講座の教育訓練を受け、**修了**した者（当該教育訓練を受けている者を含む。）を**除く**。〕であって、**基準日前**に**教育訓練支援給付金の支給**を**受けたことがない者**（専門実践教育訓練の修了が見込まれない者その他厚生労働大臣が定める者を除く。）とする。

**趣旨**

45歳未満の離職者であって初めて専門実践教育訓練給付金を受給するものに対し、専門実践教育訓練期間中に、失業の認定を受けた日について、離職前の賃金に基づき算出した額（基本手当日額の60％）を２箇月ごとに支給する制度である（**令和９年３月31日までの時限措置**）。H27-4イ

### 1．支給要件

教育訓練支援給付金の支給要件は、次の通りである。

⑴　専門実践教育訓練に係る教育訓練給付金（**本体給付**）の支給要件に該当す

ること〔適用対象期間の延長措置（妊娠、出産等の理由により適用対象期間を最大20年まで延長する措置）により、延長後の適用対象期間が４年を超えることとなる者を除く。〕

⑵ 専門実践教育訓練を修了する見込みがあること

⑶ 専門実践教育訓練の開始日に45歳未満であること R3-6D

⑷ 受講する専門実践教育訓練が通信制または夜間制ではないこと

⑸ 基準日に一般被保険者ではないこと。また、短期雇用特例被保険者又は日雇労働被保険者になっていないこと

⑹ 会社の役員等に就任していないこと

⑺ 今回の専門実践教育訓練の開始日前に教育訓練支援給付金を受けたことがないこと

⑻ 原則として、教育訓練給付金を受けたことがないこと

⑼ 専門実践教育訓練の開始日が令和９年３月31日以前であること

なお、基本手当の受給期間内で、かつ、支給残日数の範囲内である期間については教育訓練支援給付金は支給しない。H28-6E

（法附則11条の2,4項、行政手引58511、58615）



## 2. 受給資格の決定

⑴ 教育訓練支援給付金の支給を受けようとする者（以下「教育訓練支援給付金受給予定者」という。）は、管轄公共職業安定所に出頭し、離職票等の必要書類及び運転免許証その他の教育訓練支援給付金受給予定者本人であることを確認することができる書類を添えて又は離職票等の必要書類の添付に併せて個人番号カードを提示して教育訓練給付金及び教育訓練支援給付金受給資格確認票を提出しなければならない。

⑵ ⑴の規定による教育訓練給付金及び教育訓練支援給付金受給資格確認票の提出は、専門実践教育訓練を**開始する**日の**14日前**まで（当該専門実践教育訓練を開始する日の１箇月前の日後に一般被保険者でなくなった教育訓練支援給付金受給予定者にあっては、一般被保険者でなくなった日の翌日から**1箇月**を経過する日までとする。）にしなければならない。

⑶ 管轄公共職業安定所の長は、教育訓練給付金及び教育訓練支援給付金受給資格確認票を提出した教育訓練支援給付金受給予定者が、教育訓練支援給付金の支給要件に該当すると認めたときは、支給単位期間（既に行った支給申請に係る支給単位期間を除く。）について当該教育訓練支援給付金の支給に係る失業の認定を受けるべき日を定め、当該教育訓練支援給付金受給予定者

に知らせるとともに、**教育訓練給付金及び教育訓練支援給付金受給資格者証**（個人番号カードを提示して(1)の規定による提出をした教育訓練支援給付金受給予定者であって、教育訓練受給資格通知の交付を希望するものにあっては、教育訓練受給資格通知）に必要な事項を記載した上、交付しなければならない。

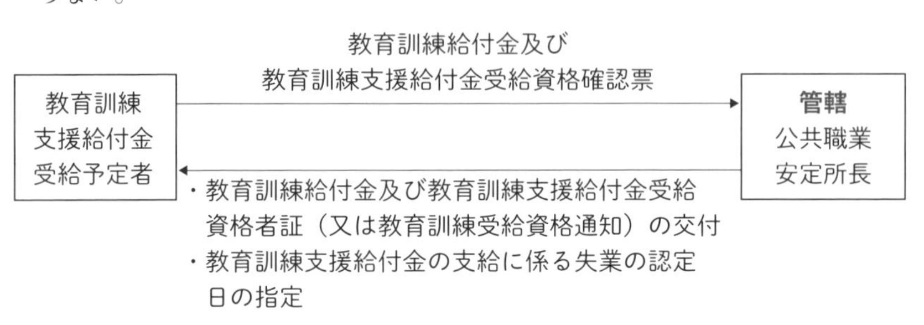


（則附則27条１項、３項）

参考「**支給単位期間**」とは、専門実践教育訓練を受けている期間を、当該専門実践教育訓練を開始した日（当該専門実践教育訓練を開始する日の１箇月前の日後に一般被保険者でなくなった教育訓練支援給付金を受ける資格を有する者にあっては、(3)により教育訓練支援給付金に係る受給資格を決定した日）から起算して**２箇月**を経過した日又は当該専門実践教育訓練を受講している期間において**２箇月**ごとにその日に応当し、かつ、当該専門実践教育訓練を受けている期間内にある日（その日に応当する日がない月においては、その月の末日。以下「訓練開始応当日」という。）からそれぞれ**２箇月後**の訓練開始応当日の前日（当該専門実践教育訓練を終了した日の属する月にあっては、当該専門実践教育訓練を終了した日）までの各期間に区分した場合における当該区分による一の期間をいう。
なお、当該専門実践教育訓練を修了したことにより終了した場合は、修了した日の属する支給単位期間まで支給することが可能であるが、修了以外の何らかの理由で当該専門実践教育訓練を終了した場合、当該終了した日を含む支給単位期間は支給対象としない。
（則附則27条４項、行政手引58522）

## ３．失業の認定

(1) 教育訓練支援給付金を受ける資格を有する者は、教育訓練支援給付金の支給に係る失業の認定を受けようとするときは、当該教育訓練支援給付金の支給に係る**失業の認定を受けるべき日**に、管轄公共職業安定所に出頭し、**教育訓練給付金及び教育訓練支援給付金受給資格者証**〔基本手当の受給資格の決定を受けている者である場合（当該者が受給資格通知の交付を受けた場合を除く。）にあっては、**併せて受給資格者証**〕を添えて（当該者が**教育訓練受給資格通知**の**交付**を受けた場合にあっては、**個人番号カード**を**提示**して）**教育訓練支援給付金受講証明書**を提出しなければならない。

(2) (1)の規定による教育訓練支援給付金の支給に係る失業の認定は、**2.**(3)に規定する当該教育訓練支援給付金の支給に係る失業の認定を受けるべき日にしなければならない。

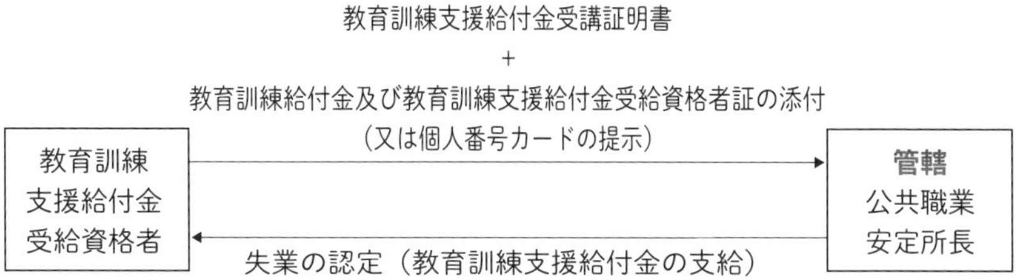

教育訓練支援給付金受講証明書
＋
教育訓練給付金及び教育訓練支援給付金受給資格者証の添付
（又は個人番号カードの提示）

| 教育訓練支援給付金受給資格者 | → 教育訓練支援給付金受講証明書＋教育訓練給付金及び教育訓練支援給付金受給資格者証の添付（又は個人番号カードの提示）<br>← 失業の認定（教育訓練支援給付金の支給） | **管轄**公共職業安定所長 |
|---|---|---|

失業の認定（教育訓練支援給付金の支給）

（則附則28条）

**参考** 管轄公共職業安定所の長は、教育訓練支援給付金を受ける資格を有する者が法附則第11条の２第５項で準用する法第21条の規定による期間（待期期間）を満了した後管轄公共職業安定所に出頭したときは、その者について支給日を定め、その者に通知するものとする。
（則附則29条）

## 4. 支給額

教育訓練支援給付金の額は、一支給単位期間について、基本手当日額の**100分の60**相当額に次の⑴⑵に掲げる支給単位期間の区分に応じて⑴⑵に定める日数（「支給日数」という。）を乗じて得た額とする。H27-選B

| | |
|---|---|
| ⑴　⑵に掲げる支給単位期間以外の支給単位期間 | 当該支給単位期間において教育訓練支援給付金の支給に係る失業の認定を受けた日数 |
| ⑵　専門実践教育訓練を修了した日の属する支給単位期間 | 当該支給単位期間における専門実践教育訓練を開始した日又は訓練開始応当日から当該専門実践教育訓練を修了等した日までの期間において教育訓練支援給付金の支給に係る失業の認定を受けた日数 |

（法附則11条の2,3項、則附則27条５項）

# 雇用継続給付

## ① 高年齢雇用継続給付（法10条6項1号、法61条1項、法61条の2,1項） 重要度 A

★★★

**高年齢雇用継続給付**には、次の２つの種類がある。

ⅰ　**高年齢雇用継続基本給付金**

**基本手当※を受給せず**に雇用を継続する者に対して支給するもの

H27-5A

ⅱ　**高年齢再就職給付金**

**基本手当※を受給した後**再就職した者に対して支給するもの

H27-5D

※　基本手当の支給を受けたものとみなされる傷病手当等を含む。

**趣旨**

雇用継続給付のうち、高年齢雇用継続給付は、一定の要件に該当する60歳以上65歳以下の被保険者が60歳到達時点等の賃金と比較して、その75％未満の賃金で就労しているときに支給される。この給付を行うことにより、高年齢者の就業意欲を維持、喚起して、65歳までの雇用の継続を援助、促進することを目的とするものである。

**Check Point!**

□ 高年齢雇用継続給付の支給申請手続をまとめると、次の通りとなる。

| 給付 | 提出期限 | | 申請書等 | 提出先 |
|---|---|---|---|---|
| 高年齢雇用継続基本給付金 | 初回 | 最初の支給対象月の初日から起算して**4箇月**以内 | 高年齢雇用継続給付受給資格確認票・（初回）高年齢雇用継続給付支給申請書<br>＋<br>**60歳到達時等賃金証明書** | **所轄**公共職業安定所長（事業主経由） |
| | 2回目以降 | 公共職業安定所長の定めた支給申請を行うべき月 | 高年齢雇用継続給付支給申請書 | |
| 高年齢再就職給付金 | 初回 | 再就職後の最初の支給対象月の初日から起算して**4箇月**以内 | 高年齢雇用継続給付受給資格確認票・（初回）高年齢雇用継続給付支給申請書 | |
| | 2回目以降 | 公共職業安定所長の定めた支給申請を行うべき月 | 高年齢雇用継続給付支給申請書 | |

□ 高年齢再就職給付金の支給申請の際は、申請書に60歳到達時等賃金証明書を添付する必要はない。

# ❷ 高年齢雇用継続基本給付金 重要度A

## 1 支給要件等（法61条1項、6項、令和6年厚労告250号、252号）

★★★

Ⅰ　**高年齢雇用継続基本給付金**は、**被保険者**（**短期雇用特例被保険者**及び**日雇労働被保険者**を**除く**。以下「**高年齢雇用継続基本給付金**」の規定において同じ。）に対して**支給対象月**（当該**被保険者**がⅰに該当しなくなったときは、ⅰに該当しなくなった日の属する**支給対象月**以後の**支給対象月**）に支払われた**賃金の額**（**支給対象月**において非行、疾病その他の厚生労働省令で定める理由により**支払を受けることができなかった賃金**がある場合には、その**支払を受けたものとみなして算定した賃金の額**。以下Ⅰにおいて同じ。）が、当該**被保険者**を**受給資格者**と、当該**被保険者**が**60歳に達した日**（当該**被保険者**がⅰに該当しなくなったときは、ⅰに該当しなくなった日）を**受給**

**資格**に係る**離職の日**とみなして第17条（第3項を除く。）の規定を適用した場合に算定されることとなる**賃金日額**に相当する額（「**みなし賃金日額**」という。）に**30**を乗じて得た額の**100分の75**に相当する額を下るに至った場合に、当該**支給対象月**について支給する。ただし、次のⅰⅱのいずれかに該当するときは、この限りでない。

ⅰ　当該**被保険者**を**受給資格者**と、当該**被保険者**が**60歳に達した日**又は当該**支給対象月**においてその日に応当する日（その日に応当する日がない月においては、その月の末日。）を第20条第1項第1号に規定する基準日とみなして第22条第3項及び第4項の規定を適用した場合に算定されることとなる期間［**算定基礎期間**］に相当する期間が、**5年に満たない**とき。 R4-5A

ⅱ　当該**支給対象月**に支払われた**賃金の額**が、**支給限度額**（376,750円）**以上**であるとき。

Ⅱ　**支給対象月**における**高年齢雇用継続基本給付金**の額として算定された額が第17条第4項第1号［賃金日額の最低限度額］に掲げる額（2,869円）の**100分の80**に相当する額（2,295円）を**超えない**ときは、当該**支給対象月**については、**高年齢雇用継続基本給付金**は、**支給しない**。 R6-6A

**Check Point!**

- □ 60歳到達日において算定基礎期間に相当する期間が5年未満であっても、その後当該期間が5年以上になった場合は、高年齢雇用継続基本給付金の支給対象者となり得る。
- □ 高年齢雇用継続基本給付金は、同一の事業主に継続して雇用されている場合に限らず、離職して基本手当を受給せずに再就職した場合も受給することができる。
- □「○歳に達した日」とは、○歳の誕生日の前日を指す。

（年齢計算に関する法律2項）

### 1. 支給対象者

次の要件を満たした者が支給対象者となる。

⑴　**60歳以上65歳以下の一般被保険者又は高年齢被保険者**※**であること**

※　高年齢雇用継続給付（高年齢雇用継続基本給付金及び高年齢再就職給付金）は、支給対象月の最後の月の一部が65歳以後に食い込むため、高年齢被保険者に支給されることがある。

### (2)　算定基礎期間に相当する期間が５年以上あること

60歳到達日において算定基礎期間に相当する期間（被保険者であった期間）※が５年以上あれば、この要件は満たされることとなるが、同日において算定基礎期間に相当する期間が５年に満たない場合は、その後５年に達した時点でこの要件は満たされることになる。

※　この場合の被保険者であった期間は、基本手当における被保険者であった期間の取扱いと同様に、当該被保険者であった期間に係る被保険者資格を取得した日の直前の被保険者資格を喪失した日が当該被保険者資格の取得日前１年の期間内にある場合であって、この期間内に基本手当（基本手当の支給を受けたものと見なされる傷病手当及び再就職手当等を含む。）又は特例一時金の支給を受けていない場合に通算される。 R4-5A　（行政手引59011）

ただし、高年齢雇用継続給付は65歳到達日の属する月までしか支給されないので当該月までに算定基礎期間に相当する期間が５年に達しなければ当該給付を受給することはできない。

**【例１】60歳到達時点で算定基礎期間相当期間が５年以上の場合-１**

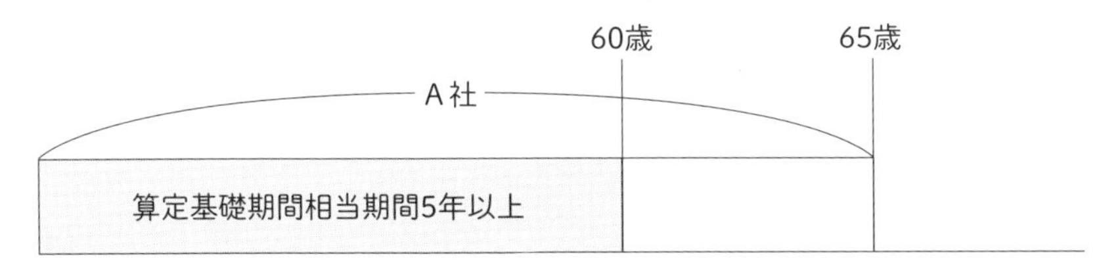


**【例２】60歳到達時点で算定基礎期間相当期間が５年以上の場合-２**

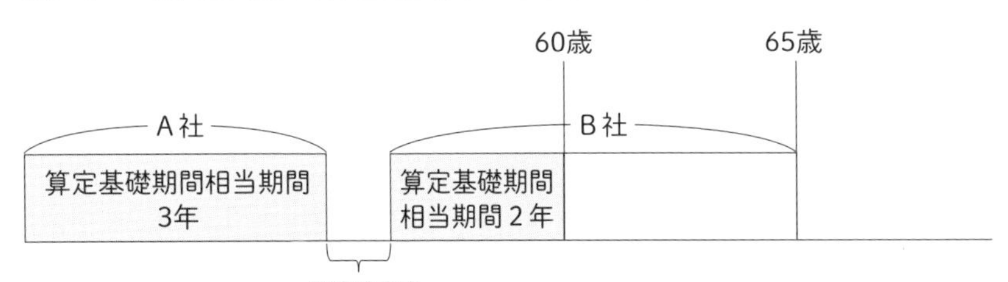

【例３】60歳到達後に算定基礎期間相当期間が５年以上となる場合-１

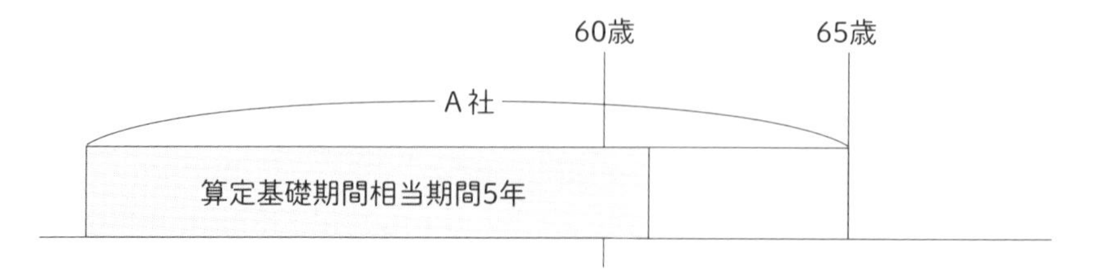


【例４】60歳到達後に算定基礎期間相当期間が５年以上となる場合-２

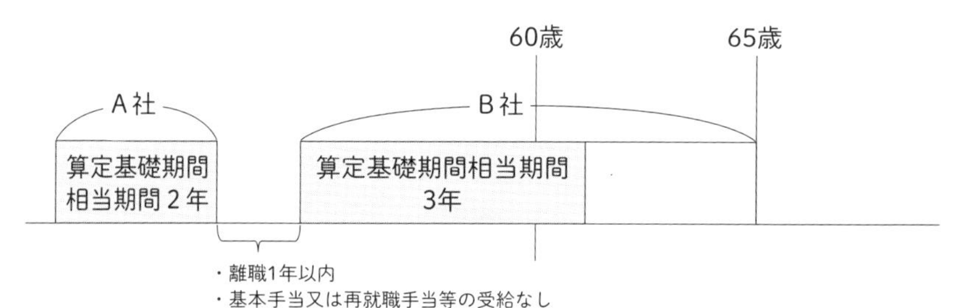


【例５】60歳到達日において被保険者でない場合-１

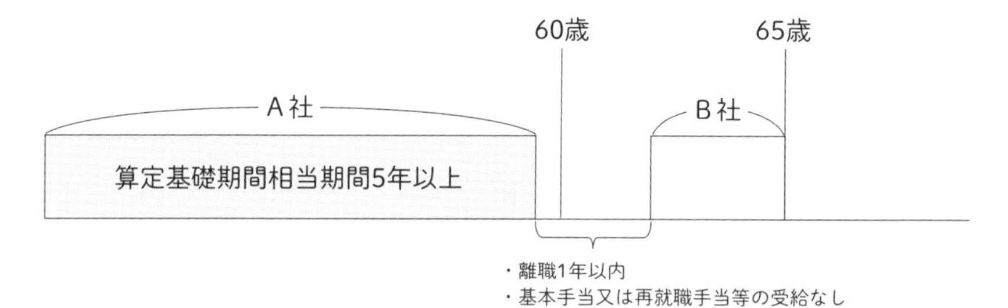


【例６】60歳到達日において被保険者でない場合-２

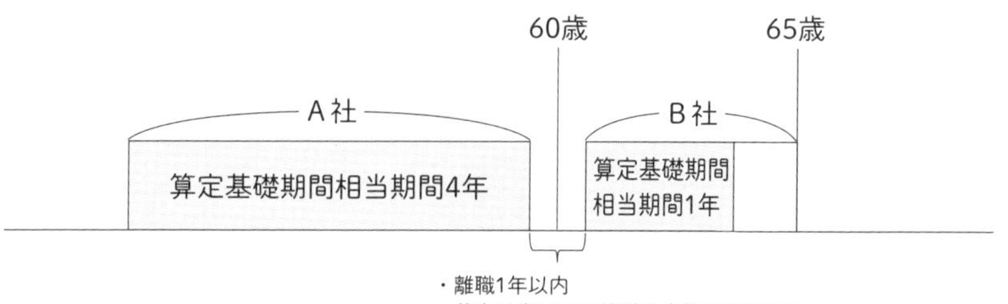

## 2. 支給要件

**1.**の支給対象者が次の要件を満たした場合に支給する。

**(1) 「支給対象月に支払われた賃金の額」が「みなし賃金日額に30を乗じて得た額」の75%相当額を下回っていること**

**① 支給対象月に支払われた賃金の額**

「支給対象月に支払われた賃金の額」は、支給対象月に実際に支払われた賃金額に**次の理由で支払を受けることができなかった賃金額**を**加えた額**である。R元-6C

ⓐ **非行**（自己の責めに帰すべき理由により賃金の減額が行われた場合をいい、事業主から懲戒を受けた場合や無断欠勤した場合のみならず、冠婚葬祭等の私事により１日あるいは一定時間について欠勤した場合もこれに含まれる。）

ⓑ **疾病**又は**負傷**

ⓒ **事業所の休業**

ⓓ その他公共職業安定所長が定めるもの（労働関係調整法第７条に規定する争議行為、妊娠、出産、育児、介護等）　（則101条の３、行政手引59143）

**【例】** みなし賃金日額に30を乗じて得た額が30万円であって、支給対象月に支払われた賃金が21万円と75%未満に低下した場合であっても、非行・疾病等により支払を受けることができなかった賃金が３万円であった場合には、支給対象月の賃金額は、21万円＋３万円＝24万円と算定され、75%未満に低下していないことになるので、その月については高年齢雇用継続基本給付金は支給されない。

**② みなし賃金日額**

「みなし賃金日額」とは、被保険者を受給資格者と、被保険者が**60歳に達した日**（被保険者の算定基礎期間に相当する期間が**５年に満たないとき**は算定基礎期間に相当する期間が**５年に達した日**）を受給資格に係る離職の日とみなして算定した賃金日額をいう。

**(2) 支給対象月に支払われた賃金の額が支給限度額（376,750円）未満であること**

支給対象月に支払われた賃金の額が支給限度額※（376,750円）以上の場合は、たとえ賃金が75%未満に低下していてもその月については支給されない。

※ 厚生労働大臣は、年度の平均給与額が直近の支給限度額が変更された年度の前年度の平均給与額を超え、又は下るに至った場合においては、その上昇し、

又は低下した比率を基準として、その翌年度の８月１日以後の支給限度額を変更しなければならない。 R6-6D （法61条７項）

(3) **支給対象月における高年齢雇用継続基本給付金の額として算定された額が2,869円の80%相当額（2,295円）を超えていること** R6-6A

高年齢雇用継続基本給付金の額として算定された額が2,295円以下であるときは、その支給対象月について当該給付金は支給されない。

(4) **同一の就業**について、**育児時短就業給付金**の支給を受けていないこと

## 問題チェック 予想問題

適用事業Ａ社で一般被保険者として５年以上雇用されていた者が、59歳７か月で離職し、基本手当等を受給することなく、その後60歳２か月で適用事業Ｂ社に一般被保険者として雇用された場合、他の要件を満たす限り、高年齢雇用継続基本給付金を受給することができる。

**解答** ○ 法61条1項、行政手引59011

「1.支給対象者【例５】」に該当する。

設問の場合、①離職日時点で算定基礎期間相当期間が５年以上ある。②Ａ社離職（59歳７か月）とＢ社再就職（60歳2か月）の間が１年以内である。③②の期間内に基本手当等を受給していない。

## 2 支給対象月（法61条２項） ★★★

「**支給対象月**」とは、**被保険者**が**60歳に達した日の属する月から65歳に達する日の属する月までの期間内にある月**（**その月の初日から末日まで引き続いて**、**被保険者**であり、**かつ**、**介護休業給付金**又は**育児休業給付金**、**出生時育児休業給付金**若しくは**出生後休業支援給付金の支給を受けることができる休業をしなかった月**に**限る**。）をいう。

### 概要

支給対象月とは、原則として、被保険者が60歳に達した日の属する月から65歳に達する日の属する月までの期間内にある月をいうが、当該期間内にある月であっても、次の月は、支給対象月とはされない。

(1) その月の**初日から末日まで引き続いて被保険者ではなかった月** H27-5C

(2) その月の**初日**から**末日**まで引き続いて**介護休業給付金**又は**育児休業給付金**、**出生時育児休業給付金**若しくは**出生後休業支援給付金**の支給を受けることができる休業をした月 R4-5B R6-6E

**・支給期間**

高年齢雇用継続基本給付金が支給される期間は、以下の通りとなる。

(1) 一般被保険者が60歳に達した日において算定基礎期間に相当する期間が5年以上である場合は、当該被保険者が60歳に達した日の属する月から65歳に達する日の属する月まで（支給対象月とされない月又は支給要件を満たさない月を除く。）支給される。

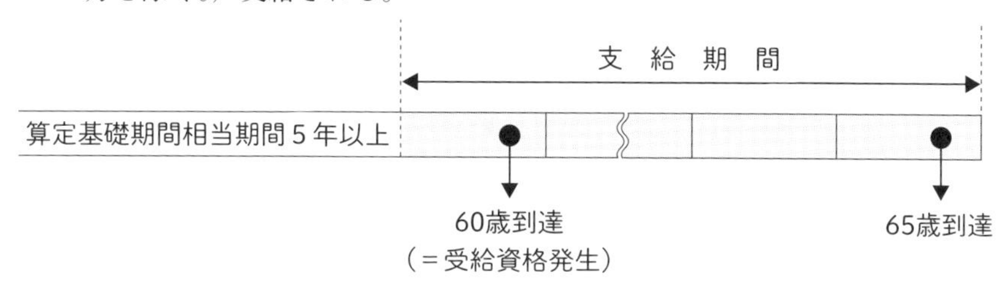


(2) 60歳に達した日後に算定基礎期間に相当する期間が5年以上となった場合は、5年以上となるに至った日の属する月から65歳に達する日の属する月まで（支給対象月とされない月又は支給要件を満たさない月を除く。）支給される。R元-6A

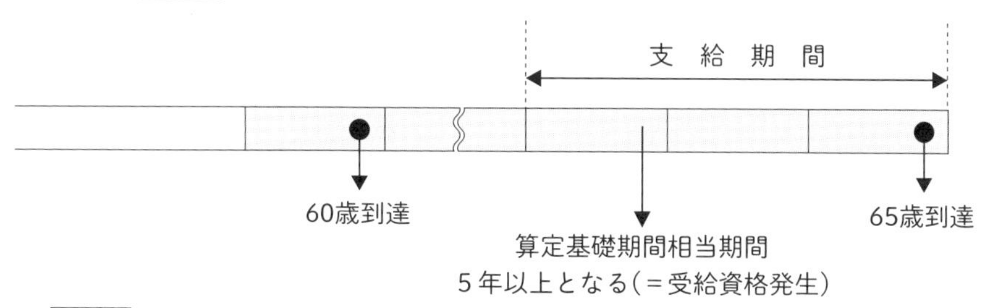


**参考** 高年齢雇用継続基本給付金の受給資格者が、被保険者資格喪失後、基本手当の支給を受けずに、１年以内に雇用され被保険者資格を再取得したときは、新たに取得した被保険者資格についても引き続き高年齢雇用継続基本給付金の受給資格者となり得る。この場合、高年齢雇用継続基本給付金の受給資格者が、被保険者資格を喪失した後の１回目の再取得についてのみならず、２回目以降の再取得についても、上記の要件に該当すれば引き続きその受給資格者となり得る。R4-5D （行政手引59311）

## 3 支給額（法61条5項、令和6年厚労告252号） 改正

★★★

**高年齢雇用継続基本給付金**の額は、**一支給対象月**について、次のⅰⅱに掲げる区分に応じ、当該**支給対象月に支払われた賃金の額**に当該ⅰⅱに定める率を**乗じて得た額**とする。ただし、**その額**に当該**賃金の額**を**加えて得た額**が**支給限度額**（376,750円）**を超える**ときは、**支給限度額**から当該**賃金の額を減じて得た額**とする。

ⅰ　当該**賃金の額**※が、**みなし賃金日額に30を乗じて得た額**の**100分の64に相当する額未満**であるとき…**100分の10**

※　支給対象月において非行、疾病その他の厚生労働省令で定める理由により支払を受けることができなかった賃金がある場合には、その支払を受けたものとみなして算定した賃金の額。以下ⅱにおいて同じ。

ⅱ　ⅰに該当しないとき…**みなし賃金日額に30を乗じて得た額**に対する当該**賃金の額の割合が逓増する程度**に応じ、**100分の10**から**一定の割合**で**逓減**するように厚生労働省令で定める率

### 概要

高年齢雇用継続基本給付金の支給額は、次の通りである。 H27-5E R元-6B

| 支給対象月の賃金等 | | 高年齢雇用継続基本給付金の額 |
|---|---|---|
| 支給対象月の賃金が | みなし賃金月額の**64%**未満※ | 支給対象月の賃金×**10%** |
| | みなし賃金月額の**64%**以上**75%**未満 | 支給対象月の賃金×（**10%**から一定割合で逓減する率） |
| 算定された給付金額＋支給対象月の賃金＞**支給限度額**（376,750円） | | **支給限度額**－支給対象月の賃金 |

※　実際の計算上は、支給対象月の賃金がみなし賃金月額の100分の64であるときに、給付金の額が最大となる。

**【例】** みなし賃金月額（みなし賃金日額×30）＝30万円であって、

| | |
|---|---|
| ①支給対象月の賃金額が18万円の場合（みなし賃金月額の60%） | 支給額＝18万円×10%＝18,000円 |
| ②支給対象月の賃金額が20万円の場合（みなし賃金月額の66.67%） | 支給額＝20万円×（10%－一定の割合の率） |
| ③支給対象月の賃金額が24万円の場合（みなし賃金月額の80%） | 不支給 |

**Check Point!**

- □ 賃金の低下率の判断においては、非行・疾病等により支払われなかった賃金は、その支払を受けたものとみなして算定される。
- □ 支給額の算定における「支給対象月の賃金」には、非行・疾病等により支払われなかった賃金は加算されず、実際に支給された賃金で算定される。

## 4 支給申請手続（則101条の5,1項）

★★★

**被保険者**は、**初めて高年齢雇用継続基本給付金**の支給を受けようとするときは、**支給対象月の初日から起算して４箇月以内**に、**高年齢雇用継続給付受給資格確認票・（初回）高年齢雇用継続給付支給申請書**に**雇用保険被保険者60歳到達時等賃金証明書**（以下「**60歳到達時等賃金証明書**」という。）を添えて、**事業主を経由**して**所轄公共職業安定所の長**に**提出**しなければならない。ただし、やむを得ない理由のため**事業主を経由**して当該申請書の提出を行うことが困難であるときは、**事業主を経由**しないで提出を行うことができる。

参考（添付書類等）

(1)事業主は、その雇用する被保険者又はその雇用していた被保険者が高年齢雇用継続給付受給資格確認票・（初回）高年齢雇用継続給付支給申請書を提出するため60歳到達時等賃金証明書の交付を求めたときは、これをその者に交付しなければならない。

(2)高年齢雇用継続給付受給資格確認票・（初回）高年齢雇用継続給付支給申請書及び高年齢雇用継続給付支給申請書に記載された事項については、事業主の証明を受けなければならない。

（則101条の5,3項、８項）

（２回目以降の支給申請）

所轄公共職業安定所の長は、最初の支給申請に基づいて高年齢雇用継続基本給付金を支給することを決定したときは、次回以後の支給申請を行うべき月を定め、次回に使用する支給申請書（高年齢雇用継続給付支給申請書）を交付するので、２回目以降は当該指定月に当該申請書を、原則として、事業主を経由して提出することにより支給申請を行う。

（則101条の5,4項、６項）

# ③ 高年齢再就職給付金 重要度A

## 1 支給要件等（法61条の2,1項、3項、4項、令和6年厚労告250号、252号）

★★★

Ⅰ　**高年齢再就職給付金**は、**受給資格者**（その**受給資格**に係る**離職の日**における第22条第3項の規定による**算定基礎期間**が**5年以上**あり、かつ、当該**受給資格**に基づく**基本手当の支給を受けたことがある者に限る**。）が**60歳に達した日以後安定した職業に就く**ことにより**被保険者**（**短期雇用特例被保険者及び日雇労働被保険者**を**除く**。以下「高年齢再就職給付金」の規定において同じ。）となった場合において、当該**被保険者**に対し**再就職後の支給対象月**に支払われた**賃金の額**※が、当該**基本手当の日額**の**算定の基礎**となった**賃金日額**に**30を乗じて得た額**の**100分の75**に**相当する額を下る**に至ったときに、当該**再就職後の支給対象月**について**支給する**。ただし、次のⅰⅱのいずれかに該当するときは、この限りでない。H30-選D

※　支給対象月において非行、疾病その他の厚生労働省令で定める理由により支払を受けることができなかった賃金がある場合には、その支払を受けたものとみなして算定した賃金の額。以下Ⅰにおいて同じ。

ⅰ　当該**職業に就いた日**（「**就職日**」という。）の**前日**における**支給残日数**が、**100日未満**であるとき。H30-選E　R4-5E

ⅱ　当該**再就職後の支給対象月**に**支払われた賃金の額**が、**支給限度額**（376,750円）**以上**であるとき。

Ⅱ　**再就職後の支給対象月**における**高年齢再就職給付金**の額として算定された額が第17条第4項第1号［賃金日額の最低限度額］に掲げる額（2,869円）の**100分の80**に相当する額（2,295円）を超えないときは、当該**再就職後の支給対象月**については、**高年齢再就職給付金**は、支給しない。

Ⅲ　**高年齢再就職給付金**の支給を受けることができる者が、**同一の就職**につき**再就職手当の支給を受けた**ときは**高年齢再就職給付金**を**支給せず、高年齢再就職給付金の支給を受けた**ときは**再就職手当**を**支給しない**。R元-6D　R4-5C　R6-6B

**Check Point!**

☐ 再就職日の前日における支給残日数が100日未満である場合は、高年齢再就職給付金は支給されない。

## 1. 支給対象者

次の要件を満たした者が支給対象者となる。

(1) **60歳以上65歳以下の一般被保険者**又は**高年齢被保険者であること**

(2) **基本手当の支給を受けたことのある受給資格者であった者であって、60歳に達した日以後安定した職業に就いたものであること**

60歳に達した日以後に再就職して一般被保険者又は**高年齢被保険者**となった者であっても、基本手当の支給を受けたことがないものは、高年齢雇用継続基本給付金の支給対象となる（所定の要件を満たせば高年齢雇用継続基本給付金が支給される。）。

(3) **受給資格に係る離職の日において、算定基礎期間が５年以上あること** H30-選D

(4) **再就職日の前日における支給残日数が100日以上であること**

再就職日の前日における**支給残日数**が**100日未満**である場合には、高年齢再就職給付金は支給されない。H30-選E R4-5E

**【例１】支給残日数100日以上で再就職した場合-１**

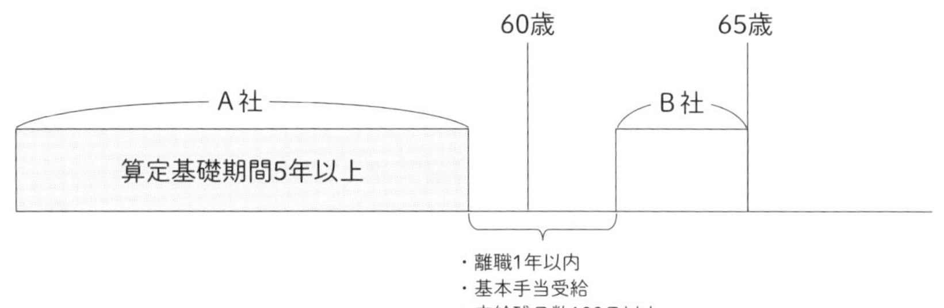

【例２】支給残日数100日以上で再就職した場合-２

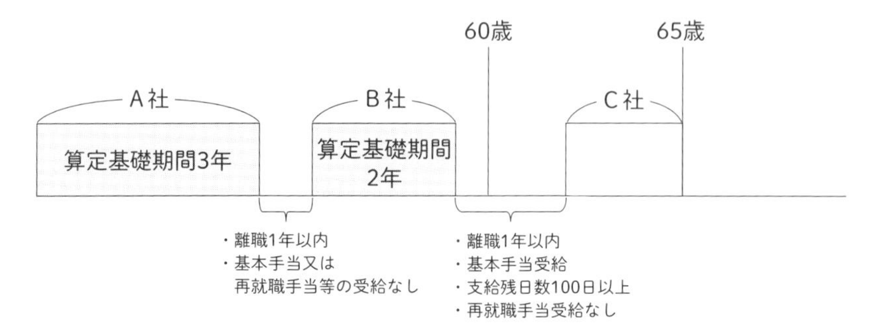


２. 支給要件

1.の支給対象者が次の要件を満たした場合に支給する。

⑴ **再就職後の「支給対象月に支払われた賃金の額」が、基本手当の日額の算定の基礎となった「賃金日額に30を乗じて得た額」の75%相当額を下回っていること**

高年齢雇用継続基本給付金の場合と同様である。

⑵ **再就職後の支給対象月に支払われた賃金の額が支給限度額（376,750円）未満であること**

高年齢雇用継続基本給付金の場合と同様である。

⑶ **再就職後の支給対象月における高年齢再就職給付金の額として算定された額が2,869円の80%相当額（2,295円）を超えていること**

高年齢雇用継続基本給付金の場合と同様である。

⑷ **同一の就職**について、**再就職手当**の支給を受けていないこと

⑸ **同一の就業**について、**育児時短就業給付金**の支給を受けていないこと

## 2 再就職後の支給対象月（法61条の2,2項）

★★★

「**再就職後の支給対象月**」とは、**就職日の属する月**から当該**就職日の翌日**から起算して**２年**（当該**就職日**の**前日**における**支給残日数**が**200日未満**である**被保険者**については、**１年**）**を経過する日の属する月**（その月が**被保険者**が**65歳に達する日の属する月後**であるときは、**65歳に達する日の属する月**）までの**期間内にある月**（**その月**の**初日から末日**

まで**引き続いて**、**被保険者**であり、**かつ**、**介護休業給付金**又は**育児休業給付金**、**出生時育児休業給付金**若しくは**出生後休業支援給付金の支給を受けることができる休業をしなかった月**に**限る**。）をいう。改正

**概要**

(1) 「再就職後の支給対象月」とは、次の月をいう。

① 再就職日の前日における**支給残日数が200日以上**のときは、「再就職日の属する月」から「再就職日の翌日から起算して**2年を経過する日の属する月**」までの期間内にある月

② 再就職日の前日における**支給残日数が100日以上200日未満**のときは、「再就職日の属する月」から「再就職日の翌日から起算して**1年を経過する日の属する月**」までの期間内にある月

③ ただし、①②の月が被保険者が**65歳に達する日の属する月後**であるときは、「**65歳に達する日の属する月**」までの期間内にある月となる。

(2) (1)の期間内にある月であっても、次の月は「再就職後の支給対象月」とはされない。

① **その月の初日から末日まで引き続いて被保険者ではなかった月**

H27-5C R元-6E

② **月の初日から末日まで引き続いて介護休業給付金又は育児休業給付金、出生時育児休業給付金**若しくは**出生後休業支援給付金の支給を受けることができる休業をした月**

**Check Point!**

□ 概要 (1)③は次のようなケースである。

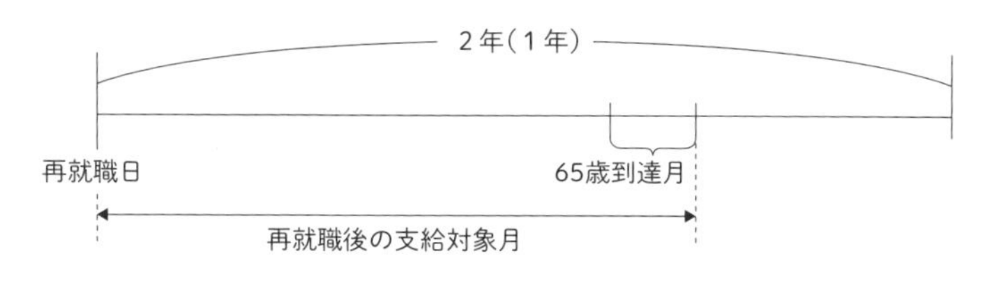


・**支給期間**

高年齢再就職給付金の支給期間は、次の通りである。

(1) 再就職日の前日における**支給残日数が200日以上**である被保険者の場合は、「再就職日の属する月」から「再就職日の翌日から起算して**2年を経過する日の属する月**（当該**2年を経過する日の属する月**が、当該被保険者が65歳に達する日の属する月後であるときは65歳に達する日の属する月)」まで支給される。

(2) 再就職日の前日における**支給残日数が100日以上200日未満**である被保険者の場合は、「再就職日の属する月」から「再就職日の翌日から起算して**1年を経過する日の属する月**（当該**1年を経過する日の属する月**が、当該被保険者が65歳に達する日の属する月後であるときは65歳に達する日の属する月)」まで支給される。

**参考** 高年齢再就職給付金の受給資格者が、被保険者資格喪失後、基本手当の支給を受けずに、受給期間内に雇用され被保険者資格を再取得したときは、当該高年齢再就職給付金に係る支給期間内（1年ないし2年）にあれば、当該高年齢再就職給付金の受給資格に基づき、引き続き高年齢再就職給付金の支給は可能である。この場合、高年齢再就職給付金の受給資格者について、被保険者資格を喪失した後の1回目の再取得についてのみならず、2回目以降の再取得についても、上記の要件に該当すれば高年齢再就職給付金の支給が可能である。 R4-5E

（行政手引59314）

## 問題チェック R元-6E

再就職の日が月の途中である場合、その月の高年齢再就職給付金は支給しない。

**解答** ○

法61条の2,2項

「月の初日から末日まで引き続いて被保険者でなかった月」は、再就職後の支給対象月とはされないため、設問のように月の途中で再就職した（被保険者となった）月については、高年齢再就職給付金は支給されない。

## 問題チェック H9-5C改題

60歳の定年により離職をしてから10箇月を経過した後に求職の申込みを行った受給資格者（所定の受給期間が1年の者に限る。）は、受給期間の延長の手続を行っていない限り、高年齢再就職給付金を受給することができない。

**解答** ○

法61条の2,1項1号

設問の通り正しい。受給期間が1年の者が離職してから10箇月を経過した後に求職の申込みを行った場合、その時点で受給期間は残り2箇月（100日未満）しかない。このような場合は支給残日数も100日未満となるため、高年齢再就職給付金は支給されない。

## 3 支給額（法61条の2,3項、令和6年厚労告252号）改正 ★★★

**高年齢再就職給付金**の額は、**再就職後**の**支給対象月**について、次のⅰⅱに掲げる区分に応じ、当該**再就職後**の**支給対象月**に支払われた**賃金の額**に当該ⅰⅱに定める率を**乗じて得た額**とする。ただし、**その額**に当該**賃金の額**を**加えて得た額**が**支給限度額**（376,750円）**を超える**ときは、**支給限度額**から当該**賃金の額**を**減じて得た額**とする。

ⅰ　当該**賃金の額**※が、**基本手当の日額**の算定の基礎となった**賃金日額に30を乗じて得た額**の**100分の64に相当する額未満**であるとき…**100分の10** R6-6C

※　支給対象月において非行、疾病その他の厚生労働省令で定める理由により支払を受けることができなかった賃金がある場合には、その支払を受けたものとみなして算定した賃金の額。以下ⅱにおいて同じ。

ⅱ　ⅰに該当しないとき…**基本手当の日額**の算定の基礎となった**賃金日額に30を乗じて得た額**に対する当該**賃金の額の割合が逓増する程度**に応じ、**100分の10**から**一定の割合**で**逓減**するように厚生労働省令で定める率

**概要**

条文の記載は、「支給対象月」が「再就職後の支給対象月」に、「みなし賃金日額」が「（基本手当の日額の算定の基礎となった）賃金日額」と替わっているが、高年齢再就職給付金の支給額は、高年齢雇用継続基本給付金と同様の方法により算定した額となる。

## 4 支給申請手続（則101条の7,1項、2項） ★★★

**被保険者**は、**初めて高年齢再就職給付金**の支給を受けようとするときは、**再就職後の支給対象月の初日**から起算して**4箇月以内**に、**高年齢雇用継続給付受給資格確認票・（初回）高年齢雇用継続給付支給申請書**を、**事業主を経由**して**所轄公共職業安定所の長**に**提出**しなければならない。ただし、やむを得ない理由のため**事業主を経由**して当該申請書の提出を行うことが困難であるときは、**事業主を経由**しないで提出

を行うことができる。H27-5B

参考（2回目以降の支給申請）
高年齢雇用継続基本給付金の場合と同様である。（則101条の7,2項）

# ④ 介護休業給付金 重要度A

## 1 支給要件等（法61条の4,1項、2項、6項）

★★★

Ⅰ　**介護休業給付金**は、**被保険者**（**短期雇用特例被保険者及び日雇労働被保険者を除く**。以下「**介護休業給付金**」の規定において同じ。）が、厚生労働省令で定めるところにより、**対象家族**を**介護**するための**休業**（以下「介護休業」という。）をした場合において、当該**介護休業**（当該**対象家族**を介護するための**2回以上**の**介護休業**をした場合にあっては、**初回**の**介護休業**とする。以下Ⅰにおいて同じ。）**を開始した日前2年間**〔当該**介護休業を開始した日前2年間**に疾病、負傷その他厚生労働省令で定める理由により**引き続き30日以上賃金の支払**を受けることができなかった**被保険者**については、当該理由により**賃金の支払**を受けることができなかった**日数**を**2年**に加算した期間（その期間が**4年を超える**ときは、**4年間**）〕に、**みなし被保険者期間**が**通算して12箇月以上**であったときに、**支給単位期間**について支給する。H27-6ア

Ⅱ　Ⅰの**対象家族**とは、当該**被保険者**の**配偶者**（**婚姻の届出**をしていないが、**事実上婚姻関係**と**同様の事情**にある者を含む。以下同じ。）、**父母及び子**（これらの者に準ずる者として厚生労働省令で定めるものを含む。）並びに**配偶者の父母**をいう。

Ⅲ　Ⅰの「**みなし被保険者期間**」は、**介護休業**（同一の対象家族について2回以上の介護休業をした場合にあっては、初回の介護休業とする。）**を開始した日**を**被保険者**でなくなった日とみなして第14条〔被保険者期間〕の規定を適用した場合に計算されることとなる**被保険者期間**に相当する期間とする。

Ⅳ　Ⅰの規定にかかわらず、**被保険者**が**介護休業**について**介護休業給**

**付金**の支給を受けたことがある場合において、当該**被保険者**が次のⅰⅱのいずれかに該当する**介護休業**をしたときは、**介護休業給付金**は、支給しない。

ⅰ　**同一**の**対象家族**について当該被保険者が**4回以上**の**介護休業**をした場合における**4回目以後**の**介護休業** H30-6A

ⅱ　**同一**の**対象家族**について当該**被保険者**がした**介護休業**ごとに、当該**介護休業を開始した日**から当該**介護休業を終了した日**までの**日数**を**合算**して得た日数が**93日に達した日後**の**介護休業** H30-6C

**Check Point!**

□ 同一の対象家族についての介護休業については、通算して93日まで、3回を限度として複数回の受給が可能である。



### 1. 支給対象者

次の要件を満たした者が支給対象者となる。

(1)　負傷、疾病又は身体上若しくは精神上の障害により、**2週間以上**にわたり**常時介護**（歩行、排泄、食事等の日常生活に必要な便宜を供与すること。）を必要とする状態にある**対象家族を介護するための休業をする一般被保険者又は高年齢被保険者であること** H27-6オ

対象家族とは、当該被保険者の**配偶者**（婚姻の届出をしていないが、事実上婚姻関係と同様の事情にある者を含む。）、**父母**※1、**子**※2、**祖父母**、**兄弟姉妹**、**孫**及び**配偶者の父母**※1をいう。（則101条の17）

※1　実父母のみならず養父母を含む。H30-6B

※2　実子のみならず養子を含む。（行政手引59802）

(2)　**初回の介護休業を開始した日前2年間（原則）にみなし被保険者期間が通算して12箇月以上であったこと**

**【例】**

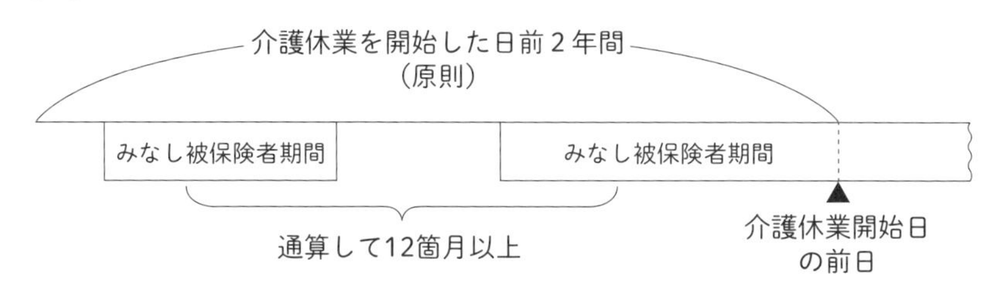

① **介護休業を開始した日前2年間**

「介護休業を開始した日前**2年間**」については、その期間中に**疾病、負傷、出産**又は**事業所の休業**等により**引き続き30日以上賃金の支払**を受けることができなかった期間がある場合には、「当該理由により**賃金の支払**を受けることができなかった日数を**2年**に加算した期間（最大で**合計4年間まで**）」に延長される。 （則101条の18）

② **みなし被保険者期間**

「みなし被保険者期間」とは、初回の介護休業を開始した日の前日からさかのぼって被保険者であった期間を**1箇月**ごとに区分し、各区分期間のうち**賃金支払基礎日数が11日以上**あるものを**1箇月**として計算した期間である。

みなし被保険者期間の算定方法は、被保険者期間の算定方法と同様である。したがって、最後に被保険者となった日前に受給資格等を取得した（受給資格等の決定手続を受けた）ことがある場合には、基本手当等の受給の有無を問わず、その受給資格等に係る離職の日以前の被保険者であった期間はみなし被保険者期間の算定期間には通算されない。

(3) **対象となる期間雇用者**

期間を定めて雇用される者にあっては、(1)(2)に加え、介護休業開始予定日から起算して93日を経過する日から**6か月を経過する日**までに、その労働契約（契約が更新される場合にあっては、更新後のもの）が満了することが明らかでない者でなければならない。 （則101条の16,1項4号）

## 2. 支給要件

**1.**の支給対象者が次の要件を満たした場合に支給する。

(1) 被保険者がその事業主に申し出ていること。

(2) 介護休業期間について、その**初日及び末日**とする日（休業開始予定日及び休業終了予定日）を明らかにしていること。

(3) 支給単位期間において公共職業安定所長が**就業をしていると認める日数**が**10日以下**であること。

(4) 次のいずれかに該当することとなった日後（②に該当する場合にあっては、その日以後）の休業ではないこと。

① 休業終了予定日とされた日（その事業主に申し出ることによって変更された場合にあっては、その変更後の日。以下(4)において同じ。）の前日までに、対象家族の死亡その他の被保険者が介護休業の申出に係る**対象家族**

**を介護しないこととなった**事由として公共職業安定所長が認める事由が生じたこと。

② 休業終了予定日とされた日までに、介護休業の申出をした被保険者について、**産前産後休業期間**、**育児休業期間**又は新たな**介護休業期間**が始まったこと。 （則101条の16）

### 3. 介護休業給付金の支給回数

**同一の対象家族**について、次の①②の要件を満たした場合には複数回の支給が可能となる。

① **同一の対象家族**について**3回目まで**の**介護休業**であること H30-6A

② **同一の対象家族**について取得した介護休業ごとに休業を開始した日から休業を終了した日までの日数を合算した日数が**93日に達した日までの休業であること**。H30-6C

【例】

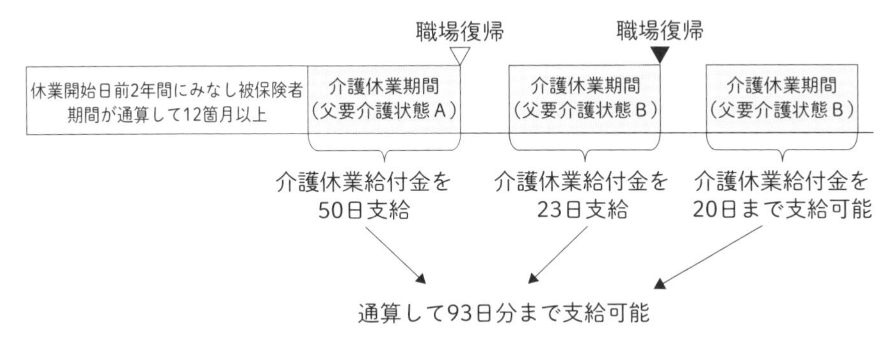


**参考** 介護休業給付金の支給を受けた者が、職場に復帰後、他の対象家族に対する介護休業を取得する場合についても、当該他の対象家族に係る介護休業開始日において受給資格を満たせば、介護休業給付金の支給対象となる。 H30-6E （行政手引59861）

## 2 支給単位期間（法61条の4,3項） ★★★

「**支給単位期間**」とは、介護休業をした期間（当該**介護休業を開始した日**から起算して**3月を経過する日**までの期間に限る。）を、当該**介護休業**を**開始**した日又は各月において**その日**に**応当**し、かつ、当該**介護休業**をした期間内にある日（その日に**応当する日がない月**においては、その**月の末日**。以下「**休業開始応当日**」という。）から各翌月の**休業開始応当日の前日**（当該**介護休業**を**終了した日**の**属する月**にあっては、当該**介護休業を終了した日**）までの各期間に区分した場合における当該区分による一の期間をいう。

**概要**

「支給単位期間」とは、介護休業を開始した日から1箇月ごとに区分していった各期間をいうが、最後の支給単位期間は休業終了日（被保険者が、介護休業を開始した日から起算して3月を経過した日以後も休業している場合は、当該3月を経過する日）までの期間となる。

**【例】5月7日から7月25日まで休業した場合**

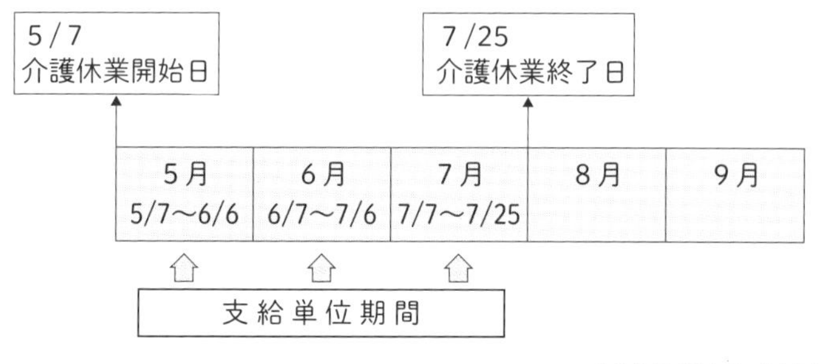


（東京労働局「雇用継続給付のしおり」）

## 3 支給額（法61条の4,4項、5項、法附則12条）

★★★

Ⅰ　**介護休業給付金**の額は、**一支給単位期間**について、**介護休業給付金**の支給を受けることができる**被保険者**を**受給資格者**と、当該**被保険者**が当該**介護休業給付金**の支給に係る**介護休業を開始した日**の前日を**受給資格**に係る**離職の日**とみなして第17条［賃金日額］の規定を適用した場合に算定されることとなる賃金日額に相当する額（以下「**休業開始時賃金日額**」という。）に次のⅰⅱに掲げる**支給単位期間**の区分に応じて当該ⅰⅱに定める日数（以下「**支給日数**」という。）を乗じて得た額の**100分の67**に相当する額とする。

ⅰ　ⅱに掲げる**支給単位期間**以外の**支給単位期間**　**30日**

ⅱ　当該**介護休業を終了した日**の属する**支給単位期間**　当該**支給単位期間**における当該**介護休業を開始した日**又は**休業開始応当日**か

ら当該**介護休業を終了した日までの日数**

Ⅱ　Ⅰの規定にかかわらず、介護休業をした**被保険者**に当該**被保険者**を雇用している**事業主**から**支給単位期間**に**賃金**が支払われた場合において、当該**賃金の額**に当該**支給単位期間**における**介護休業給付金**の額を加えて得た額が**休業開始時賃金日額**に**支給日数**を乗じて得た額の**100分の80に相当する額以上**であるときは、**休業開始時賃金日額**に**支給日数**を乗じて得た額の**100分の80に相当する額**から当該**賃金の額**を減じて得た額を、当該**支給単位期間**における**介護休業給付金**の額とする。この場合において、当該**賃金の額**が**休業開始時賃金日額**に**支給日数**を乗じて得た額の**100分の80に相当する額以上**であるときは、第1項の規定にかかわらず、当該**賃金**が支払われた**支給単位期間**については、**介護休業給付金**は、支給しない。



## 概要

介護休業給付金の額は、原則として、一支給単位期間について、休業開始時賃金日額（介護休業を開始した日の前日を離職日とみなして算定した賃金日額）に30日（最後の支給単位期間については、当該支給単位期間における暦日数）を乗じて得た額の67%相当額である。

休業開始時賃金日額×支給日数×**67%**
支給日数＝**30日**（最後の支給単位期間についてはその支給単位期間の**暦日数**）

事業主から賃金が支払われた場合の支給額は、次のようになる。

| 支給単位期間の賃金 | 介護休業給付金の額 |
| --- | --- |
| 休業開始時賃金日額×支給日数の**13%**以下 | 休業開始時賃金日額×支給日数×**67%** |
| 休業開始時賃金日額×支給日数の**13%**超**80%**未満 | （休業開始時賃金日額×支給日数×**80%**）－支給単位期間の賃金 |
| 休業開始時賃金日額×支給日数の**80%**以上 | 不支給 |

**Check Point!**

□ 休業開始時賃金日額の上限額は、45歳以上60歳未満の者に係る賃金日額の上限額（17,270円）となる。

**参考** 上記Ⅰの「100分の67」は、法第61条の4第4項には「100分の40」と規定されているが、法附則第12条により、当分の間、100分の67とされている。

## 4 支給申請手続（則101条の19,1項）

★★★

**被保険者**は、**介護休業給付金**の支給を受けようとするときは、**介護休業**を終**了した日**（当該**休業**に係る**最後**の**支給単位期間**の**末日**をいう。）以後の日において**雇用**されている場合に、当該**休業**を終**了した日の翌日から起算して2箇月を経過する日の属する月の末日**までに、所定の事項を記載した申請書（「**介護休業給付金支給申請書**」という。）に**休業開始時賃金証明票等**の必要書類を添えて、**事業主を経由**して**所轄公共職業安定所の長**に提出しなければならない。ただし、やむを得ない理由のため**事業主を経由**して当該申請書の提出を行うことが困難であるときは、**事業主を経由**しないで提出を行うことができる。

H27-6エ　R元-4B

第2章 第5節

# 育児休業等給付


1 育児休業給付
❶ 育児休業給付金
❷ 出生時育児休業給付金
2 出生後休業支援給付
❶ 出生後休業支援給付金
3 育児時短就業給付
❶ 育児時短就業給付金

# 育児休業給付

## ① 育児休業給付金 重要度A

### 1 支給要件等（法61条の7,1項、3項）

★★★

Ⅰ　**育児休業給付金**は、**被保険者**（**短期雇用特例被保険者**及び**日雇労働被保険者**を**除く**。以下「**育児休業等給付**」の規定において同じ。）が、厚生労働省令で定めるところにより、その**1歳**に**満たない子**※〔**その子**が**1歳に達した日後の期間**について**休業**することが**雇用の継続のために特に必要と認められる場合**として厚生労働省令で定める場合に該当する場合にあっては、**1歳6か月に満たない子**（その子が**1歳6か月**に達した日後の期間について休業することが**雇用の継続**のために**特に必要**と認められる場合として厚生労働省令で定める場合に該当する場合にあっては、**2歳**に満たない子）〕を**養育するための休業**（以下「育児休業給付」及び「育児時短就業給付」の規定において「育児休業」という。）をした場合において、当該**育児休業**（当該子について**2回以上**の育児休業をした場合にあっては、**初回**の育児休業とする。以下Ⅰ及びⅡにおいて同じ。）**を開始した日前2年間**〔当該**育児休業を開始した日前2年間**に**疾病**、**負傷**その他厚生労働省令で定める**理由**により**引き続き30日以上賃金の支払を受けることができなかった被保険者**については、当該**理由**により**賃金の支払を受けることができなかった日数**を**2年**に**加算した期間**（その期間が**4年を超える**ときは、**4年間**）〕に、**みなし被保険者期間**が**通算して12箇月以上**であったときに、**支給単位期間**について**支給する**。

R元-選CDE　R5-6A～E

※「子」には、民法の規定により被保険者が当該被保険者との間における特別養子縁組の成立について家庭裁判所に請求した者（当該請求に係る家事審判事件が裁判所に係属している場合に限る。）であって当該被

保険者が現に監護するもの、児童福祉法に規定する養子縁組里親である被保険者に委託されている児童及びこれらの被保険者に準ずる者として厚生労働省令で定める被保険者に厚生労働省令で定めるところにより委託されている者も含まれる。

Ⅱ　Ⅰの「**みなし被保険者期間**」は、**育児休業を開始した日**を**被保険者でなくなった日**とみなして第14条［**被保険者期間**］の規定を適用した場合に計算されることとなる**被保険者期間**に相当する期間とする。

**Check Point!**

□ それぞれ所定の要件を満たしているのであれば、夫婦が同一の子について育児休業給付金を受給することは可能である。

□ 男性が育児休業を取得する場合は、配偶者の出産予定日又は育児休業の申出に係る子の出生日のいずれか早い日から対象育児休業とすることができる。 H29-6D R3-7D （行政手引59503-2）

□ 被保険者が同一の子について２回以上の育児休業をした場合は、初回の育児休業（出生時育児休業を含む。）を開始した日を基準としてみなし被保険者期間を計算する。 （法61条の7,1項、３項）



### 1. 支給対象者

次の要件を満たした者が支給対象者となる。

(1) **その１歳**〔認可を受けた保育所等に入れないなど一定の事情がある場合※にあっては、**１歳６か月**（その子が**１歳６か月**に達した日後の期間について同様の事情がある場合にあっては、**２歳**）〕**に満たない子を養育するための休業をする一般被保険者**又は**高年齢被保険者**であること H27-6オ R4-6アエ

※　速やかな職場復帰を図るために保育所等における保育の利用を希望しているものであると公共職業安定所長が認める場合に限られる。 改正

（行政手引59603）

参考 1．育児・介護休業法による「父母ともに育児休業を取得する場合の育児休業取得可能期間の延長（いわゆるパパ・ママ育休プラス）」の制度利用により育児休業を取得する場合には、子が**１歳２か月**に達する日の前日までの間支給される。この場合の受給できる期間の上限は、**被保険者及び配偶者それぞれについて**１年間（産後休業を取得した者にあっては、出産日と産後休業期間とを含めた１年間）とされている。
・パパ・ママ育休プラスについては、「合格テキスト６　労働に関する一般常識」において学習する。

2．労働基準法第65条第2項の産後休業（出産日の翌日から8週間）は対象育児休業には含まれない。また、産後6週間を経過した場合であって、当該被保険者の請求により、8週間を経過する前に産後休業を終了した場合であっても、産後8週間を経過するまでは、産後休業とみなされる。 R4-6ウ R5-6A～E （行政手引59503-2）

3．育児休業期間中に受給資格者が一時的に当該事業主の下で就労する場合は、当該育児休業の終了予定日が到来しておらず、事業主がその休業の取得を引き続き認めていれば、当該育児休業が終了したものと取り扱わない。 R4-6イ （行政手引59503-2）

### ⑵ 初回の育児休業を開始した日前2年間（原則）にみなし被保険者期間が通算して12箇月以上であったこと R元-選CE

#### ① 育児休業を開始した日前2年間

「育児休業を開始した日前**2年間**」については、その期間中に**疾病、負傷**その他厚生労働省令で定める理由により**引き続き30日以上賃金の支払**を受けることができなかった期間がある場合には、「当該理由により**賃金の支払**を受けることができなかった日数を**2年**に加算した期間（最大で**合計4年間**まで）」に延長される。 R元-選D R4-6オ

**参考** 厚生労働省令で定める理由は、「①出産、②事業所の休業、③事業主の命による外国における勤務、④国と民間企業との間の人事交流に関する法律第2条第4項第2号に該当する交流採用、⑤①から④に掲げる理由に準ずる理由であって、公共職業安定所長がやむを得ないと認めるもの」とする。 （則101条の29）

#### ② みなし被保険者期間 R5-6A～E

「みなし被保険者期間」とは、初回の育児休業を開始した日の前日からさかのぼって被保険者であった期間を**1箇月**ごとに区分し、各区分期間のうち**賃金支払基礎日数が11日以上**あるものを**1箇月**として計算した期間である。

みなし被保険者期間の算定方法は、被保険者期間の算定方法と同様である。したがって、最後に被保険者となった日前に受給資格等を取得した（受給資格等の決定手続を受けた）ことがある場合には、基本手当等の受給の有無を問わず、その受給資格等に係る離職の日以前の被保険者であった期間はみなし被保険者期間の算定期間には通算されない。

なお、労働基準法第65条第2項の産後休業をした被保険者であって、育児休業開始日前2年間に、みなし被保険者期間が通算して12か月に満たないものについては、**特例基準日**前2年間に、通算して12か月以上のみなし被保険者期間がある場合にも、育児休業給付の支給に係るみなし被保険者期間要件を満たしたものとする。

特例基準日とは、当該子について労働基準法第65条第1項の規定による産前休業を開始した日（厚生労働省令で定める理由により当該日によるこ

とが適当でないと認められる場合においては、厚生労働省令で定める日※）をいう。

※　次表左欄に掲げる理由の区分に応じて下表右欄に定める日をいう。

| | |
|---|---|
| 育児休業の申出に係る子について、労働基準法第65条第１項の規定による産前休業を開始する日前に当該子を出生したこと | 当該子を出生した日の翌日 |
| 育児休業の申出に係る子について、労働基準法第65条第１項の規定による産前休業を開始する日前に当該産前休業に先行する母性保護のための休業をしたこと | 当該先行する休業を開始した日 |

**【例】**

・育休開始日を起算点とした場合

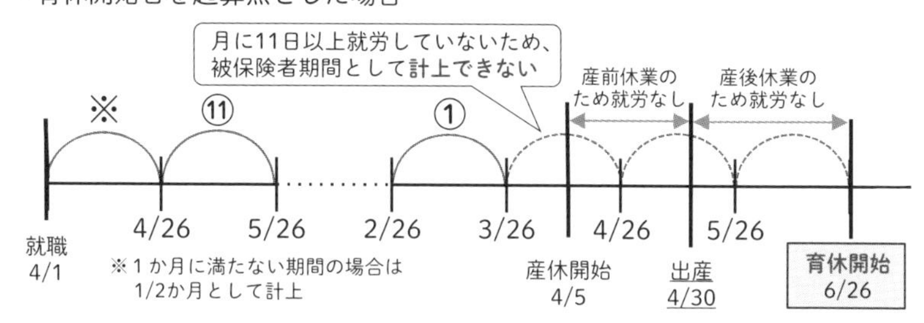


・産休開始日を起算点とした場合

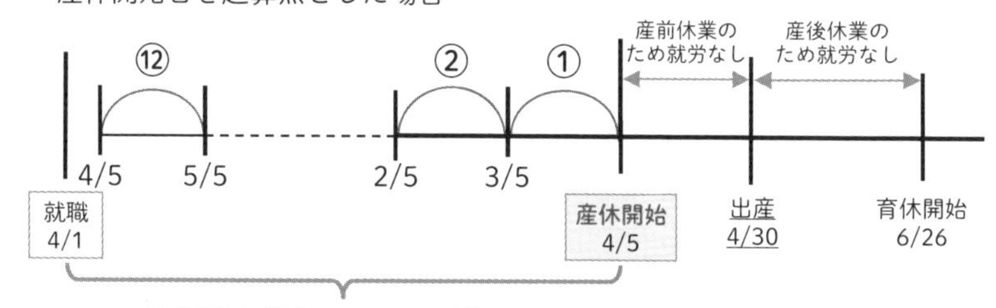


（厚生労働省資料）

（法61条の7,4項、則101条の29の３）

### (3)　対象となる期間雇用者

期間を定めて雇用される者にあっては、(1)(2)に加え、その養育する子が１歳６か月（２歳に満たない子について育児休業をすることができる場合は、２歳）に達する日までに、その労働契約（契約が更新される場合にあっては、更新後のもの）が満了することが明らかでない者でなければならない。

**H29-6A**（則101条の22,３号ロカッコ書、４号）

## 2. 支給要件

**1.**の支給対象者が次の要件を満たした場合に支給する。

⑴　被保険者がその事業主に申し出ていること。

⑵　育児休業期間について、その**初日**及び**末日**とする日（休業開始予定日及び休業終了予定日）を明らかにしていること。

⑶　支給単位期間において公共職業安定所長が**就業をしていると認める日数**が**10日**（**10日**を超える場合にあっては、公共職業安定所長が就業をしていると認める時間が**80時間**）**以下**であること。

⑷　次のいずれかに該当することとなった日後（③に該当する場合にあっては、その日以後）の育児休業ではないこと。

①　休業終了予定日とされた日（その事業主に申し出ることによって変更された場合にあっては、その変更後の日。以下育児休業給付金の規定において同じ。）の前日までに、子の死亡その他の被保険者が育児休業の申出に係る**子を養育しないこととなった**事由として公共職業安定所長が認める事由が生じたこと。

②　休業終了予定日とされた日の前日までに、育児休業の申出に係る子が**1歳**〔その子が1歳に達した日後の期間について休業することが雇用の継続のために特に必要と認められる場合として厚生労働省令で定める場合に該当する場合にあっては、1歳6か月（その子が1歳6か月に達した日後の期間について休業することが雇用の継続のために特に必要と認められる場合として厚生労働省令で定める場合に該当する場合にあっては、2歳）〕に達したこと。

**参考** 前述の「パパ・ママ育休プラス」の適用を受ける場合には、⑷②中「1歳」とあるのは、「1歳2か月」となる。

③　休業終了予定日とされた日までに、育児休業の申出をした被保険者について**産前産後休業期間**、**介護休業期間**又は新たな**育児休業期間**が**始まった**こと（当該育児休業の申出に係る子を養育するための新たな休業をする期間が始まったときを除く。）。 H29-6C

④　育児休業の申出に係る子が1歳に達する日後の期間において当該子を養育するための育児休業給付金の支給に係る休業をした場合にあっては、当該休業が終了したこと（当該子が1歳6か月に達する日後に休業をするとき又は産前産後休業期間が始まったことにより育児休業期間が終了した場合であって、当該産前産後休業期間に係る子が死亡したとき等に該当する

ときを除く。)。

⑤　育児休業の申出に係る子が１歳６か月に達する日後の期間において当該子を養育するための育児休業給付金の支給に係る休業をした場合にあっては、当該休業が終了したこと（産前産後休業期間が始まったことにより育児休業期間が終了した場合であって、当該産前産後休業期間に係る子が死亡したとき等に該当するときを除く。)。

(5)　その子が１歳に達する日後から１歳６か月に達する日までの期間において新たに当該子を養育するための休業をする場合にあっては、次のいずれにも該当する休業であること。

①　当該子について、育児休業の申出をした被保険者又はその配偶者が、当該子の１歳に達する日において当該子を養育するための休業をしていること

②　当該休業をすることとする一の期間の初日が当該子の１歳に達する日の翌日（その配偶者が当該子の１歳に達する日後の期間に当該子を養育するための休業をしている場合には、当該休業をすることとする一の期間の末日の翌日以前の日）であること

(6)　その子が１歳６か月に達する日後から２歳に達する日までの期間において新たに当該子を養育するための休業をする場合にあっては、次のいずれにも該当する休業であること。

①　当該子について、育児休業の申出をした被保険者又はその配偶者が、当該子の１歳６か月に達する日において当該子を養育するための休業をしていること

②　当該休業をすることとする一の期間の初日が当該子の１歳６か月に達する日の翌日（その配偶者が当該子の１歳６か月に達する日後の期間に当該子を養育するための休業をしている場合には、当該休業をすることとする一の期間の末日の翌日以前の日）であること

（則101条の22,1号～３号、５号、６号）

## 2 育児休業の回数制限（法61条の7,2項、則101条の29の2,2号、3号）

★★★

Ⅰ　被保険者が育児休業について育児休業給付金の支給を受けたことがある場合において、当該被保険者が**同一の子**について**３回以上**の

育児休業をした場合における**3回目以後**の育児休業については、原則として、育児休業給付金は、支給しない。R5-6A～E

Ⅱ　その養育する**1歳から1歳6か月に達するまでの子**について、1歳未満の期間に係る**2回の育児休業給付金の支給に係る休業**をした場合であって、**1歳に達する日後に初めて**休業を開始する場合は、Ⅰの規定にかかわらず、育児休業給付金を支給する。

Ⅲ　その養育する**1歳6か月から2歳に達するまでの子**について、1歳6か月に達する日までの期間に係る**2回の育児休業給付金の支給に係る休業**（Ⅱに該当するものを除く。）をした場合であって、**1歳6か月に達する日後に初めて**休業を開始する場合は、Ⅰの規定にかかわらず、育児休業給付金を支給する。

**Check Point!**

□ 上記の回数制限については、出生時育児休業を取得した回数は通算しない。

（法61条の8,8項）

**・原則と例外**

1歳未満の子については、**2回**の育児休業まで育児休業給付金が支給される。3回目以降の育児休業については、育児休業給付金は原則支給されないが、「別の子の産前産後休業、育児休業、別の家族の介護休業が始まったことで育児休業が終了した場合で、当該新たな休業が対象の子または家族の死亡等で終了した場合」等一定の例外事由に該当する場合は、当該回数制限の対象から除外されるため、3回目以降の育児休業について育児休業給付金が支給されることがある※1。

また、育児休業の延長事由があり、かつ、夫婦交代で育児休業を取得する場合(延長交代)※2は、1歳から1歳6か月と1歳6か月から2歳の各期間において夫婦それぞれ1回に限り育児休業給付金が支給されるが、上記のような例外事由に該当する場合は、再度育児休業給付金が支給されることがある（**1 支給要件等2.**⑷④⑤カッコ書参照）。H29-6C R3-7E

※1

**【例】** 介護休業を取得したことにより育児休業が終了したが、対象家族の死亡により当該介護休業が終了し、再び同一の子について育児休業を行う場合

子１歳到達日
被保険者　育児休業①　育児休業②　介護休業　育児休業③
介護休業取得による育児休業終了
対象家族の死亡による介護休業終了

※２

【例】１歳未満の子について２回の育児休業給付金の支給に係る休業をした場合であって、１歳に達する日後被保険者が初めて延長事由に該当する休業を開始する場合

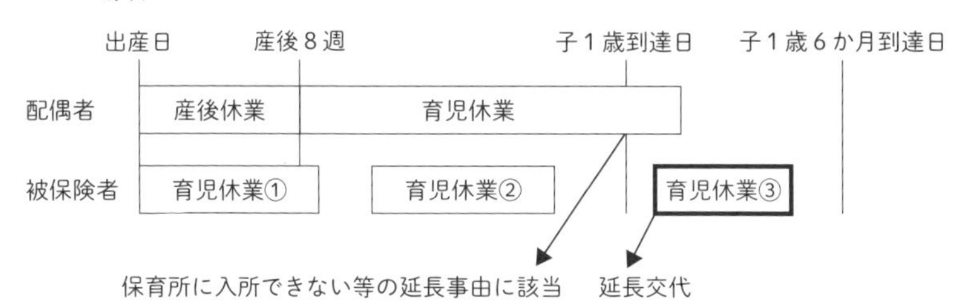


（則101条の22、行政手引59503-2）

## 問題チェック H8-6C改題

育児休業給付金に係るみなし被保険者期間の算定に当たり、既に受給資格の決定を受けたことがある場合には、当該受給資格に係る基本手当又は再就職手当の受給の有無を問わず、当該受給資格に係る離職の日以前における被保険者であった期間中のみなし被保険者期間は通算されない。

**解答** ○　法61条の7,3項

設問の通り正しい。みなし被保険者期間の算定方法は法第14条の被保険者期間の算定方法と同様である。したがって、設問の通りの取扱いをする。

## 問題チェック H23-6D改題

事業主が雇用保険に関する届出等の手続を怠っていたため、雇用保険法第22条第５項が定める特例によって、被保険者の確認があった日の２年前の日よりも前に被保険者となったものとされる被保険者の場合であっても、介護休業給付及び育児休業等給付の受給要件であるみなし被保険者期間に関しては、被保険者の確認があった日の２年前の日よりも前の期間は算入されない。

**解答** ×　法14条２項、法22条５項、法61条の4,2項、法61条の7,3項他

介護休業給付及び育児休業等給付の規定におけるみなし被保険者期間についても、

遡及適用期間の特例により「被保険者となったことの確認があった日の２年前の日よりも前の期間」を算入する。

---

## 3 支給単位期間（法61条の7,5項、法61条の8,8項）

★★★

「**支給単位期間**」とは、**育児休業**（既に同一の子について出生時育児休業給付金の支給を受けていた場合における出生時育児休業を除く。）をした**期間**を、当該**育児休業を開始した日**又は**各月**において**その日**に**応当**し、かつ、当該**育児休業**をした**期間内にある日**（その日に**応当する日がない月**においては、その**月の末日**。以下「**休業開始応当日**」という。）から各翌月の**休業開始応当日の前日**（当該**育児休業**を**終了した日の属する月**にあっては、当該**育児休業を終了した日**）までの各期間に区分した場合における当該区分による一の期間をいう。R5-6A～E

### 概要

育児休業給付金は「支給単位期間」について支給される。この「支給単位期間」とは、育児休業を開始した日から１箇月ごとに区分していった各期間をいうが、最後の支給単位期間は休業終了日までの期間となる。

**【例】12月９日に出産した場合**

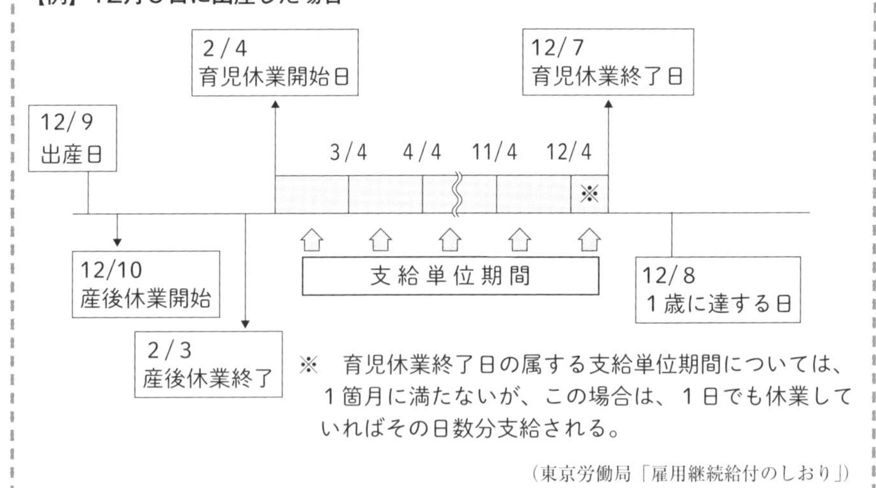


※　育児休業終了日の属する支給単位期間については、１箇月に満たないが、この場合は、１日でも休業していればその日数分支給される。

（東京労働局「雇用継続給付のしおり」）

**Check Point!**

□ 既に同一の子について出生時育児休業給付金の支給を受けていた場合でも、支給単位期間は育児休業を開始した日から起算して１箇月ごとに区分する。

## 4 支給額（法61条の7,6項、7項）

★★★

Ⅰ　**育児休業給付金の額**は、**一支給単位期間**について、**育児休業給付金**の支給を受けることができる**被保険者**を**受給資格者**と、当該**被保険者**が当該**育児休業給付金**の支給に係る**育児休業**（同一の子について**２回以上**の育児休業をした場合にあっては、**初回**の育児休業とする。）**を開始した日**の**前日**を**受給資格**に係る**離職の日**とみなして第17条［賃金日額］の規定を適用した場合に算定されることとなる賃金日額に相当する額（以下「**休業開始時賃金日額**」という。）に次のⅰⅱに掲げる**支給単位期間**の区分に応じて当該ⅰⅱに定める日数（以下「**支給日数**」という。）を乗じて得た額の**100分の50**〔当該育児休業（同一の子について**２回以上**の育児休業をした場合にあっては、**初回**の育児休業とする。）を開始した日から起算し当該**育児休業給付金の支給に係る休業日数が通算して180日**に達するまでの間に限り、**100分の67**〕に相当する額とする。

ⅰ　ⅱに掲げる**支給単位期間**以外の**支給単位期間**　**30日**

ⅱ　**育児休業を終了した日**の属する**支給単位期間**　当該**支給単位期間**における当該**育児休業を開始した日**又は**休業開始応当日**から当該**育児休業を終了した日**までの日数

Ⅱ　Ⅰの規定にかかわらず、**育児休業**をした**被保険者**に当該**被保険者**を雇用している**事業主**から**支給単位期間**に**賃金**が支払われた場合において、当該**賃金の額**に当該**支給単位期間**における**育児休業給付金**の額を加えて得た額が**休業開始時賃金日額**に**支給日数**を乗じて得た額の**100分の80に相当する額以上**であるときは、**休業開始時賃金日額**に**支給日数**を乗じて得た額の**100分の80**に相当する額から当該**賃金の額**を減じて得た額を、当該**支給単位期間**における**育児休業給付金**の**額**とする。この場合において、当該賃金の額が**休業開始時賃金日額**に**支給日数**を乗じて得た額の**100分の80に相当する額以上**であるときは、1 Ⅰの規定にかかわらず、当該**賃金**が支払われた**支給単位期間**については、**育児休業給付金**は、支給しない。

H29-6E　R3-7C

**概要**

育児休業給付金の額は、原則として、一支給単位期間について、休業開始時賃金日額（初回の育児休業を開始した日の前日を離職日とみなして算定した賃金日額）に30日（最後の支給単位期間については、当該支給単位期間における暦日数）を乗じて得た額の50%（初回の育児休業開始日から起算して180日目までは67%）相当額である。

| | |
|---|---|
| 初回の育児休業開始日から起算して180日目まで | **休業開始時賃金日額×支給日数×67%** |
| 初回の育児休業開始日から起算して181日目以降 | **休業開始時賃金日額×支給日数×50%** |

事業主から賃金が支払われた場合の支給額は、次の通りである。

| 支給単位期間の賃金 | 育児休業給付金の額 |
|---|---|
| 休業開始時賃金日額×支給日数の**30%**（休業開始日起算**180日目**までは**13%**）以下 | 休業開始時賃金日額×支給日数×**50%**（休業開始日起算180日目までは**67%**） |
| 休業開始時賃金日額×支給日数の**30%超80%**未満（休業開始日起算**180日目**までは**13%超80%**未満） | （休業開始時賃金日額×支給日数×**80%**）－支給単位期間の賃金 |
| 休業開始時賃金日額×支給日数の**80%**以上 R3-7C | 不支給 |

**Check Point!**

□ 休業開始時賃金日額の上限額は、30歳以上45歳未満の者に係る賃金日額の上限額（15,690円）となる。

□ 被保険者が同一の子について２回以上の育児休業をした場合は、初回の育児休業（出生時育児休業を含む。）を開始した日を基準として休業開始

時賃金日額を計算する。 (法61条の7,6項)

**・出生時育児休業給付金の支給を受けていた場合**

育児休業給付金の支給を受けようとする被保険者が、既に同一の子について出生時育児休業給付金の支給を受けていた場合における育児休業給付金の額は、当該被保険者が初回の育児休業を開始した日から起算し育児休業給付金の支給に係る休業日数及び出生時育児休業給付金の支給に係る休業日数が通算して180日に達する日までの間に限り、休業開始時賃金日額に支給日数を乗じて得た額の100分の67に相当する額とする。 (法61条の8,8項)

1．育児休業給付金の支給に係る休業日数の180日目に当たる日が属する支給単位期間における育児休業給付金の額は、休業開始時賃金日額に休業開始応当日から当該休業日数の180日目に当たる日までの日数を乗じて得た額の100分の67に相当する額に、休業開始時賃金日額に当該休業日数の181日目に当たる日から育児休業を終了した日又は翌月の休業開始応当日の前日のいずれか早い日までの日数を乗じて得た額の100分の50に相当する額を加えて得た額とされる。

2．休業開始時賃金日額の算定に当たっては、基本手当の場合と同様に賃金締切日の翌日から次の賃金締切日までの間を１か月として算定し、当該１か月間に賃金支払基礎日数が11日以上ある月を完全な賃金月として、休業開始時点から遡って直近の完全な賃金月６か月の間に支払われた賃金の総額を180で除して得た額を算定することとする。この休業開始時賃金日額の算定におけるその他の算定方法、賃金の範囲については、基本手当の賃金日額の算定に係る取扱いと同様の取扱いとする。 R3-7B (行政手引59524)

3．特別養子縁組の成立のための監護期間に係る育児休業給付金の支給については、家庭裁判所において特別養子縁組の成立を認めない審判が行われた場合、その決定日の前日までが対象となる。

なお、この場合であっても、家庭裁判所に対して特別養子縁組を成立させるための請求が再度行われたときは、育児休業給付金の支給対象となる監護期間となり得るものであり、また、住民票記載事項証明書等を確認することにより、当該請求日前の監護の状況が明らかである場合は、その明らかとなる初日を監護期間の初日とみなして取り扱うこと。 R3-7A (行政手引59573)

## 5 支給申請手続 (則101条の30,1項) H29-6B ★★★

**被保険者**は、**初めて育児休業給付金**の支給を受けようとするときは、**支給単位期間**の**初日**から起算して**４箇月を経過する日の属する月の末日**までに、所定の事項を記載した申請書（以下「**育児休業給付受給資格確認票・（初回）育児休業給付金支給申請書**」という。）に**休業開始時賃金証明票等**の必要書類を添えて、**事業主を経由**して**所轄公共職業安定所の長**に提出しなければならない。ただし、やむを得ない理由のため**事業主を経由**して当該申請書の提出を行うことが困難であるときは、**事業主を経由**しないで提出を行うことができる。

**Check Point!**

□ 休業開始時賃金証明票については、同一の子について2回以上の育児休業をした場合、初回の育児休業についてのみ提出する。

・育児休業給付金の支給申請手続のまとめ

| | 提出期限 | 申請書等 | 提出先 |
|---|---|---|---|
| 初回 | 最初の支給単位期間の初日から起算して**4箇月**を経過する日の属する月の末日まで | 育児休業給付受給資格確認票・(初回)育児休業給付金支給申請書<br>+<br>**休業開始時賃金証明票** | **所轄**公共職業安定所長 |
| 2回目以降 | 公共職業安定所長の定めた支給申請を行うべき期間 | 育児休業給付金支給申請書 | |

参考（2回目以降の支給申請）
高年齢雇用継続給付の場合と同様である。（則101条の30,2項、4項）

## ❷ 出生時育児休業給付金 重要度A

### 1 支給要件等（法61条の7,1項カッコ書、法61条の8,1項、3項）

★★★

Ⅰ　出生時育児休業給付金は、被保険者が、厚生労働省令で定めるところにより、その**子の出生の日**から起算して**8週間を経過する日の翌日**まで（**出産予定日前**に当該子が出生した場合にあっては当該**出生の日から当該出産予定日から起算して8週間を経過する日の翌日**までとし、出産予定日後に当該子が出生した場合にあっては当該出産予定日から当該出生の日から起算して8週間を経過する日の翌日までとする。「**出生後休業支援給付金**」の規定において同じ。）の期間内に**4週間以内**の期間を定めて当該子を養育するための休業（当該被保険者が出生時育児休業給付金の支給を受けることを希望する旨を**公共職業安定所長に申し出た**ものに限る。以下「**出生時育児休業**」という。）をした場合において、当該**出生時育児休業**（当該子について**2回目**の**出生時育児休業**をした場合にあっては、**初回の出生時育児休業**とする。以下Ⅰ及びⅡにおいて同じ。）を**開始した日前2年間**〔当該**出生時育児休業**を**開始した日前2年間**に**疾病**、**負傷**その他厚生労働省令で定める理由により**引き続き30日以上賃金の支払を受けることができなかった**被保険者については、当該理由により**賃金の支払を受けることができなかった日数**を**2年**に**加算した期間**（その期間が**4年を超える**ときは、**4年間**）〕に、**みなし被保険者期間**が**通算して12箇月以上**であったときに、支給する。

Ⅱ　Ⅰの「**みなし被保険者期間**」は、**出生時育児休業**を**開始した日**を**被保険者でなくなった日**とみなして第14条［被保険者期間］の規定を適用した場合に計算されることとなる被保険者期間に相当する期間とする。

**Check Point!**

☐ 産後休業（出産日の翌日から8週間）は対象出生時育児休業には含まれない。また、産後6週間を経過した場合であって、当該被保険者の請求により、8週間を経過する前に産後休業を終了した場合であっても、産後8週間を経過するまでは産後休業とみなされる。そのため、基本的には女性が出生時育児休業を取得することができるのは、養子の場合に限られるものである。（行政手引59503）

☐ 男性が出生時育児休業を取得する場合は、配偶者の出産予定日又は出生時育児休業の申出に係る子の出生日のいずれか早い日から対象出生時育児休業とすることができる。（同上）

☐ 被保険者が同一の子について2回目の出生時育児休業をした場合にあっては、初回の出生時育児休業を開始した日を基準としてみなし被保険者期間を計算する。（法61条の8,1項カッコ書、3項）

1．支給対象者

次の要件を満たした者が支給対象者となる。

(1)　**子の出生の日から起算して8週間を経過する日の翌日まで※の期間内に4週間以内の期間を定めて出生時育児休業をする一般被保険者又は高年齢被保険者であること** R6-選A

※

| **出産予定日前**に<br>当該子が出生した場合 | 当該**出生の日から**当該**出産予定日から起算して**<br>**8週間を経過する日の翌日**まで |
|---|---|
| **出産予定日後**に<br>当該子が出生した場合 | 当該**出産予定日**から当該**出生の日から起算して**<br>**8週間を経過する日の翌日**まで |

⑵　**初回の出生時育児休業を開始した日前2年間（原則）にみなし被保険者期間が通算して12箇月以上であったこと**

①　**出生時育児休業を開始した日前2年間**

「出生時育児休業を開始した日前**2年間**」については、その期間中に疾病、負傷その他厚生労働省令で定める理由により**引き続き30日以上**賃金の支払を受けることができなかった期間がある場合には、「当該理由により賃金の支払を受けることができなかった日数を**2年**に加算した期間（最大で合計**4年間**まで）」に延長される。

**参考** 厚生労働省令で定める理由は、「①出産、②事業所の休業、③事業主の命による外国における勤務、④国と民間企業との間の人事交流に関する法律第2条第4項第2号に該当する交流採用、⑤①から④に掲げる理由に準ずる理由であって、公共職業安定所長がやむを得ないと認めるもの」とする。（則101条の32）

②　**みなし被保険者期間**

「みなし被保険者期間」とは、初回の出生時育児休業を開始した日の前日からさかのぼって被保険者であった期間を1箇月ごとに区分し、各区分期間のうち賃金支払基礎日数が11日以上あるものを1箇月として計算した期間である。

⑶　**対象となる期間雇用者**

期間を定めて雇用される者にあっては、⑴⑵に加え、その養育する子の出生の日（出産予定日前に当該子が出生した場合にあっては、当該出産予定日）から起算して8週間を経過する日の翌日から6月を経過する日までに、その労働契約が満了することが明らかでない者でなければならない。

（則101条の31,4号）

## 2.　支給要件

1.の支給対象者が次の要件を満たした場合に支給する。

⑴　被保険者がその事業主に申し出ていること。

⑵　出生時育児休業期間について、その初日及び末日とする日（出生時育児休業開始予定日及び出生時育児休業終了予定日）を明らかにしていること。

⑶　出生時育児休業期間中公共職業安定所長が就業をしていると認める日数が

**10日**（**10日**を超える場合にあっては、公共職業安定所長が就業をしていると認める時間が**80時間**）※**以下**であること。

※　出生時育児休業期間が28日に満たない場合は、上記「10日（80時間）」は、次の通りとなる。

| 上限日数 | 10日×（休業した日数÷28）（1日未満の端数は切上げ） |
|---|---|
| 上限時間数 | 80時間×（休業した日数÷28） |

**【例】** 10日間の出生時育児休業の場合：最大4日（4日を超える場合は約28.57時間）

$10日\times\frac{10}{28}\fallingdotseq 3.57$（1未満の端数切上げ）→4日

$80時間\times\frac{10}{28}\fallingdotseq 28.57時間$（端数処理なし）

⑷　次のいずれかに該当することとなった日後（③に該当する場合にあっては、その日以後）の休業でないこと。

①　出生時育児休業終了予定日とされた日（その事業主に申し出ることによって変更された場合にあっては、その変更後の日。以下⑷において同じ。）の前日までに、子の死亡その他の被保険者が出生時育児休業の申出に係る子を養育しないこととなった事由として公共職業安定所長が認める事由が生じたこと。

②　出生時育児休業終了予定日とされた日の前日までに、出生時育児休業の申出に係る子の出生の日の翌日（出産予定日前に当該子が出生した場合にあっては、当該出産予定日の翌日）から起算して8週間を経過したこと。

③　出生時育児休業終了予定日とされた日までに、育児休業の申出をした被保険者について産前産後休業期間、介護休業期間又は新たな育児休業期間が始まったこと（当該出生時育児休業の申出に係る子を養育するための新たな休業をする期間が始まったときを除く。）。（則101条の31）

### 3. 支給限度

被保険者が出生時育児休業について出生時育児休業給付金の支給を受けたことがある場合において、当該被保険者が次の⑴⑵のいずれかに該当する出生時育児休業をしたときは、出生時育児休業給付金は、支給しない。

⑴　同一の子について当該被保険者が3回以上の出生時育児休業をした場合における**3回目以後**の出生時育児休業 R6-選B

⑵　同一の子について当該被保険者がした出生時育児休業ごとに、当該出生時育児休業を開始した日から当該出生時育児休業を終了した日までの日数を合算して得た日数が**28日に達した日後**の出生時育児休業 R6-選C（法61条の8,2項）

## 2 支給額（法61条の8,4項、5項）

★★★

Ⅰ　出生時育児休業給付金の額は、出生時育児休業給付金の支給を受けることができる被保険者を受給資格者と、当該被保険者が当該出生時育児休業給付金の支給に係る出生時育児休業（同一の子について2回目の出生時育児休業をした場合にあっては、**初回の出生時育児休業**とする。）を開始した日の前日を受給資格に係る離職の日とみなして第17条［賃金日額］の規定を適用した場合に算定されることとなる賃金日額に相当する額（Ⅱにおいて「**休業開始時賃金日額**」という。）に第2項第2号に規定する合算して得た日数（その日数が**28日を超えるときは、28日**。Ⅱにおいて「**支給日数**」という。）を乗じて得た額の**100分の67**に相当する額（Ⅱにおいて「**支給額**」という。）とする。

Ⅱ　Ⅰの規定にかかわらず、出生時育児休業をした被保険者に当該被保険者を雇用している事業主から当該出生時育児休業をした期間（合算して得た日数が28日を超えるときは、当該日数が**28日に達する日までの期間に限る**。）に賃金が支払われた場合において、当該**賃金の額に支給額を加えて得た額**が**休業開始時賃金日額**に**支給日数**を乗じて得た額の**100分の80に相当する額以上**であるときは、休業開始時賃金日額に支給日数を乗じて得た額の**100分の80**に相当する額から当該**賃金の額**を減じて得た額を、出生時育児休業給付金の額とする。この場合において、当該**賃金の額**が**休業開始時賃金日額**に**支給日数**を乗じて得た額の**100分の80に相当する額以上**であるときは、1 Ⅰの規定にかかわらず、出生時育児休業給付金は、**支給しない**。

### 概要

1．出生時育児休業給付金の支給額は、次の通りである。

| 休業開始時賃金日額×支給日数×**67%** |
|---|

2．事業主から賃金が支払われた場合の支給額は、次の通りである。

| 出生時育児休業期間の賃金 | 出生時育児休業給付金の額 |
| --- | --- |
| 休業開始時賃金日額×支給日数の**13%以下** | 休業開始時賃金日額×支給日数×**67%** |
| 休業開始時賃金日額×支給日数の**13%超80%未満** | (休業開始時賃金日額×支給日数×**80%**)－出生時育児休業期間の賃金 |
| 休業開始時賃金日額×支給日数の**80%以上** | **不支給** |

**Check Point!**

□ 休業開始時賃金日額の上限額は、30歳以上45歳未満の者に係る賃金日額の上限額(15,690円)となる。

## 3 支給申請手続(則101条の33,1項、3項)

★★★

Ⅰ　**被保険者**は、出生時育児休業給付金の支給を受けようとするときは、当該出生時育児休業給付金の支給に係る子の**出生の日**(**出産予定日前**に当該子が出生した場合にあっては、当該**出産予定日**)から起算して**8週間を経過する日の翌日から当該日から起算して2箇月を経過する日の属する月の末日**までに、所定の事項を記載した申請書(以下「**育児休業給付受給資格確認票・出生時育児休業給付金支給申請書**」という。)に**休業開始時賃金証明票**等の必要書類を添えて、**事業主を経由**して**所轄公共職業安定所の長**に提出しなければならない。ただし、やむを得ない理由のため事業主を経由して当該申請書の提出を行うことが困難であるときは、事業主を経由しないで提出を行うことができる。

Ⅱ　公共職業安定所長は、Ⅰの規定により**育児休業給付受給資格確認票・出生時育児休業給付金支給申請書**を提出した被保険者が、法第61条の8第1項[出生時育児休業給付金の支給要件]の規定に該当すると認めたときは、当該被保険者に対して出生時育児休業給付金を支給する旨を**通知**しなければならない。

### ・出生時育児休業給付金の支給申請手続のまとめ

| 提出期限 | 申請書等 | 提出先 |
|---|---|---|
| 出生の日（出産予定日前に出生したときは出産予定日）から起算して８週間を経過する日の翌日から、当該日から起算して２箇月を経過する日の属する月の末日まで | 育児休業給付受給資格確認票・出生時育児休業給付金支給申請書<br>＋<br>休業開始時賃金証明票 | 所轄公共職業安定所長 |

**参考**（２回目以降の支給申請）
出生時育児休業給付金は、２回に分割して取得する場合でも、１回にまとめて申請する。

（既に出生時育児休業を取得していた場合の支給申請）
育児休業給付金の支給申請の届出に係る休業（当該届出に係る子について２回以上の当該届出に係る休業をした場合にあっては、初回の休業とする。）をした期間の初日前に当該届出に係る子について出生時育児休業給付金に係る休業をしていた場合は、当該届出の前に、当該休業に係る出生時育児休業給付金の支給申請の届出をしなければならない。
（則101条の33,7項）

（既に育児休業を取得していた場合の支給申請）
出生時育児休業給付金の支給申請の届出に係る休業（当該届出に係る子について２回目の当該届出に係る休業をした場合にあっては、初回の休業とする。）をした期間の初日前に当該届出に係る子について育児休業給付金に係る休業をしていた場合は、当該届出の前に、当該休業に係る育児休業給付金の支給申請の届出をしなければならない。
（則101条の33,8項）

# 出生後休業支援給付

## ① 出生後休業支援給付金 重要度A 改正

### 1 支給要件等（法61条の10,1項、2項、4項）

★★★

Ⅰ　**出生後休業支援給付金**は、**被保険者**が、厚生労働省令で定めるところにより、**対象期間内**にその子を養育するための休業（以下「**出生後休業**」という。）をした場合において、次の**ⅰからⅲ**に掲げる要件の**いずれにも**該当するときに、支給する。

ⅰ　当該**出生後休業**（当該子について**２回以上**の**出生後休業**をした場合にあっては、**初回の出生後休業**とする。以下ⅰ及びⅢにおいて同じ。）を開始した日前**２年間**〔当該**出生後休業**を開始した日前**２年間**に**疾病**、**負傷**その他厚生労働省令で定める理由により**引き続き30日以上賃金の支払を受けることができなかった**被保険者については、当該理由により**賃金の支払を受けることができなかった日数**を**２年**に加算した期間（その期間が**４年**を超えるときは、**４年間**）〕に、**みなし被保険者期間**が**通算して12箇月以上**であったとき。

ⅱ　**対象期間内**にした**出生後休業の日数**が**通算して14日以上**であるとき。

ⅲ　当該被保険者の配偶者が当該**出生後休業**に係る子について**出生後休業**をしたとき（当該配偶者が当該子の出生の日から起算して**８週間を経過する日の翌日**までの期間内にした**出生後休業**の日数が**通算して14日以上**であるときに限る。）。

Ⅱ　被保険者が次のⅰからⅳのいずれかに該当する場合は、上記**Ⅰⅰ及びⅱ**に該当するときに、出生後休業支援給付金を支給する。

ⅰ　**配偶者のない**者その他厚生労働省令で定める者である場合

ⅱ　当該被保険者の**配偶者**が**適用事業に雇用される労働者でない**場

合

iii　当該被保険者の**配偶者**が当該出生後休業に係る子について労働基準法第65条第２項の規定による**産後休業**その他これに相当する休業をした場合

iv　ｉからiiiに掲げる場合のほか、当該被保険者の配偶者が当該出生後休業に係る子の出生の日から起算して**８週間を経過する日の翌日**までの期間内において当該子を養育するための休業をすることができない場合として厚生労働省令で定める場合

Ⅲ　Ⅰｉの「みなし被保険者期間」は、**出生後休業**を開始した日を**被保険者でなくなった日**とみなして第14条［被保険者期間］の規定を適用した場合に計算されることとなる被保険者期間に相当する期間とする。

**概要**

両親ともに育児休業を取得することを促進するため、以下の要件を満たす場合に、最大28日間、休業開始前賃金の13％相当額を出生後休業支援給付として給付し、育児休業給付とあわせて給付率を80％（手取りで10割相当）とする出生後休業支援給付の仕組みが創設された（令和７年４月１日施行）。

⑴　出生後休業開始日前２年間に、みなし被保険者期間が通算して12か月以上あること

⑵　子の出生直後の一定期間以内（男性は子の出生後８週間以内、女性は産後休業後８週間以内）に育児休業を取得すること

⑶　被保険者とその配偶者の両方が14日以上の育児休業を取得すること〔配偶者が専業主婦（夫）の場合やひとり親家庭の場合などには、配偶者の育児休業の取得は求めない〕

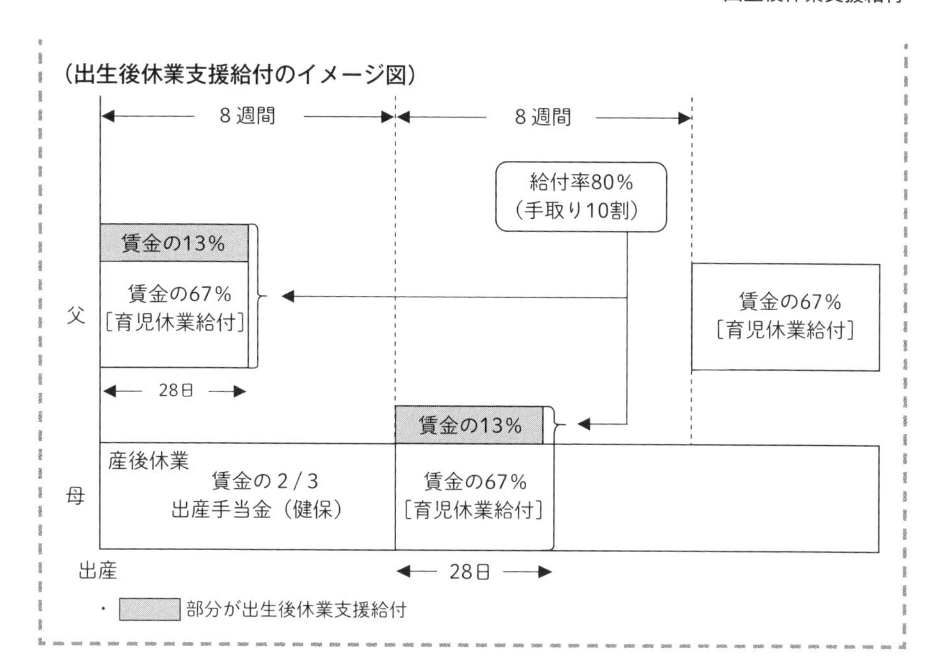




## 1. みなし被保険者期間算定の特例

労働基準法第65条第2項の規定による産後休業をした被保険者であって、出生後休業開始日前2年間に、みなし被保険者期間が通算して12か月に満たないものについては、特例基準日〔当該子について労働基準法第65条第1項の規定による**産前休業を開始した日**（厚生労働省令で定める理由により当該日によることが適当でないと認められる場合においては、当該理由に応じて厚生労働省令で定める日）〕前2年間に、通算して12か月以上のみなし被保険者期間がある場合にも、上記Ⅰⅰの要件を満たしたものとする。（法61条の10,5項）

## 2. 対象期間

対象期間とは、下表左欄の区分に応じ、当該右欄に定める期間とする。

<table>
<tr><td colspan="2">(1)　被保険者がその子について労働基準法第65条第2項［産後休業］の規定による休業をしなかったとき</td><td>その子の出生の日から起算して8週間を経過する日の翌日までの期間</td></tr>
<tr><td rowspan="3">(2)　被保険者がその子について労働基準法第65条第2項［産後休業］の規定による休業をしたときであって</td><td>出産予定日に当該子が出生したとき</td><td>当該出生の日から起算して16週間を経過する日の翌日までの期間</td></tr>
<tr><td>出産予定日前に当該子が出生したとき</td><td>当該出生の日から当該出産予定日から起算して16週間を経過する日の翌日までの期間</td></tr>
<tr><td>出産予定日後に当該子が出生したとき</td><td>当該出産予定日から当該出生の日から起算して16週間を経過する日の翌日までの期間</td></tr>
</table>

（法61条の10,7項）

### 3.　支給限度

被保険者が出生後休業について出生後休業支援給付金の支給を受けたことがある場合において、当該被保険者が次の(1)から(3)のいずれかに該当する出生後休業をしたときは、出生後休業支援給付金は、支給しない。

(1)　同一の子について当該被保険者が複数回の出生後休業を取得することについて妥当である場合として厚生労働省令で定める場合に該当しない場合における**2回目以後**の出生後休業

(2)　同一の子について当該被保険者が5回以上の出生後休業（当該出生後休業を5回以上取得することについてやむを得ない理由がある場合として厚生労働省令で定める場合に該当するものを除く。）をした場合における**5回目以後**の出生後休業

(3)　同一の子について当該被保険者がした出生後休業ごとに、当該出生後休業を開始した日から当該出生後休業を終了した日までの日数を合算して得た日数が**28日に達した日後**の出生後休業　（法61条の10,3項）

## 2 支給額（法61条の10,6項）　★★★

出生後休業支援給付金の額は、出生後休業支援給付金の支給を受けることができる被保険者を**受給資格者**と、当該被保険者が当該出生後休業支援給付金の支給に係る**出生後休業**（同一の子について**2回以上**の出生後休業をした場合にあっては、**初回**の**出生後休業**とする。）を**開**

**始した日の前日**を**受給資格に係る離職の日**とみなして第17条［賃金日額］の規定を適用した場合に算定されることとなる**賃金日額**に相当する額に当該被保険者が**対象期間内**に**出生後休業をした日数**（その日数が**28日**を超えるときは、**28日**）を乗じて得た額の**100分の13**に相当する額とする。

**概要**

1．出生後休業支援給付金の支給額は、次の通りである。

| 出生後休業開始時の賃金日額×出生後休業日数（上限28日）×13/100 |
|---|

2．出生後休業開始時の賃金日額の上限は、30歳以上45歳未満の者に係る賃金日額の上限（15,690円）となる。

# 育児時短就業給付

## ① 育児時短就業給付金 重要度A 改正

### 1 支給要件等（法61条の12,1項～3項）

★★★

Ⅰ　育児時短就業給付金は、被保険者が、厚生労働省令で定めるところにより、その**２歳に満たない子**を養育するための**所定労働時間**を**短縮**することによる就業（以下「**育児時短就業**」という。）をした場合において、当該**育児時短就業**（当該子について**２回以上**の**育児時短就業**をした場合にあっては、**初回**の**育児時短就業**とする。）を**開始した日前２年間**〔当該**育児時短就業**（当該子について**２回以上**の**育児時短就業**をした場合にあっては、**初回**の**育児時短就業**とする。）を**開始した日前２年間**に**疾病**、**負傷**その他厚生労働省令で定める理由により**引き続き30日以上賃金の支払を受けることができなかった**被保険者については、当該理由により**賃金の支払を受けることができなかった日数**を**２年**に加算した期間（その期間が**４年**を超えるときは、**４年間**)〕に**みなし被保険者期間**が**通算して12箇月以上**であったとき、又は当該被保険者が**育児時短就業**に係る子について、**育児休業給付金**の支給を受けていた場合であって当該**育児休業給付金**に係る育児休業終了後**引き続き育児時短就業**（当該子について**２回以上**の**育児時短就業**をした場合にあっては、**初回**の**育児時短就業**とする。以下Ⅰ及びⅢにおいて同じ。）をしたとき、若しくは**出生時育児休業給付金**の支給を受けていた場合であって当該**出生時育児休業給付金**に係る出生時育児休業終了後**引き続き育児時短就業**をしたときに、**支給対象月**について支給する。

Ⅱ　Ⅰの規定にかかわらず、**支給対象月**に支払われた**賃金の額**が、厚生労働省令で定めるところにより、労働者をその賃金の額の高低に従い区分し、その区分された階層のうち最も高い賃金の額に係る階層に属する労働者の賃金の額の中央値の額を基礎として厚生労働大臣が定める額（以下「**支給限度額**」という。）**以上**であるときは、当該**支給対象月**については、育児時短就業給付金は、支給しない。

Ⅲ　Ⅰの「みなし被保険者期間」は、**育児時短就業を開始した日**を**被保険者でなくなった日**とみなして第14条［被保険者期間］の規定を適用した場合に計算されることとなる被保険者期間に相当する期間とする。

**概要**

育児期を通じた柔軟な働き方を推進するため、被保険者が、２歳未満の子を養育するために、時短勤務をしている場合に、時短勤務中に支払われた賃金額の一定割合相当額を支給する育児時短就業給付の仕組みが創設された（令和７年４月１日施行）。

### 1.　みなし被保険者期間算定の特例

労働基準法第65条第２項の規定による産後休業をした被保険者であって、育児時短就業開始日前２年間に、みなし被保険者期間が通算して12か月に満たないものについては、特例基準日〔当該子について労働基準法第65条第１項の規定による**産前休業を開始した日**（厚生労働省令で定める理由により当該日によることが適当でないと認められる場合においては、当該理由に応じて厚生労働省令で定める日）〕前２年間に、通算して12か月以上のみなし被保険者期間がある場合にも、上記Ⅰのみなし被保険者期間の要件を満たしたものとする。　（法61条の12,4項）

### 2.　支給対象月

「支給対象月」とは、被保険者が育児時短就業を開始した日の属する月から当該育児時短就業を終了した日の属する月までの期間内にある月（その月の**初日から末日まで引き続いて、被保険者**であり、**かつ、介護休業給付金**又は**育児休業給付金、出生時育児休業給付金**若しくは**出生後休業支援給付金**の支給を受けることができる休業をしなかった月に限る。）をいう。　（法61条の12,5項）

第2章 第5節

## 2 支給額（法61条の12,6項、7項）

★★★

Ⅰ　育児時短就業給付金の額は、**一支給対象月**について、次のⅰⅱに掲げる区分に応じ、当該**支給対象月**に支払われた**賃金の額**に当該ⅰⅱに定める率を乗じて得た額とする。ただし、その額に当該賃金の額を加えて得た額が**支給限度額を超える**ときは、**支給限度額から当該賃金の額を減じて得た額**とする。

| | |
|---|---|
| ⅰ　当該賃金の額が、**育児時短就業開始時賃金日額**に**30**を乗じて得た額の**100分の90に相当する額未満**であるとき | 100分の10 |
| ⅱ　当該賃金の額が、**育児時短就業開始時賃金日額**に**30**を乗じて得た額の**100分の90**に相当する額以上**100分の100**に相当する額未満であるとき | **育児時短就業開始時賃金日額**に**30**を乗じて得た額に対する当該賃金の額の割合が100分の90を超える大きさの程度に応じ、**100分の10**から一定の割合で逓減するように厚生労働省令で定める率 |

Ⅱ　Ⅰの**育児時短就業開始時賃金日額**とは、育児時短就業給付金の支給を受けることができる被保険者を**受給資格者**と、当該被保険者が当該育児時短就業給付金の支給に係る**育児時短就業**（当該子について**2回以上**の育児時短就業をした場合にあっては、**初回**の育児時短就業とする。以下Ⅱにおいて同じ。）**を開始した日の前日**を受給資格に係る**離職の日**とみなして第17条［賃金日額］の規定を適用した場合に算定されることとなる賃金日額に相当する額（当該被保険者が、当該育児時短就業に係る子について、**育児休業給付金**の支給を受けていた場合であって当該**育児休業給付金**に係る育児休業終了後**引き続き育児時短就業**をしたときは第61条の7第6項に規定する**育児休業給付金**に係る休業開始時賃金日額とし、**出生時育児休業給付金**の支給を受けていた場合であって当該出生時育児休業給付金に係る出生時育児休業終了後**引き続き育児時短就業**をしたときは第61条の8第4項に規定する**出生時育児休業給付金**に係る休業開始時賃金日額とする。）をいう。

**概要**

育児時短就業給付金の支給額は、次の通りである。

| 支給対象月の賃金等 | | 育児時短就業給付金の額 |
|---|---|---|
| 支給対象月の賃金が | 育児時短就業開始時賃金月額の90％未満 | 支給対象月の賃金×10％ |
| | 育児時短就業開始時賃金月額の90％以上100％未満 | 支給対象月の賃金×（10％から一定割合で逓減する率） |
| 算定された給付金額＋支給対象月の賃金＞支給限度額 | | 支給限度額－支給対象月の賃金 |

**Check Point!**

□ 育児時短就業開始時賃金日額の上限は、30歳以上45歳未満の者に係る賃金日額の上限（15,690円）となる。



### 1. 不支給の場合

支給対象月における育児時短就業給付金の額として算定された額が法第17条第４項第１号［**賃金日額の最低限度額**］に掲げる額（2,869円）の**100分の80**に相当する額（2,295円）を超えないときは、当該支給対象月については、育児時短就業給付金は、支給しない。（法61条の12, 8項、令和6年厚労告250号）

### 2. 高年齢雇用継続給付との調整

育児時短就業給付金の支給を受けることができる者が、**同一の就業**につき**高年齢雇用継続基本給付金**又は**高年齢再就職給付金**の支給を受けることができる場合において、その者が**高年齢雇用継続基本給付金**又は**高年齢再就職給付金**の支給を**受けたとき**は**育児時短就業給付金**を**支給せず、育児時短就業給付金**の支給を**受けたとき**は**高年齢雇用継続基本給付金**又は**高年齢再就職給付金**を**支給しない**。

（法61条の12, 10項）

参考 厚生労働大臣は、年度の平均給与額が令和５年４月１日から始まる年度（この規定により支給限度額が変更されたときは、直近の当該変更がされた年度の前年度）の平均給与額を超え、又は下るに至った場合においては、その上昇し、又は低下した比率を基準として、その翌年度の８月１日以後の支給限度額を変更しなければならない。（法61条の12, 9項）

# 第2章 第6節

# 給付通則

## 1 通　則

❶ 受給権の保護

❷ 未支給の失業等給付

❸ 不正利得の返還命令等

## 2 不正受給による給付制限

❶ 求職者給付の給付制限

❷ 就職促進給付の給付制限

❸ 教育訓練給付の給付制限

❹ 雇用継続給付の給付制限

❺ 育児休業等給付の給付制限

## 3 その他の給付制限

❶ その他の給付制限まとめ

❷ 就職拒否等による給付制限

❸ 離職理由による給付制限

# 通　則

## ① 受給権の保護 重要度A

### 1 譲渡等の禁止（法11条）

★★★

**失業等給付**を**受ける権利**は、**譲り渡し**、**担保**に供し、又は**差し押える**ことができない。H29-1B

**Check Point!**

□ 雇用保険二事業による助成金等は、失業等給付等（保険給付）ではないのでこの規定の適用を受けない。

### 2 公課の禁止（法12条）

★★★

**租税**その他の**公課**は、**失業等給付**として支給を受けた**金銭を標準**として課することができない。H28-7ア H29-1E

**Check Point!**

□ 雇用保険二事業による助成金等は、失業等給付等（保険給付）ではないのでこの規定の適用を受けない。

参考 能力開発事業として支給される職業訓練受講給付金は、職業訓練の実施等による特定求職者の就職の支援に関する法律によって、譲渡等の禁止及び公課の禁止が規定されている。
（求職者支援法９条、10条）

# ❷ 未支給の失業等給付 重要度A

## 1 未支給の失業等給付（法10条の3）

★★★

Ⅰ　**失業等給付**の支給を受けることができる者が**死亡**した場合において、その者に支給されるべき**失業等給付**でまだ支給されていないものがあるときは、その者の**配偶者**（**婚姻の届出**をしていないが、**事実上婚姻関係と同様の事情**にあった者を含む。）、**子**、**父母**、**孫**、**祖父母又は兄弟姉妹**であって、その者の**死亡の当時**その者と**生計を同じくしていた**ものは、**自己の名**で、その**未支給の失業等給付**の支給を請求することができる。H27-選C R3-2AB

Ⅱ　Ⅰの規定による**未支給の失業等給付**の支給を受けるべき者の順位は、Ⅰに規定する順序による。H29-1D

Ⅲ　Ⅰの規定による**未支給の失業等給付**の支給を受けるべき**同順位者**が**2人以上**あるときは、その**1人**のした請求は、**全員**のためその**全額**につきしたものとみなし、その**1人**に対してした支給は、**全員**に対してしたものとみなす。

**Check Point!**

□ 未支給の失業等給付の請求は、受給資格者等が死亡した日の翌日から起算して6箇月以内にしなければならない。R3-2E　（則17条の2,1項）

## 2 未支給の基本手当の請求手続（法31条）

★★★

第10条の3第1項の規定により、**受給資格者**が死亡したため**失業の認定**を受けることができなかった期間に係る**基本手当**の**支給を請求する者**は、厚生労働省令で定めるところにより、当該**受給資格者**について**失業の認定**を受けなければならない。H29-選A

**Check Point!**

□ 未支給給付請求者は、死亡した者の死亡の当時の住所又は居所を管轄する公共職業安定所（「死亡者に係る公共職業安定所」という。）に出頭し、未支給失業等給付請求書を提出した上、死亡した受給資格者について失業の認定を受けなければならない。R元-4E　（則1条5項5号、則47条1項）

参考 1．次に掲げる日等本来受給資格者が死亡していなくても失業の認定を受けることができない日については支給されない。
(1)法第21条の待期中の日
(2)法第32条第1項若しくは第2項又は法第33条第1項の給付制限の規定により基本手当を支給しないこととされた期間中の日 R3-2C
(3)法第19条［基本手当の減額］の規定により基本手当を支給しないこととされた日
また、基本手当以外の未支給失業等給付についてもそれぞれの支給要件に該当していなければ支給することはできない。
したがって、例えば移転費は、就職のため住所を移転することを条件として支給するものであるので、紹介された職業に就くためであっても移転の途中で死亡した場合は、移転費を支給しない。
2．未支給失業等給付の支給は、死亡の日以後の日分について行うことができないものである。R3-2D
ただし、死亡の時刻等を勘案し、死亡の日を含めて失業の認定ができる場合は、死亡の日についても支給して差し支えない。この場合、おおむね正午以後に死亡した者については、死亡した日についても失業の認定を行うことができるものとする。なお、この取扱いは、パートタイマー等他の失業の認定にそのまま適用できるものではないので留意する必要がある。　（行政手引53103）

## ③ 不正利得の返還命令等（法10条の4,1項、2項）重要度A

★★★

Ⅰ　**偽りその他不正の行為**により**失業等給付**の支給を受けた者がある場合には、**政府**は、その者に対して、支給した**失業等給付**の**全部又は一部**を**返還**することを**命ずる**ことができ、また、**厚生労働大臣**の定める基準により、当該**偽りその他不正の行為**により支給を受けた**失業等給付**の**額の2倍に相当する額以下**の**金額**を**納付することを命ずる**ことができる。H29-1C R6-5イウ

Ⅱ　Ⅰの場合において、**事業主**、**職業紹介事業者等**、**募集情報等提供事業を行う者**又は**指定教育訓練実施者**が**偽り**の**届出**、**報告**又は**証明**をしたためその**失業等給付**が支給されたものであるときは、政府は、その**事業主**、**職業紹介事業者等**、**募集情報等提供事業を行う者**又は**指定教育訓練実施者**に対し、その**失業等給付**の支給を受けた者と**連帯**して、Ⅰの規定による**失業等給付**の**返還**又は**納付**を**命ぜられた金額**の**納付**をすることを**命ずる**ことができる。H27-4ウ

**Check Point!**

□ 政府は、失業等給付の不正受給をした者に対して、不正受給額の全部又は一部を返還することを命じることができ、その他に不正受給額の２倍相当額以下の金額の納付を命ずることができる。

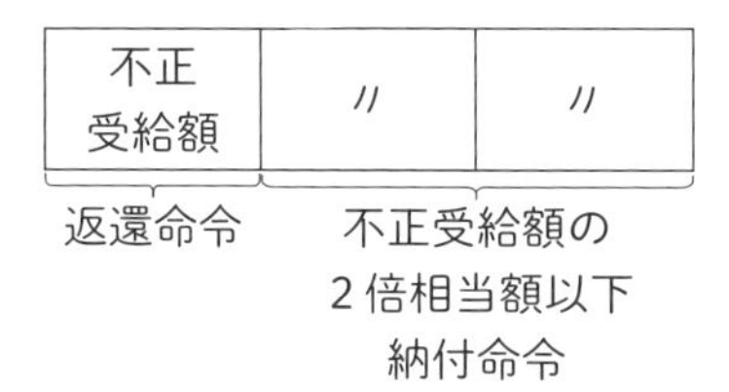


**参考**（職業紹介事業者等）
労働施策総合推進法第２条［職業紹介機関の定義］に規定する職業紹介機関又は業として職業安定法第４条第４項［職業指導の定義］に規定する職業指導（職業に就こうとする者の適性、職業経験その他の実情に応じて行うものに限る。）を行う者（公共職業安定所その他の職業安定機関を除く。）をいう。（法10条の4,2項カッコ書）

（募集情報等提供事業を行う者）
職業安定法第４条第６項［募集情報等提供の定義］に規定する募集情報等提供を業として行う者をいい、労働者になろうとする者の依頼を受け、当該者に関する情報を労働者の募集を行う者、募集受託者（職業安定法第39条に規定する募集受託者をいう。）又は他の職業紹介事業者等に提供する者に限る。（同上）

（指定教育訓練実施者）
法第60条の２第１項［教育訓練給付金の支給要件］に規定する厚生労働大臣が指定する教育訓練を行う者をいう。（同上）

# 不正受給による給付制限

## ① 求職者給付の給付制限 重要度A

### 1 基本手当等の給付制限（法34条1項）

★★★

**偽りその他不正の行為**により**求職者給付**又は**就職促進給付**の支給を**受け**、又は**受けようとした者**には、これらの給付の支給を**受け**、又は**受けようとした日**以後、**基本手当**を**支給しない**。ただし、やむを得ない理由がある場合には、**基本手当**の**全部又は一部**を支給することができる。R6-5アオ

**1．準用**

上記の規定は、技能習得手当、寄宿手当、傷病手当、高年齢求職者給付金、特例一時金についても準用される。

**2．給付制限の効果**

上記の不正受給者であっても、その後再就職し、新たに受給資格、高年齢受給資格又は特例受給資格を取得した場合には、その新たに取得した受給資格に基づく基本手当、技能習得手当、寄宿手当又は傷病手当、新たに取得した高年齢受給資格に基づく高年齢求職者給付金、新たに取得した特例受給資格に基づく特例一時金は支給される。R2-5B（法34条２項、法36条５項、法37条９項、法37条の4,6項、法40条４項）

### 2 日雇労働求職者給付金の給付制限（法52条3項）

★★★

**日雇労働求職者給付金**の支給を受けることができる者が、**偽りその他不正の行為**により**求職者給付又は就職促進給付**の支給を**受け**、又は**受けようとした**ときは、その支給を**受け**、又は**受けようとした月**及び**その月の翌月**から**３箇月間**は、**日雇労働求職者給付金**を**支給しない**。ただし、やむを得ない理由がある場合には、**日雇労働求職者給付金**の**全部又は一部**を支給することができる。

**概要**

給付制限期間は、不正受給等の事実のあった日以後におけるその暦月内の日数及びその後の３箇月間である。

**Check Point!**

□ 例えば、１月10日に不正受給があった場合には、４月30日までが給付制限期間となる。

## ② 就職促進給付の給付制限（法60条1項） 重要度A

★★★

**偽りその他不正の行為**により**求職者給付**又は**就職促進給付**の支給を**受け**、又は**受けようとした者**には、これらの給付の支給を**受け**、又は**受けようとした日**以後、**就職促進給付**を**支給しない**。ただし、やむを得ない理由がある場合には、**就職促進給付**の**全部又は一部**を支給することができる。

**Check Point!**

□ 不正受給者であっても、その後再就職し、新たに受給資格、高年齢受給資格又は特例受給資格を取得した場合には、その受給資格、高年齢受給資格又は特例受給資格に基づく就職促進給付が支給される。（法60条２項）

**参考** 受給資格者が第60条第１項の規定により就職促進給付を支給されないこととされたため、当該受給資格に基づく就業促進手当の全部又は一部の支給を受けることができなくなったときは、第56条の３第４項※の規定の適用については、その全部又は一部の支給を受けることができないこととされた就業促進手当の支給があったものとみなす。（法60条５項）

※　再就職手当及び就業促進定着手当を支給したときは、雇用保険法の規定の適用については、当該再就職手当及び就業促進定着手当の額を基本手当日額で除して得た日数に相当する日数分の基本手当を支給したものとみなす。（法56条の3,4項）

## ③ 教育訓練給付の給付制限
### （法60条の3,1項、法附則11条の2,1項） 重要度A

★★★

**偽り**その他**不正の行為**により**教育訓練給付金若しくは教育訓練支援給付金**の支給を**受け**、又は**受けようとした者**には、当該給付金の支給を**受け**、又は**受けようとした日**以後、**教育訓練給付金及び教育訓練支援給付金**を**支給しない**。ただし、やむを得ない理由がある場合には、**教育訓練給付金及び教育訓練支援給付金**の**全部又は一部**を支給することができる。

**Check Point!**

□ 教育訓練給付金及び教育訓練支援給付金の支給を受けることができない者とされたものであっても、その後、新たに教育訓練給付金の支給を受けることができる者となった場合には、教育訓練給付金が支給される。

R3-6C （法60条の3,2項）

## ④ 雇用継続給付の給付制限 重要度A

### 1 高年齢雇用継続給付の給付制限（法61条の3）

★★★

**偽りその他不正の行為**により次のⅰⅱに掲げる**失業等給付**の支給を**受け**、又は**受けようとした者**には、当該給付の支給を**受け**、又は**受けようとした日**以後、当該ⅰⅱに定める高年齢雇用継続給付を支給しない。ただし、やむを得ない理由がある場合には、当該高年齢雇用継続給付の全部又は一部を支給することができる。

ⅰ　**高年齢雇用継続基本給付金**　**高年齢雇用継続基本給付金**

ⅱ　**高年齢再就職給付金**又は当該給付金に係る受給資格に基づく**求職者給付**若しくは**就職促進給付**　**高年齢再就職給付金**

**概要**

給付制限される給付は、次の通りである。

| 不正受給した給付 | 給付制限される給付 |
| --- | --- |
| 高年齢雇用継続基本給付金 | 高年齢雇用継続基本給付金 |
| 高年齢再就職給付金又は当該給付金に係る受給資格に基づく求職者給付若しくは就職促進給付 | 高年齢再就職給付金 |

**Check Point!**

- □ 不正受給により基本手当の給付制限が行われた場合は、高年齢再就職給付金は支給されない。
- □ 高年齢雇用継続基本給付金の不正受給があった場合には、その後当該高年齢雇用継続基本給付金は支給されない（当該被保険者がその後離職した場合に受けることができる基本手当については制限されない。）。R2-5E

### 2 介護休業給付の給付制限（法61条の5,1項）

★★★

**偽りその他不正の行為**により**介護休業給付金**の支給を**受け**、又は**受けようとした者**には、当該給付金の支給を**受け**、又は**受けようとした日**以後、**介護休業給付金**を**支給しない**。ただし、やむを得ない理由がある場合には、**介護休業給付金**の**全部又は一部**を支給することができる。

**Check Point!**

- □ 介護休業給付金の支給を受けることができない者とされたものであっても、新たに介護休業を開始し、介護休業給付金の支給要件を満たした場合には、介護休業給付金が支給される。（法61条の5,2項）

## ⑤ 育児休業等給付の給付制限 重要度A

### 1 育児休業給付の給付制限（法61条の9）

★★★

Ⅰ　**偽りその他不正の行為**により**育児休業給付**の支給を**受け**、又は**受けようとした者**には、当該給付の支給を**受け**、又は**受けようとした日**以後、**育児休業給付**を**支給しない**。ただし、やむを得ない理由がある場合には、**育児休業給付**の**全部又は一部**を支給することができる。

Ⅱ　Ⅰの規定により育児休業給付の支給を受けることができない者とされたものが、Ⅰに規定する日以後、当該育児休業給付の支給に係る育児休業を開始した日に養育していた**子以外の子**について**新たに**育児休業を開始し、育児休業給付の支給を受けることができる者となった場合には、Ⅰの規定にかかわらず、当該育児休業に係る育児休業給付を支給する。

**Check Point!**

☐ 育児休業給付の支給を受けることができない者とされたものであっても、当該育児休業給付の支給に係る育児休業を開始した日に養育していた**子以外の子**について**新たに**育児休業を開始し、育児休業給付の支給要件を満たした場合には、育児休業給付が支給される。 R2-5D　（法61条の9,2項）

## 2 出生後休業支援給付の給付制限（法61条の11） 改正 ★★★

Ⅰ　偽りその他不正の行為により出生後休業支援給付の支給を受け、又は受けようとした者には、当該給付の支給を受け、又は受けようとした日以後、出生後休業支援給付を支給しない。ただし、やむを得ない理由がある場合には、出生後休業支援給付の**全部又は一部**を支給することができる。

Ⅱ　Ⅰの規定により出生後休業支援給付の支給を受けることができない者とされたものが、Ⅰに規定する日以後、当該出生後休業支援給付の支給に係る出生後休業を開始した日に養育していた**子以外の子**について**新たに**出生後休業を開始し、出生後休業支援給付の支給を受けることができる者となった場合には、Ⅰの規定にかかわらず、当該出生後休業に係る出生後休業支援給付を支給する。

**Check Point!**

☐ 育児休業給付の給付制限と同様である。

## 3 育児時短就業給付の給付制限（法61条の13）

Ⅰ　偽りその他不正の行為により育児時短就業給付の支給を受け、又は受けようとした者には、当該給付の支給を受け、又は受けようとした日以後、育児時短就業給付を支給しない。ただし、やむを得ない理由がある場合には、育児時短就業給付の**全部又は一部**を支給することができる。

Ⅱ　Ⅰの規定により育児時短就業給付の支給を受けることができない者とされたものが、Ⅰに規定する日以後、当該育児時短就業給付の支給に係る育児時短就業を開始した日に養育していた**子以外の子**について**新たに**育児時短就業を開始し、育児時短就業給付の支給を受けることができる者となった場合には、Ⅰの規定にかかわらず、当該育児時短就業に係る育児時短就業給付を支給する。

**Check Point!**

□ 育児休業給付の給付制限と同様である。

# その他の給付制限

## ① その他の給付制限まとめ 重要度A ★★★

Ⅰ　基本手当の給付制限（不正受給によるもの以外）は、次の通りとなる。

| 制限事由 | 制限期間等 | |
|---|---|---|
| **就職**拒否<br>**受講**拒否<br>**職業指導**拒否 | 基本手当 | **1箇月**間不支給<br>〔職業指導拒否の場合は、**1箇月**を超えない範囲内（**1箇月**）不支給〕 |
| | **待期・受講中**の**訓練延長給付** | |
| | 延長給付（**待期・受講中**の**訓練延長給付**を**除く**） | **支給しない** |
| **離職理由** | 基本手当 | **待期満了後1箇月以上3箇月以内**の間で公共職業安定所長の定める期間不支給 |

Ⅱ　日雇労働求職者給付金の給付制限（不正受給によるもの以外）は、次の通りとなる。

| **就職**拒否 | 日雇労働求職者給付金 | **拒んだ日**から起算して**7日間** |
|---|---|---|

**Check Point!**

- □ 上記Ⅰの給付制限期間中は、失業の認定は行われない。H28-5A
- □ 日雇労働求職者給付金については、受講拒否、職業指導拒否及び離職理由に基づく給付制限の定めはない。

# ② 就職拒否等による給付制限 重要度A

## 1 就職拒否又は受講拒否による給付制限 (法32条1項、法29条1項、法附則5条4項)

★★★

**受給資格者**〔**訓練延長給付**（第24条第２項［**公共職業訓練等終了後の訓練延長給付**］の規定による**基本手当**の支給に**限る**。)、**個別延長給付、広域延長給付、全国延長給付**又は**地域延長給付**を受けている者を**除く**。〕が、**公共職業安定所**の**紹介**する**職業に就くこと**又は**公共職業安定所長**の**指示**した**公共職業訓練等**を**受けることを拒んだ**ときは、その**拒んだ日**から起算して**１箇月間**は、**基本手当を支給しない**。

ただし、次のⅰからⅴのいずれかに該当するときは、この限りでない。

ⅰ　紹介された職業又は**公共職業訓練等**を受けることを指示された職種が、受給資格者の**能力**からみて**不適当**であると認められるとき。H28-5D

ⅱ　**就職**するため、又は**公共職業訓練等**を受けるため、現在の住所又は居所を変更することを要する場合において、その**変更が困難**であると認められるとき。

ⅲ　就職先の**賃金**が、同一地域における同種の業務及び同程度の技能に係る一般の賃金水準に比べて、**不当に低い**とき。H28-5B

ⅳ　職業安定法第20条［労働争議に対する不介入］（第２項ただし書を除く。）の規定に該当する事業所に紹介されたとき。

ⅴ　その他**正当な理由**があるとき。

**・準用等**

本条の規定により基本手当を支給しないこととされる期間については、技能習得手当、寄宿手当及び傷病手当も支給されない。

また、本条の規定は、高年齢求職者給付金及び特例一時金についても準用される。

(法36条３項、法37条５項、法37条の4,6項、法40条４項)

**参考** 待期期間は法第32条の給付制限期間には含まれない。すなわち、受給資格者が就職を拒否し、又は公共職業訓練等を受けることを拒否した場合は、待期期間７日と給付制限１箇月を加算した期間は、基本手当の支給を受けることができない。(昭和24.1.19職発72号)

第2章 第6節

## ２ 就職拒否による日雇労働求職者給付金の給付制限（法52条１項）

★★★

**日雇労働求職者給付金**の支給を受けることができる者が、**公共職業安定所の紹介する業務に就くことを拒んだとき**は、その**拒んだ日**から起算して**７日間**は、**日雇労働求職者給付金**を**支給しない**。

ただし、次のⅰからⅳのいずれかに該当するときは、この限りでない。

ⅰ　紹介された業務が、その者の**能力からみて不適当**であると認められるとき。

ⅱ　紹介された業務に対する賃金が、同一地域における同種の業務及び同程度の技能に係る一般の賃金水準に比べて、**不当に低い**とき。

ⅲ　職業安定法第20条［労働争議に対する不介入］（第２項ただし書を除く。）の規定に該当する事業所に紹介されたとき（**同盟罷業又は作業所閉鎖**の行われている事業所に紹介された場合等が該当する。）。R2-5A

ⅳ　その他正当な理由があるとき。

・**制限期間**

給付制限の期間は、就職を拒否した日から起算して連続７日間（その期間に就労した日があると否とを問わない）である。（行政手引90702）

## ３ 職業指導拒否による給付制限（法32条２項、法附則５条４項）

★★★

**受給資格者**〔**訓練延長給付**（第24条第２項［**公共職業訓練等終了後の訓練延長給付**］の規定による**基本手当**の支給に**限る**。）、**個別延長給付**、**広域延長給付**、**全国延長給付**又は**地域延長給付**を受けている者を**除く**。〕が、**正当な理由**がなく、厚生労働大臣の定める基準に従って**公共職業安定所**が行うその者の**再就職を促進**するために**必要な職業指導**を受けることを**拒んだ**ときは、その**拒んだ日**から起算して**１箇月を超**

**えない範囲内**において**公共職業安定所長の定める期間**は、**基本手当**を支給しない。

### 1. 制限期間

職業指導拒否による給付制限期間は、**1箇月**である。（行政手引52156）

### 2. 準用等

法第32条第2項の規定により基本手当を支給しないこととされる期間については、技能習得手当、寄宿手当及び傷病手当も支給されない。また、法第32条第2項の規定は、高年齢求職者給付金及び特例一時金についても準用される。H28-5C

（法36条3項、法37条5項、法37条の4,6項、法40条4項）

## 4 延長給付の給付制限（法29条1項、法附則5条4項）★★★

**訓練延長給付**（第24条第2項［**公共職業訓練等終了後の訓練延長給付**］の規定による**基本手当**の支給に**限る**。）、**個別延長給付**、**広域延長給付**、**全国延長給付**又は**地域延長給付**を受けている**受給資格者**が、**正当な理由**がなく、**公共職業安定所**の**紹介**する**職業に就く**こと、**公共職業安定所長**の**指示**した**公共職業訓練等を受ける**こと又は厚生労働大臣の定める基準に従って**公共職業安定所**が行うその者の**再就職を促進**するために必要な**職業指導**を**受ける**ことを**拒んだ**ときは、その**拒んだ日以後基本手当を支給しない**。ただし、その者が**新たに受給資格**を取得したときは、この限りでない。

**・制限の対象となる延長給付**

公共職業訓練等終了後の訓練延長給付、個別延長給付、広域延長給付、全国延長給付又は地域延長給付を受けている受給資格者が、正当な理由がなく、職業紹介の拒否等をした場合は、その拒んだ日以後の延長給付は打ち切られる。

# ③ 離職理由による給付制限 重要度A

## 1 離職理由による給付制限（法33条1項）

★★★

**被保険者**が**自己の責めに帰すべき重大な理由**によって**解雇**され、又は**正当な理由**がなく**自己の都合**によって**退職**した場合には、第21条の規定による期間［**待期期間**］**の満了後1箇月以上3箇月以内**の間で**公共職業安定所長**の定める期間は、**基本手当を支給しない**。ただし、次に掲げる受給資格者〔ⅰに掲げる者にあっては**公共職業安定所長の指示した公共職業訓練等を受ける期間**及び**当該公共職業訓練等を受け終わった日後の期間**に限り、ⅲに掲げる者にあってはⅱに規定する**訓練を受ける期間**及び**当該訓練を受け終わった日後の期間**に限る。〕については、この限りでない。改正

ⅰ　**公共職業安定所長の指示した公共職業訓練等**を受ける受給資格者（ⅱに該当する者を除く。）

ⅱ　法第60条の2第1項［教育訓練給付金］に規定する**教育訓練**その他の厚生労働省令で定める訓練を**基準日（離職日）前1年以内**に受けたことがある受給資格者（**正当な理由がなく自己の都合**によって**退職**した者に限る。ⅲにおいて同じ。）

ⅲ　ⅱに規定する訓練を**基準日（離職日）以後**に受ける受給資格者（ⅱに該当する者を除く。）H28-5A

**Check Point!**

□ 離職理由による給付制限期間については、失業の認定は行われない。

（行政手引52205）

### 1. 準用等

法第33条第1項の規定により基本手当を支給しないこととされる期間については、技能習得手当、寄宿手当及び傷病手当も支給されない。

また、法第33条第1項の規定は、高年齢求職者給付金及び特例一時金（一部を除く。**4.**参照）についても準用される。

（法36条3項、法37条5項、法37条の4,6項、法40条4項、法41条1項カッコ書）

## 2. 給付制限期間

### (1) 自己の責めに帰すべき重大な理由によって解雇された場合

| **原則** | **3か月** |
|---|---|
| 受給資格の決定を受けた者が、待期が満了しないまま適用事業主に雇用され、被保険者となり、**2か月以上**経過した後新たな受給資格を取得することなく再離職した場合 | **1か月** |
| 受給資格の決定を受けた者が、適用事業所において、**2回以上**再離職を繰り返し、かつ、新たな受給資格を取得することがない場合であって、当該適用事業所に被保険者として雇用されていた期間が合算して**2か月以上**ある場合 | |

### (2) 正当な理由なく自己の都合により退職した場合

| **原則** | **2か月** |
|---|---|
| 受給資格の決定を受けた者が、待期が満了しないまま適用事業主に雇用され、被保険者となり、**1か月以上**経過した後新たな受給資格を取得することなく再離職した場合 | **1か月** |
| 受給資格の決定を受けた者が、適用事業所において、**2回以上**再離職を繰り返し、かつ、新たな受給資格を取得することがない場合であって、当該適用事業所に被保険者として雇用されていた期間が合算して**1か月以上**ある場合 | |
| 退職した日から遡った**5年間**のうちに**2回以上**（離職日を基準とする）、正当な理由なく自己の都合により退職（令和２年10月１日以降のものに限る。）している場合 | **3か月**※ |

※ 「受給資格の決定を受けた者が、待期が満了しないまま適用事業主に雇用され、被保険者となり、２か月以上経過した後新たな受給資格を取得することなく再離職した場合」又は「受給資格の決定を受けた者が、適用事業所において、２回以上再離職を繰り返し、かつ、新たな受給資格を取得することがない場合であって、当該適用事業所に被保険者として雇用されていた期間が合算して２か月以上ある場合」は１か月 (行政手引52205)

## 3. 給付制限の解除 改正

離職理由による給付制限が解除される場合をまとめると、次の通りとなる。

| | 自己の責めに帰すべき重大な理由による解雇 | 正当な理由のない自己都合退職 |
|---|---|---|
| 離職中に公共職業訓練等を受けた場合（受講中・受講後） | ○ | ○ |
| 離職前1年以内に教育訓練を受けた場合 | × | ○ |
| 離職中に教育訓練を受けた場合（受講中・受講後） | × | ○ |

（○：解除、×：非解除）

## 4. 特例受給資格者の場合

法第33条第1項ただし書は、特例受給資格者には適用されないため、上記ⅰからⅲのいずれかに該当する場合でも特例受給資格者については給付制限は解除されない。これは、公共職業訓練等を受ける場合の特例により特例一時金に代えて基本手当を受給する場合であっても同様である。　（法40条4項、法41条1項カッコ書）

（「自己の責めに帰すべき重大な理由による解雇」として給付制限を行う場合の認定）
例えば次のような場合に「自己の責めに帰すべき重大な理由による解雇」として給付制限が行われる。

- 刑法に規定する犯罪又は行政罰の対象となる行為を行ったことによって解雇された場合
  行政罰の対象となる行為とは、例えば自動車運転手が交通取締規則に違反する場合等をいう。
  この基準は「処罰を受けたことによって解雇された場合」であるから、単に訴追を受け、又は取調べを受けている場合、控訴又は上告中で刑の確定しない場合は、これに包含されない。また、刑法第1編第4章の「執行猶予」中の者は単に刑の執行を猶予されているにとどまり、刑は確定しているのであるからこれに該当し、「起訴猶予」の処分を受けたものは刑が確定しているのではないからこれに該当しない。 H29-4B
- 事業所の機密を漏らしたことによって解雇された場合 H29-4E　（行政手引52202）

（「正当な理由がない自己の都合による退職」の認定）
本条にいう「正当な理由」とは、被保険者の状況（健康状態、家庭の事情等）、事業所の状況（労働条件、雇用管理の状況、経営状況等）その他からみて、その退職が真にやむを得ないものであることが客観的に認められる場合をいうのであって、被保険者の主観的判断は考慮されない。
「正当な理由がある」と認められる場合とは、「特定受給資格者又は特定理由離職者Ⅱ」と認められる場合と概ね同様である。

**【例】**

- 被保険者が結婚に伴う住所の変更により、通勤のための往復所要時間がおおむね4時間以上となったために退職した場合
- 上司、同僚等から故意の排斥又は著しい冷遇若しくは嫌がらせを受けたことによって退職した場合
- 適用事業所が廃止された（当該事業所に係る事業活動が停止し、再開される見込みのない場合を含む。）ために当該事業所から退職した場合 H29-4A
- 支払われた賃金が、その者に支払われるべき賃金月額の3分の2に満たない月があったため、又は毎月支払われるべき賃金の全額が所定の期日より後の日に支払われた事実があったために退職した場合 H29-4C
- 配偶者又は扶養すべき親族と別居生活を続けることが困難となったことによって退職し

た場合（配偶者又は扶養すべき親族と別居を続けることが、家庭生活の上からも、経済的事情等からも困難となったため、それらの者と同居するために事業所への通勤が不可能又は困難な地へ住所を移転し退職した場合が、この基準に該当する。）H29-4D

（行政手引52203）

（給付制限期間中の受給資格者に対する職業紹介等）
管轄公共職業安定所の長は、法第33条第１項［離職理由による給付制限］の規定により基本手当の支給をしないこととされる受給資格者に対し、職業紹介又は職業指導を行うものとする。H28-5E

（則48条）

## 2 給付制限に伴う受給期間の延長（法33条3項、則48条の2）

★★★

**基本手当**の受給資格に係る**離職**について第33条第１項の**離職理由**による**給付制限**の規定により**基本手当**を支給しないこととされる場合において、当該**基本手当**を支給しないこととされる期間に**7日を超え30日以下の範囲内**で厚生労働省令で定める日数（**21日**）及び当該受給資格に係る**所定給付日数**に相当する日数を加えた期間が**１年**（**所定給付日数**が**360日**である受給資格者にあっては、**１年**に**60日**を加えた期間）を超えるときは、当該受給資格者の**受給期間**は、第20条第１項及び第２項の規定にかかわらず、これらの規定による期間に当該**超える期間**を加えた期間とする。

### 概要

**離職理由による給付制限**を行った場合において、**給付制限期間**に**21日**及び**所定給付日数**を加えた期間が**１年**（**１年60日**）を超えるときの受給期間は、**当初の受給期間**（特例により延長された場合は、その延長された受給期間）に当該**超える期間**を加えた期間とされる。

**【例】** 所定給付日数：300日、給付制限期間92日、受給期間１年（うるう年ではない365日の年）の場合は、以下の通り、48日延長される。

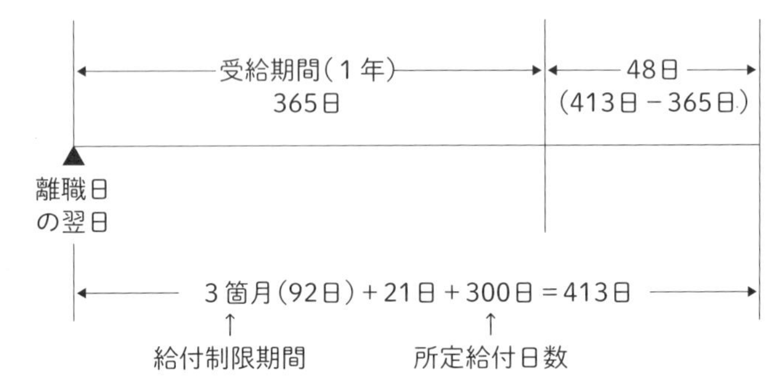


所定の受給期間は、原則として１年（１年60日）であるが、法第20条第１項カッコ書［疾病等の理由により引き続き30日以上職業に就くことができない場合の特例］が適用された場合は、最大４年まで延長される。

したがって、離職理由による給付制限の結果、当該期間の加算が行われ、かつ、所定の受給期間が法第20条第１項カッコ書の特例適用により４年に延長された場合には、受給期間が４年を超えることになる。例えば、上記**【例】**の者の所定の受給期間が疾病を理由に４年に延長された場合の受給期間は４年48日となる。

**Check Point!**

□ 所定の受給期間のうち「１年30日」については、特定受給資格者（離職理由による給付制限の対象とはならない者）に係る受給期間なので、本条の規定による調整の問題は生じない。

**参考** 受給期間の延長を受けた者について、個別延長給付、広域延長給付、全国延長給付、訓練延長給付又は地域延長給付が行われる場合の受給期間は、「当該延長された受給期間」に「延長給付を受ける場合において受給期間に加えることとなる日数」を加えた期間となる。
（行政手引52206）

# 第3章 その他

1 雇用保険二事業
❶ 事業等の利用
❷ 雇用安定事業
❸ 能力開発事業
❹ 職業訓練受講給付金の支給

2 費用の負担
❶ 国庫負担
❷ 保険料
❸ 子ども・子育て支援納付金

3 不服申立て
❶ 労審法による不服申立て
❷ 行政不服審査法による不服申立て

4 雑則等
❶ 時効
❷ 事業主の責務
❸ 罰則

# 雇用保険二事業

## ① 事業等の利用（法64条の2、法65条）

重要度 A ★★★

Ⅰ　雇用安定事業及び能力開発事業は、**被保険者、被保険者であった者**及び**被保険者になろうとする者**（以下「**被保険者等**」という。）の**職業の安定**を図るため、**労働生産性**の向上に資するものとなるよう留意しつつ、行われるものとする。H29-選DE

Ⅱ　第62条［雇用安定事業］及び第63条［就職支援法事業以外の能力開発事業］の規定による**事業**又は当該**事業**に係る**施設**は、被保険者等の**利用に支障**がなく、かつ、その**利益を害しない**限り、**被保険者等以外の者**に**利用**させることができる。

**Check Point!**

□ 雇用安定事業の助成金等や能力開発事業の助成金等のうち一定のものは、国、地方公共団体（地方公営企業法第３章［財務］の規定の適用を受ける地方公共団体の経営する企業を除く。）、行政執行法人及び特定地方独立行政法人には支給されない。R元-7B　R2-7A

## ② 雇用安定事業（法62条1項、3項）

重要度 A ★★★

Ⅰ　**政府**は、**被保険者等**に関し、**失業の予防**、**雇用状態の是正**、**雇用機会の増大**その他**雇用の安定**を図るため、**雇用安定事業**を行うことができる。

Ⅱ　**政府**は、**独立行政法人**高齢・障害・求職者雇用支援機構法及びこれに基づく命令で定めるところにより、**雇用安定事業**の**一部**を**独立行政法人**高齢・障害・求職者雇用支援機構に行わせるものとする。

参考　1．雇用安定事業は、次の６つに大別され、それぞれ助成金等が交付されている。
H29-7ABE

(1)事業活動の縮小時の雇用安定事業
(2)再就職促進のための雇用安定事業
(3)高年齢者等の雇用安定事業
(4)同意地域高年齢者就業機会確保計画に係る雇用安定事業
(5)地域における雇用安定事業
(6)その他の雇用安定事業　(法62条1項各号)

2. 雇用関係助成金関係規定にかかわらず、雇用関係助成金は、労働保険料の納付の状況が著しく不適切である、又は過去5年以内に偽りその他不正の行為により、雇用調整助成金その他の雇用保険法第4章［雇用保険二事業］の規定により支給される給付金の支給を受け、若しくは受けようとした事業主又は事業主団体に対しては、支給しないものとする。 R6-5エ　(則120条の2,1項、則139条の4,1項)

## ③ 能力開発事業（法63条1項、3項） 重要度A ★★★

Ⅰ　**政府**は、**被保険者等**に関し、**職業生活の全期間**を通じて、これらの者の**能力を開発**し、及び**向上**させることを**促進**するため、**能力開発事業**を行うことができる。

Ⅱ　**政府**は、**独立行政法人**高齢・障害・**求職者雇用支援機構法**及びこれに基づく命令で定めるところにより、就職支援法事業以外の能力開発事業の**一部**を**独立行政法人**高齢・障害・求職者雇用支援機構に行わせるものとする。 H29-7D

参考 能力開発事業としては、次のようなことが行われている。
(1)事業主等の行う職業訓練に対する助成及び援助
(2)公共職業能力開発施設等の設置・運営
(3)再就職を容易にするための職業講習等の実施
(4)有給教育訓練休暇を与える事業主に対する助成及び援助 H29-7C
(5)公共職業訓練等の受講の奨励
(6)キャリアコンサルティングの推進
(7)技能検定の実施に対する助成
(8)同意地域高年齢者就業機会確保計画に係る能力開発事業
(9)その他の能力開発事業　(法63条1項各号)

## ④ 職業訓練受講給付金の支給（法64条） 重要度A ★★★

**政府**は、**被保険者であった者及び被保険者になろうとする者**の**就職**に必要な**能力を開発**し、及び**向上**させるため、**能力開発事業**として、職業訓練の実施等による**特定求職者**の就職の支援に関する法律第4条第2項に規定する**認定職業訓練**を行う者に対して、同法第5条の規定

第3章

による**助成**を行うこと及び同法第２条に規定する**特定求職者**に対して、同法第７条第１項の**職業訓練受講給付金**を支給することができる。

**趣旨**

特定求職者（雇用保険の失業等給付を受給できない求職者であって、職業訓練その他の就職支援を行う必要があると認める者）に対し、職業訓練の実施、職業訓練を受けることを容易にするための給付金の支給その他の就職に関する支援措置を講ずることにより、特定求職者の就職を促進し、もって、その職業及び生活の安定に資することを目的として、平成23年５月20日に、「職業訓練の実施等による特定求職者の就職の支援に関する法律」（以下「求職者支援法」という。）が公布された。

この法律に基づき、政府は、雇用保険の**能力開発事業**として、特定求職者が、公共職業安定所長の指示を受けて認定職業訓練等を受講する場合に**職業訓練受講給付金**を支給することができることとされた。

## 問題チェック　R元-7ABCD改題

雇用安定事業及び能力開発事業に関する次の記述のうち、誤っているものはどれか。

A　短時間休業により雇用調整助成金を受給しようとする事業主は、休業等の期間、休業等の対象となる労働者の範囲、手当又は賃金の支払の基準その他休業等の実施に関する事項について、あらかじめ事業所の労働者の過半数で組織する労働組合（労働者の過半数で組織する労働組合がないときは、労働者の過半数を代表する者。）との間に書面による協定をしなければならない。

B　キャリアアップ助成金は、特定地方独立行政法人に対しては、支給しない。

C　雇用調整助成金は、労働保険料の納付の状況が著しく不適切である事業主に対しては、支給しない。

D　一般トライアルコース助成金は、雇い入れた労働者が雇用保険法の一般被保険者となって3か月を経過したものについて、当該労働者を雇い入れた事業主が適正な雇用管理を行っていると認められるときに支給する。

---

**解答**　D　　則110条の3,2項1号イ

一般トライアルコース助成金は、公共職業安定所又は職業紹介事業者等の紹介により、安定した職業に就くことが困難な求職者を３箇月以内の期間を定めて試行的に雇用する労働者として雇い入れる事業主が、適正な雇用管理を行っていると認められ

るときに支給される。

A：則102条の3,1項2号イ(4)。設問の通り正しい。

B：則120条。設問の通り正しい。

C：則120条の2。設問の通り正しい。

---

**問題チェック** R2-7C、E

能力開発事業に関する次の記述のうち、正しいものはどれか。

C　高年齢受給資格者は、職場適応訓練の対象となる受給資格者に含まれない。

E　認定訓練助成事業費補助金は、職業能力開発促進法第13条に規定する事業主等（事業主にあっては中小企業事業主に、事業主の団体又はその連合団体にあっては中小企業事業主の団体又はその連合団体に限る。）が行う認定訓練を振興するために必要な助成又は援助を行う都道府県に対して交付される。

---

**解答** E

C　則130条1項。高年齢受給資格者も、職場適応訓練の対象となる受給資格者に含まれる。

E　則123条。設問の通り正しい。

---



**問題チェック** R6-7A～E

雇用調整助成金に関する次の記述のうち、誤っているものはどれか。

A　対象被保険者を休業させることにより雇用調整助成金の支給を受けようとする事業主は、休業の実施に関する事項について、あらかじめ当該事業所の労働者の過半数で組織する労働組合（労働者の過半数で組織する労働組合がないときは、労働者の過半数を代表する者）との間に書面による協定をしなければならない。

B　被保険者を出向させたことにより雇用調整助成金の支給を受けた事業主が当該出向の終了後6か月以内に当該被保険者を再度出向させるときは、当該事業主は、再度の出向に係る雇用調整助成金を受給することができない。

C　出向先事業主が出向元事業主に係る出向対象被保険者を雇い入れる場合、当該出向先事業主の事業所の被保険者を出向させているときは、当該出向先事業主は、雇用調整助成金を受給することができない。

D　対象被保険者を休業させることにより雇用調整助成金の支給を受けようとする事業主は、当該事業所の対象被保険者に係る休業等の実施の状況及び手当又は賃金の支払の状況を明らかにする書類を整備していなければならない。

E　事業主が景気の変動、産業構造の変化その他の経済上の理由により、急激に事業活動の縮小を余儀なくされたことにより休業することを都道府県労働局長に届け出た場合、当該事業主は、届出の際に当該事業主が指定した日から起算して3年間雇用調整助成金を受けることができる。

---

**解答** E

A　○　則102条の3,1項2号イ(4)。設問の通り正しい。

B　○　則102条の3,5項。設問の通り正しい。

C　○　則102条の3,7項。設問の通り正しい。

D　○　則102条の3,1項4号イ。設問の通り正しい。

E　×　則102条の3,1項3号、3項。設問の雇用調整助成金の支給は、原則として、支給日数が100日に達するまで受けることができるのであって、設問のように「届出の際に当該事業主が指定した日から起算して3年間」受けることができるのではない。

# 2 費用の負担

## ① 国庫負担 重要度A

### 1 給付費の負担（法66条1項、法67条、法67条の2、法附則13条1項）

★★★

Ⅰ　**国庫**は、次に掲げる区分によって、**求職者給付**（**高年齢求職者給付金**を**除く**。ⅰにおいて同じ。）及び**雇用継続給付**（**介護休業給付金**に限る。ⅲにおいて同じ。）、**育児休業給付**並びに第64条に規定する**職業訓練受講給付金**の支給に要する費用の一部を負担する。

ⅰ　**日雇労働求職者給付金以外の求職者給付**については、次のⓘ又はⓘⓘに掲げる場合の区分に応じ、当該ⓘ又はⓘⓘに定める割合

| | |
|---|---|
| ⓘ　毎会計年度の前々会計年度における労働保険特別会計の雇用勘定の財政状況及び求職者給付の支給を受けた受給資格者の数の状況が、当該会計年度における求職者給付の支給に支障が生じるおそれがあるものとして政令で定める基準に該当する場合 | 当該**日雇労働求職者給付金以外の求職者給付**に要する費用の**4分の1** |
| ⓘⓘ　ⓘに掲げる場合以外の場合 | 当該**日雇労働求職者給付金以外の求職者給付**に要する費用の**40分の1** |

ⅱ　**日雇労働求職者給付金**については、次のⓘ又はⓘⓘに掲げる場合の区分に応じ、当該ⓘ又はⓘⓘに定める割合

| | |
|---|---|
| ⓘ　ⅰⓘに掲げる場合 | 当該**日雇労働求職者給付金**に要する費用の**3分の1** |
| ⓘⓘ　ⅰⓘⓘに掲げる場合 | 当該**日雇労働求職者給付金**に要する費用の**30分の1** |

ⅲ　**雇用継続給付**については、当該**雇用継続給付**に要する費用の**8分の1**（ただし、当分の間はその100分の55） H28-7エ

第3章

ⅳ　**育児休業給付**については、**当該育児休業給付**に要する費用の**8分の1** 改正

ⅴ　第64条に規定する**職業訓練受講給付金**の支給については、当該**職業訓練受講給付金**に要する費用の**2分の1**（ただし、当分の間はその100分の55）

Ⅱ　第25条第1項に規定する**広域延長給付**の措置が決定された場合には、Ⅰⅰの規定にかかわらず、**国庫**は、次に掲げる区分によって、**広域延長給付**を受ける者に係る**求職者給付**に要する費用の一部を負担する。H28-選E

| | |
|---|---|
| ⓘ　Ⅰⅰⓘに掲げる場合 | **広域延長給付**を受ける者に係る求職者給付に要する費用の**3分の1** |
| ⓘⓘ　Ⅰⅰⓘⓘに掲げる場合 | **広域延長給付**を受ける者に係る求職者給付に要する費用の**30分の1** |

Ⅲ　国庫は、毎会計年度において、労働保険特別会計の雇用勘定の財政状況を踏まえ、必要がある場合（徴収法第12条第4項第1号に規定する失業等給付費等充当徴収保険率が1000分の8以上である場合その他の政令で定める場合に限る。）には、当該会計年度における失業等給付及び第64条に規定する職業訓練受講給付金の支給に要する費用の一部に充てるため、予算で定めるところにより、第66条第1項（上記Ⅰ）、第2項及び第4項並びに前条（上記Ⅱ）の規定により負担する額を超えて、その費用の一部を負担することができる。

**概要**

給付費に関する国庫負担割合をまとめると、次の通りとなる。

| 国庫負担の対象となる給付 | | 負担割合 |
|---|---|---|
| 日雇労働求職者給付金及び高年齢求職者給付金以外の求職者給付（広域延長給付受給者に係るものを除く） | 雇用情勢及び雇用保険の財政状況が悪化している場合 | **4分の1** |
| | 上記以外の場合 | **40分の1** |
| ・広域延長給付受給者に係る求職者給付<br>・日雇労働求職者給付金 | 雇用情勢及び雇用保険の財政状況が悪化している場合 | **3分の1** |
| | 上記以外の場合 | **30分の1** |
| 介護休業給付 | | **8分の1** ×55/100※ |
| 育児休業給付 | | **8分の1** |
| 職業訓練受講給付金 | | **2分の1** ×55/100 |

※令和6年度から令和8年度までの各年度においては、10/100　（法附則13条1項、14条）

**Check Point!**

□ 高年齢求職者給付金、教育訓練給付、就職促進給付、高年齢雇用継続給付（高年齢雇用継続基本給付金及び高年齢再就職給付金）、出生後休業支援給付及び育児時短就業給付については国庫負担は行われない。H29-5E



### 2 事務費の負担（法66条5項）

★★★

**国庫**は、**毎年度**、**予算の範囲内**において、第64条に規定する事業（「**就職支援法事業**」という。）に要する費用（**職業訓練受講給付金**に要する費用を除く。）及び**雇用保険事業**（**出生後休業支援給付**及び**育児時短就業給付**に係る事業を除く。）の**事務の執行**に要する経費を負担する。改正 R元-7E

## ② 保険料（法66条5項カッコ書、法68条）

重要度 B

★★

Ⅰ　**雇用保険事業**（**出生後休業支援給付**及び**育児時短就業給付**に係る事業を除く。）に要する**費用**に充てるため**政府**が徴収する**保険料**については、**徴収法**の定めるところによる。改正

Ⅱ　Ⅰの**保険料**のうち、**一般保険料徴収額**から当該**一般保険料徴収額**

に**育児休業給付率**を乗じて得た額及び当該**一般保険料徴収額**に**二事業率**を乗じて得た額の合計額を**減じた**額並びに**印紙保険料**の額に相当する額の合計額は、**失業等給付**及び**就職支援法事業**に要する費用に充てるものとし、**一般保険料徴収額**に**育児休業給付率**を乗じて得た額は、**育児休業給付**に要する費用に充てるものとし、**一般保険料徴収額**に**二事業率**を乗じて得た額は、**雇用安定事業**及び**能力開発事業**（第63条［就職支援法事業以外の能力開発事業］に規定するものに限る。）に要する費用に充てるものとする。

**概要**

雇用保険の一般保険料は賃金の総額に雇用保険率を乗じて得た額となるが、この雇用保険率は、失業等給付及び就職支援法事業に係る率、育児休業給付に係る率及び二事業（就職支援法事業を除く。）に係る率に分けることができる。

■令和６年度の雇用保険率

| 事業の種類 | 雇用保険率 | 失業等給付及び就職支援法事業分 | 育児休業給付分 | 二事業（就職支援法事業を除く）分 |
| --- | --- | --- | --- | --- |
| 一般の事業 | 1000分の15.5 | 1000分の８ | 1000分の４ | 1000分の3.5 |
| ・農林・畜産・養蚕・水産の事業<br>・清酒製造の事業 | 1000分の17.5 | 1000分の10 | 1000分の４ | 1000分の3.5 |
| 建設業 | 1000分の18.5 | 1000分の10 | 1000分の４ | 1000分の4.5 |

## ③ 子ども・子育て支援納付金 重要度A

### （法68条の2、法附則16条1項） 改正

★★★

**出生後休業支援給付**及び**育児時短就業給付**に要する費用並びにこれらの**給付**に関する**事務の執行**に要する経費については、**子ども・子育て支援法**第71条の３第１項の規定により**政府**が徴収する**子ども・子育て支援納付金**※をもって充てる。

※　令和７年度においては、同法第71条の26第２項に規定する子ども・子育て支援特例公債の発行収入金

# 3 不服申立て

## ① 労審法による不服申立て 重要度A

### 1 審査請求及び再審査請求（法69条） ★★★

Ⅰ　第９条［被保険者の資格の取得又は喪失の確認］の規定による**確認**、**失業等給付**及び**育児休業等給付**（以下「**失業等給付等**」という。）に関する処分又は第10条の４第１項若しくは第２項［**不正受給による失業等給付の返還命令又は納付命令**］の規定（これらの規定を第61条の６第５項において**育児休業等給付**について準用する場合を含む。）による**処分**に**不服**のある者は、**雇用保険審査官**に対して**審査請求**をし、その**決定**に**不服**のある者は、**労働保険審査会**に対して**再審査請求**をすることができる。R元-3E R6-4D

Ⅱ　Ⅰの**審査請求**をしている者は、**審査請求**をした**日の翌日**から起算して**３箇月**を経過しても**審査請求**についての**決定**がないときは、**雇用保険審査官**が**審査請求**を**棄却**したものとみなすことができる。

R2-6D

Ⅲ　Ⅰの**審査請求**及び**再審査請求**は、**時効の完成猶予**及び**更新**に関しては、**裁判上の請求**とみなす。H30-7エ

Ⅳ　Ⅰの**審査請求**及び**再審査請求**については、行政不服審査法第２章［審査請求］（第22条［誤った教示をした場合の救済］を除く。）及び第４章［再審査請求］の規定は、適用しない。

**趣旨**

雇用保険に関する処分についての不服申立ては、不服申立人が通常失業者であることに加え、専門技術的な性格を有し、かつ、大量に行われるので、基本的には、特別法である労審法（労働保険審査官及び労働保険審査会法）に基づいて行われる。ただし、労審法の不服申立ての対象外となる処分につ

いての不服申立ては、一般法である行政不服審査法に基づいて行うことになる。

**Check Point!**

□ 失業等給付等に関する不服申立てをまとめると、次の通りである。

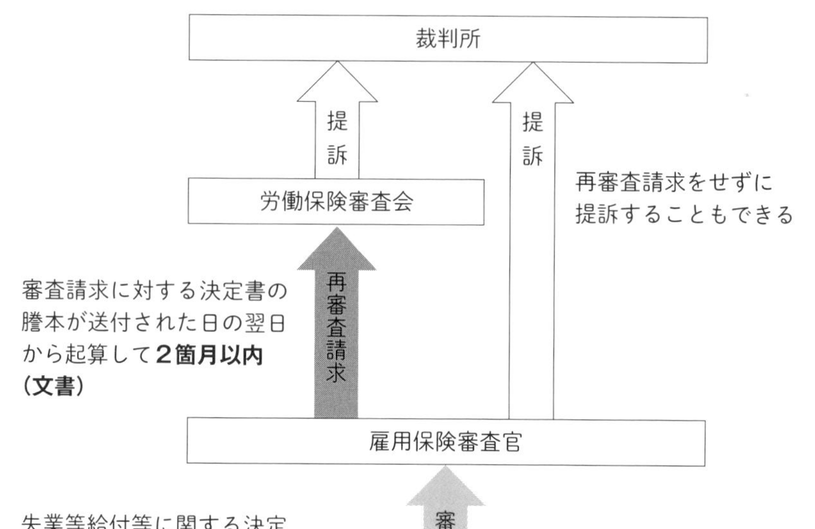


□ 二事業に関しては、労審法の規定による審査請求等の対象外とされている。H30-7オ

## 1. 審査請求

### (1) 審査請求期間

審査請求は、原処分をした公共職業安定所の所在地を管轄する**都道府県労働局**に置かれた**雇用保険審査官**に対して行う。また、審査請求は、正当な理由によりこの期間内に審査請求をすることができなかったことを疎明した場合を除き、原処分があったことを知った日の翌日から起算して**3月**を経過し

たときは、することができない。 R元-3E （労審法7条1項、8条1項）

### ⑵ 審査請求の方式

審査請求は、政令で定めるところにより、**文書又は口頭**ですることができる。 （労審法9条）

### ⑶ 代理人による審査請求

審査請求は、代理人によってすることができる。 （労審法9条の2,1項）

### ⑷ 審査請求の取下げ

① 審査請求人は、決定があるまでは、いつでも、審査請求を取り下げることができる。

② 審査請求の取下げは、**文書**でしなければならない。

（労審法17条の2,1項、2項）

## 2. 再審査請求

### ⑴ 再審査請求期間

再審査請求は、**厚生労働大臣**の所轄の下に設置されている**労働保険審査会**に対して行う。また、再審査請求は、正当な理由によりこの期間内に再審査請求をすることができなかったことを疎明した場合を除き、審査請求に対する決定書の謄本が送付された日の翌日から起算して**2月**を経過したときは、することができない。 （労審法25条1項、38条1項、2項）

### ⑵ 再審査請求の方式

再審査請求は、政令で定めるところにより、**文書**でしなければならない。

（労審法39条）

### ⑶ 代理人による再審査請求

再審査請求は、代理人によってすることができる。 （労審法50条）

### ⑷ 再審査請求の取下げ

① 再審査請求人は、裁決があるまでは、いつでも、再審査請求を取り下げることができる。

② 再審査請求の取下げは、**文書**でしなければならない。

（労審法49条1項、2項）

### 2 不服理由の制限（法70条）

★★★

第９条［被保険者の資格の取得又は喪失の確認］の規定による**確認**に関する**処分が確定**したときは、当該**処分**についての**不服**を当該**処分**に基づく**失業等給付等**に関する**処分**についての**不服の理由**とすることができない。R2-6E

**趣旨**

審査請求の決定又は再審査請求の裁決等により、先行行為たる資格得喪の確認処分が確定した場合には、法律関係の速やかな安定を図るため当該確認処分について、後続行為である失業等給付等に関する処分についての争いの中で再び争うことはできない。

### 3 訴訟との関係（法71条）

★★★

第69条第１項に規定する処分の**取消しの訴え**は、当該処分についての**審査請求**に対する**雇用保険審査官**の**決定**を経た後でなければ、**提起**することができない。

## ❷ 行政不服審査法による不服申立て（行審法２条、４条、12条１項、18条１項、２項、19条１項）

重要度 A

★★★

Ⅰ　第69条第１項以外の処分に不服のある者は、行政不服審査法により、**厚生労働大臣**に対して**審査請求**をすることができる。

Ⅱ　Ⅰの**審査請求**は、処分があったことを**知った日の翌日**から起算して**３月**を経過したときは、することができない。ただし、正当な理由があるときは、この限りでない。

Ⅲ　Ⅰの**審査請求**は、処分があった**日の翌日**から起算して**１年**を経過したときは、することができない。ただし、正当な理由があるときは、この限りでない。

Ⅳ　Ⅰの**審査請求**は、政令で定めるところにより、**審査請求書**を提出してしなければならない。

Ⅴ　**審査請求**は、**代理人**によってすることができる。

**Check Point!**

□ 行政不服審査法による不服申立てをまとめると、次の通りとなる。

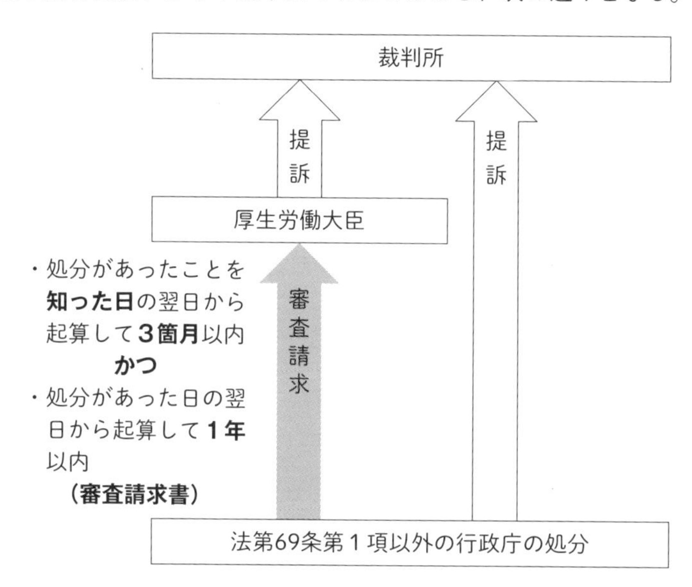


□ 上記Ⅰの審査請求をせずに、直ちに処分の取消しの訴えを提起することもできる。

第3章

# 雑則等

## ①時効（法74条）重要度A

★★★

Ⅰ　**失業等給付等**の**支給を受け**、又はその**返還を受ける権利**及び第10条の４第１項又は第２項［**不正受給による失業等給付の返還命令又は納付命令**］の規定（これらの規定を第61条の６第５項において**育児休業等給付**について準用する場合を含む。）により**納付**をすべきことを**命ぜられた金額**を**徴収する権利**は、これらを**行使することができる時から２年**を経過したときは、**時効**によって**消滅**する。

H28-7オ　R2-6C　R4-7B

Ⅱ　年度の**平均給与額**が**修正**されたことにより、厚生労働大臣が第18条第４項に規定する**自動変更対象額**、第19条第１項第１号に規定する**控除額**又は第61条第１項第２号若しくは第61条の12第２項に規定する**支給限度額**を変更した場合において、当該変更に伴いその額が再び算定された**失業等給付等**があるときは、当該**失業等給付等**に係る第10条の３（第61条の６第５項において**育児休業等給付**について準用する場合を含む。）の規定による**未支給の失業等給付等**の支給を受ける権利については、会計法第31条第１項の規定を適用しない。

参考　民法の改正により、時効の起算点について、客観的起算点（権利を行使することができる時）と主観的起算点（権利を行使することができることを知った時）とが分けられることに伴い、雇用保険法における時効の起算点が客観的起算点である旨が明示された（令和２年４月１日施行）。

## ②事業主の責務　重要度B

### 1　不利益取扱いの禁止（法73条）

★★

**事業主**は、労働者が第８条の規定による**確認の請求**又は第37条の５第１項の規定による**高年齢被保険者となることの申出**をしたことを**理**

**由**として、**労働者**に対して**解雇その他不利益な取扱い**をしてはならない。

参考 本条に違反した事業主は、6箇月以下の懲役又は30万円以下の罰金に処せられる。
H28-7ウ（法83条2号）

## 2 書類の保存（則143条）

★★★

**事業主**及び**労働保険事務組合**は、**雇用保険**に関する**書類**（**雇用安定事業**又は**能力開発事業**に関する**書類**及び**徴収法**又は**徴収法施行規則**による**書類**を**除く**。）をその**完結の日**から**2年間**（**被保険者に関する書類**にあっては、**4年間**）**保管**しなければならない。R4-7E

参考 徴収法又は徴収法施行規則による書類については、完結の日から3年間（雇用保険被保険者関係届出事務等処理簿は4年間）保存しなければならない。（徴収則72条）

## 3 報告等の命令（法76条1項、2項）

Ⅰ **行政庁**は、厚生労働省令で定めるところにより、**被保険者**若しくは**受給資格者等**（受給資格者、高年齢受給資格者、特例受給資格者又は日雇受給資格者）若しくは**教育訓練給付対象者**を**雇用**し、若しくは**雇用**していたと認められる**事業主**又は**労働保険事務組合**若しくは**労働保険事務組合であった団体**に対して、**雇用保険法の施行**に関して**必要な報告**、**文書の提出**又は**出頭**を命ずることができる。

Ⅱ **行政庁**は、厚生労働省令で定めるところにより、**受給資格者等**を**雇用**しようとする**事業主**、**受給資格者等**に対し**職業紹介**若しくは**職業指導**を行う**職業紹介事業者等**、**募集情報等提供事業を行う者**又は**教育訓練給付対象者**に対し**教育訓練給付金**に係る**教育訓練**を行う**指定教育訓練実施者**に対して、**雇用保険法の施行**に関して**必要な報告**又は**文書の提出**を命ずることができる。

**Check Point!**

□ 行政庁は、「有料の職業紹介事業者」のみに対して、報告等を命ずること

第3章

ができるのではなく、「無料の職業紹介事業者」に対しても、報告等を命ずることができる。

参考（罰則）
上記Ⅰに違反（出頭しなかった場合を除く。）した事業主は、６箇月以下の懲役又は30万円以下の罰金に処せられる。（法83条３号）
（報告）
上記Ⅰ及び上記Ⅱの規定による命令は、文書によって行うものとする。（則143条の３）

## 4 証明書の交付（法76条3項、4項）

Ⅰ　**離職した者**は、厚生労働省令で定めるところにより、**従前の事業主**又は当該**事業主**から**委託**を受けて**労働保険事務**の**一部**として**求職者給付**の**支給**を受けるために必要な**証明書の交付**に関する**事務**を**処理**する**労働保険事務組合**に対して、**求職者給付**の**支給**を受けるために**必要な証明書の交付**を**請求**することができる。その**請求**があったときは、当該**事業主**又は**労働保険事務組合**は、その**請求**に係る**証明書**を**交付**しなければならない。

Ⅱ　**被保険者又は被保険者であった者**は、厚生労働省令で定めるところにより、当該**被保険者若しくは被保険者であった者**を**雇用**し、若しくは**雇用**していた**事業主**又は当該**事業主**から**委託**を受けて**労働保険事務**の**一部**として**教育訓練給付**、**雇用継続給付**又は**育児休業等給付**の**支給**を受けるために**必要な証明書の交付**に関する**事務**を**処理**する**労働保険事務組合**に対して、**教育訓練給付**、**雇用継続給付**又は**育児休業等給付**の**支給**を受けるために必要な**証明書の交付**を**請求**することができる。その**請求**があったときは、当該**事業主**又は**労働保険事務組合**は、その**請求**に係る**証明書**を**交付**しなければならない。

参考 市町村長（特別区の区長を含むものとし、地方自治法第252条の19第１項の指定都市においては、区長又は総合区長とする。）は、行政庁又は求職者給付若しくは就職促進給付の支給を受ける者に対して、当該市（特別区を含む。）町村の条例の定めるところにより、求職者給付又は就職促進給付の支給を受ける者の戸籍に関し、無料で証明を行うことができる。 H28-7イ（法75条）

## 5 資料の提供等（法77条の2）

Ⅰ　行政庁は、**関係行政機関又は公私の団体**に対して、雇用保険法の施行に関して**必要な資料の提供その他の協力**を求めることができる。 R4-7D

Ⅱ　Ⅰの規定による協力を求められた**関係行政機関又は公私の団体**は、**できるだけその求めに応じなければならない**。 R4-7D

## 6 診断（法78条）

行政庁は、求職者給付の支給を行うため必要があると認めるときは、第15条第4項第1号［**継続して15日未満の疾病・負傷の場合の証明書による失業の認定**］の規定により同条第2項に規定する失業の認定を受け、若しくは受けようとする者、第20条第1項［**職業に就けない場合の受給期間の特例**］の規定による申出をした者又は**傷病手当**の支給を受け、若しくは受けようとする者に対して、その指定する**医師の診断**を受けるべきことを命ずることができる。 R2-6A R4-7A

## 7 立入検査（法79条1項）

**行政庁**は、**雇用保険法の施行**のため**必要**があると認めるときは、当該**職員**に、**被保険者**、**受給資格者等**若しくは**教育訓練給付対象者**を**雇用**し、若しくは**雇用**していたと認められる**事業主**の**事業所**又は**労働保険事務組合**若しくは**労働保険事務組合であった団体**の**事務所**に**立ち入り**、**関係者**に対して**質問**させ、又は**帳簿書類の検査**をさせることができる。 R2-6B

**趣旨**

上記の規定による立入検査の権限は、雇用保険事業を適正に施行、運営するためのものであって、犯罪捜査のために認められたものではない（雇用保険法違反に対する罰則の適用にあたり、公共職業安定所長は、刑事訴訟法に規定する司法警察官の職務を行う権限は与えられていない）。

**Check Point!**

□ 雇用保険二事業に関しても、行政庁の職員が適用事業所に立ち入り、関係者に対して質問し、又は帳簿書類の検査を行う権限が認められている。

参考（労働基準監督官の権限）
労働基準監督官は、労働基準法違反の罪について、刑事訴訟法に規定する司法警察官の職務を行う。
（労基法102条）

# ③ 罰則 重要度B

## 1 事業主に対する罰則（法83条）

**事業主**が次のｉからｖのいずれかに該当するときは、**６箇月以下の懲役**又は**30万円以下の罰金**に処する。

ⅰ　第７条［被保険者に関する届出］の規定に違反して**届出をせず**、又は**偽りの届出**をした場合 R2-1A

ⅱ　第73条［確認の請求に対する**不利益取扱いの禁止**］の規定に違反した場合

ⅲ　第76条第１項［報告・提出・出頭］の規定による命令に違反して**報告をせず**、若しくは**偽りの報告**をし、又は文書を**提出せず**、若しくは**偽りの記載**をした文書を提出した場合

ⅳ　第76条第３項又は第４項［証明書の交付］の規定に違反して**証明書の交付**を**拒んだ**場合

ⅴ　第79条第１項［立入検査］の規定による当該職員の質問に対して**答弁をせず**、若しくは**偽りの陳述**をし、又は同項の規定による検査を**拒み**、**妨げ**、若しくは**忌避**（きひ）した場合

**・労働保険事務組合に対する罰則**

上記（ⅱを除く。）と同様の罰則規定が、労働保険事務組合についても設けられており、違反があった場合には、労働保険事務組合の代表者又は代理人、使用人その他の従業者に対して同様の罰則が適用される。
（法84条）

## 2 被保険者等に対する罰則（法85条）

**被保険者**、**受給資格者等**、**教育訓練給付対象者**又は**未支給の失業等給付等**の**支給を請求する者**その他の**関係者**が次のⅰからⅲのいずれかに該当するときは、**6箇月以下**の**懲役**又は**20万円以下**の**罰金**に処する。 R4-7A

ⅰ　第44条［日雇労働被保険者手帳の交付］の規定に違反して**偽り**その他**不正の行為**によって日雇労働被保険者手帳の交付を受けた場合

ⅱ　第77条［報告・提出・出頭］の規定による命令に違反して**報告をせず**、若しくは**偽りの報告**をし、文書を**提出せず**、若しくは**偽りの記載**をした文書を提出し、又は出頭しなかった場合

ⅲ　第79条第1項［立入検査］の規定による当該職員の質問に対して**答弁をせず**、若しくは**偽りの陳述**をし、又は同項の規定による検査を**拒み**、**妨げ**、若しくは**忌避**（きひ）した場合

## 3 両罰規定（法86条）

★★

Ⅰ　**法人**（**法人**でない**労働保険事務組合**を含む。以下同じ。）の代表者又は**法人**若しくは人の**代理人**、**使用人**その他の**従業者**が、その**法人**又は**人の業務**に関して、第83条［事業主に対する罰則］、第84条［労働保険事務組合に対する罰則］又は第85条［被保険者等に対する罰則］の**違反行為**をしたときは、**行為者**を罰するほか、その**法人**又は**人**に対しても各本条の**罰金刑**を科する。 R2-1A

Ⅱ　Ⅰの規定により**法人**でない**労働保険事務組合**を処罰する場合においては、その**代表者**又は**管理人**が**訴訟行為**につきその**労働保険事務組合**を**代表**するほか、**法人**を被告人とする場合の**刑事訴訟**に関する法律の規定を準用する。

**・労働保険事務組合に対する処罰**

労働保険事務組合が法人である場合には刑事訴訟法上既に定めがあるが、法人でない場合には何ら規定されていないため、上記Ⅱの規定が設けられている。

# 資料編

本書本編の記載内容に関連する発展資料を集めました。本試験で出題された箇所も含まれていますが、かなり細かい論点であるため、まずは本書本編のマスターを優先しましょう。その後さらに知識を深めたい場合に、本資料をご利用ください。

# 第1章　総則・適用事業・被保険者

## 1 船員に関する給付事務等

船員である者が失業した場合には、公共職業安定所のほか、**地方運輸局**（運輸監理部並びに厚生労働大臣が国土交通大臣に協議して指定する運輸支局及び地方運輸局、運輸監理部又は運輸支局の事務所を含む。）も給付事務等を行う。（法79条の２）

## 2 在宅勤務者に係る事業所勤務労働者との同一性

「事業所勤務労働者との同一性」とは、所属事業所において勤務する他の労働者と同一の就業規則等の諸規定（その性質上在宅勤務者に適用できない条項を除く。）が適用されること〔在宅勤務者に関する特別の就業規則等（労働条件、福利厚生が他の労働者とおおむね同等以上であるものに限る。）が適用される場合を含む。〕をいい、次の点に留意した上で総合的に判断する。

| | |
|---|---|
| 指揮監督系統の明確性 | 在宅勤務者の業務遂行状況を直接的に管理することが可能な特定の事業所が、当該在宅勤務者の所属事業所として指定されていること |
| 拘束時間等の明確性 | ①　所定労働日及び休日が就業規則、勤務計画表等により予め特定されていること<br>②　各労働日の始業及び終業時刻、休憩時間等が就業規則等に明示されていること |
| 勤務管理の明確性 | 各日の始業、終業時刻等の勤務実績が、事業主により把握されていること |
| 報酬の労働対償性の明確性 | 報酬中に月給、日給、時間給等勤務した期間又は時間を基礎として算定される部分があること |
| 請負・委任的色彩の不存在 | ①　機械、器具、原材料等の購入、賃借、保守整備、損傷（労働者の故意・過失によるものを除く。）、事業主や顧客等との通信費用等について本人の金銭的負担がないこと又は事業主の全額負担であることが、雇用契約書、就業規則等に明示されていること<br>②　他の事業主の業務への従事禁止について、雇用契約書、就業規則等に明示されていること |

（行政手引20351）

## 3 31日以上雇用されることが見込まれる者

「31日以上雇用されることが見込まれる」とは、次の場合をいう。

(1)　期間の定めがなく雇用される場合

(2)　雇用期間が31日以上である場合

(3)　雇用期間が31日未満である場合

31日未満の期間を定めて雇用される場合であっても、次のいずれにも該当する場合を除き、31日以上雇用されることが見込まれるものとして一般被保険者又は高年齢被保険者となる。

①　雇用契約書その他書面においてその契約が更新される旨又は更新される場合がある旨明示されていないこと

②　当該事業所において同様の雇用契約に基づき雇用されている者について更新等により31日以上雇用された実績がないこと

ただし、上記①②のいずれかに該当しない場合であっても、雇用契約その他書面においてその雇用契約が更新されないことが明示されている場合等労使双方により31日以上雇用が継続しないことについて合意されていることが確認された場合には、一般被保険者又は高年齢被保険者とならない。（行政手引20303）

## 4 雇用関係に中断がある事例

次の場合には、雇用関係に中断があるので、雇用保険法でいう「引き続き（継続して）雇用されているもの」とは取り扱われない。

(1) 離職、再雇用を伴う一時解雇が行われた場合

(2) 取締役等の役員になった場合。ただし、なお従業員としての地位を有し、継続して被保険者資格を有するときは、この限りでない。 (行政手引22752)

## 5 適用除外

### 1．都道府県等

「都道府県等」とは、都道府県、地方公共団体の組合で都道府県が加入するもの又は特定地方独立行政法人であって設立に当たり総務大臣の認可を受けたものその他都道府県に準ずるものをいう。

(則4条1項2号)

### 2．市町村等

「市町村等」とは、市町村又は地方公共団体の組合で都道府県が加入しないもの、特定地方独立行政法人であって設立に当たり都道府県知事の認可を受けたもの若しくは国、地方公共団体若しくは特定地方独立行政法人以外の者で学校等その他市町村に準ずるものをいう。 (則4条1項3号)

### 3．離職した場合に支給を受けるべき諸給与の内容

「諸給与」とは、法令、条例、規則等に基づいて求職者給付及び就職促進給付の性質と同様なものとして支払われるものであることを要し、恩給法による恩給若しくは国家公務員共済組合法による退職年金又は本人の功績等を理由として支払われる慰労金等は、異なる性質のものであるためこれに含まれない。 (行政手引23052)

## 6 季節的に雇用される者の意義

「季節的に雇用される者」とは、季節的業務に期間を定めて雇用される者又は季節的に入離職する者をいう。この場合において、季節的業務とは、その業務が季節、天候その他自然現象の影響によって一定の時季に偏して行われるものをいう。

また、期間を定めないで雇用された者であっても、季節の影響を受けることにより、雇用された日から1年未満の間に離職することが明らかであるものは、季節的に雇用される者に該当する。

さらに、「季節的業務に期間を定めて雇用される者」と「季節的に入離職する者」のいずれに属するかを厳格に区別する必要はなく、雇用期間が1年未満であるかどうか及び季節の影響を強く受けるかどうかを把握すれば足りる。 (行政手引20452)

## 7 船員について

漁船に乗り組むために雇用されている船員については、一般に、漁船は年間稼働でないため、原則として適用除外（第2節 **1** **2**「**適用除外**」の5.参照）となるところ、特定漁船に乗り組むために雇用されている船員については特定漁船の労働の実態が年間稼働とみなされるため適用されるものであり、また、特定漁船以外の漁船に乗り組むために雇用されている船員については1年を通じて船員として雇用される場合のみ適用されるものであることから、それぞれ、漁船に乗り組むために雇用されている船員については「季節的に雇用される者」とならない。 (同上)

## 8 一般被保険者等に切り替えない者

季節的業務に雇用され、又は季節的に雇用される日雇労働被保険者については、一般被保険者等に切り替えない。これらの日

雇労働被保険者は、おおむね一般被保険者等として受給資格を取得することが困難であると認められるので、一般被保険者等とはしない。ただし、その雇用期間が４箇月以内の所定の期間（日々雇用される者については、所定の雇用予定期間）を超えるに至った場合であって、その超えるに至った月及びその前月の雇用の実態が切替えの要件に該当するときは、その翌月の最初の日において切り替えられる。（行政手引90253）

## 9 日雇労働被保険者であった者に係る被保険者期間の特例

### 1．2月の各月に18日以上雇用された場合の特例

日雇労働被保険者が２月の各月において18日以上同一の事業主の適用事業に雇用され、その翌月以後において離職した場合には、その２月を第14条の規定による被保険者期間の２箇月として計算することができる。ただし、その者が第43条第２項［日雇労働被保険者資格継続の認可］又は第３項［日雇労働求職者給付金の支給についての特例］の規定の適用を受けた者である場合には、この限りでない。

**（趣旨）**

日雇労働被保険者が２月の各月において18日以上同一の事業主の適用事業に雇用された場合で、日雇労働被保険者資格継続の認可を受けずに一般被保険者等に切り替えられたときは、その２月の翌々月の末日までに公共職業安定所長に届け出ることにより、その２月を一般被保険者等の被保険者期間として計算する措置の適用を受けることができる。ただし、その２月の翌月に離職し、その離職した月において日雇労働求職者給付金の支給を受けた場合は、当該措置の適用を受けることができない。

（法56条１項、則81条１項、行政手引90802）

### 2．継続して31日以上雇用された場合の特例

日雇労働被保険者が同一の事業主の適用事業に継続して31日以上雇用された後に離職した場合（**1.**に規定する場合を除く。）には、その者の日雇労働被保険者であった期間を第14条の規定による被保険者期間の計算において被保険者であった期間とみなすことができる。ただし、その者が第43条第２項［日雇労働被保険者資格継続の認可］又は第３項［日雇労働求職者給付金の支給についての特例］の規定の適用を受けた者である場合には、この限りでない。

**（趣旨）**

日雇労働被保険者が同一の事業主の適用事業に継続して31日以上雇用された場合で、日雇労働被保険者資格継続の認可を受けずに一般被保険者等に切り替えられたときは、その継続して雇用された期間の最後の日の属する月の翌月の末日までに公共職業安定所長に届け出ることにより、その者の日雇労働被保険者であった期間を一般被保険者等の被保険者期間として計算する措置の適用を受けることができる。ただし、その同一の事業主の下での雇用が31日以上継続するに至った日の属する月の翌月に離職し、その離職した月において日雇労働求職者給付金の支給を受けた場合は、当該措置の適用を受けることができない。

（法56条の2,1項、則81条の2,1項、行政手引90802）

### 3．日雇労働求職者給付金の支給についての特例

前２月の各月において18日以上同一の事業主の適用事業に雇用された日雇労働被保険者又は同一の事業主の適用事業に継続して31日以上雇用された日雇労働被保険者が第43条第２項［日雇労働被保険者資格継続の認可］の認可を受けなかったため、日雇労働被保険者とされなくなった最初の月に離職し、失業した場合には、その失業した月の間における日雇労働求職者給付金の支

給については、その者を日雇労働被保険者とみなす。（法43条３項）

**（趣旨）**

前２月の各月において18日以上同一の事業主の適用事業に雇用され、又は同一の事業主の適用事業に継続して31日以上雇用された日雇労働被保険者は、日雇労働被保険者資格継続の認可を受けることにより引き続き日雇労働被保険者となることができるが、当該認可を受けずに日雇労働被保険者とされなくなった者であっても、日雇労働被保険者とされなくなった最初の月に離職し、失業した場合には、その月について日雇労働求職者給付金の支給を受けることができる。

## 10 資格喪失日

**（登録型派遣労働者）**

労働者派遣事業に雇用される派遣労働者のうち常時雇用される労働者以外の者について、**１週間**の**所定労働時間**が**20時間以上**となる労働条件での次の派遣就業が開始されることが見込まれる場合には被保険者資格は継続させる。

なお、派遣労働者については、派遣就業に係る雇用契約期間の終了日以降においても、当該派遣労働者が以後当該派遣元事業主の下での１週間の所定労働時間が20時間以上となる労働条件での派遣就業を希望し、当該派遣元事業主に登録している場合には、原則として、次の雇用が開始されることが見込まれるものと取り扱う。

ただし、次の(1)から(4)のいずれかの事由が生じた場合においては、当該派遣労働者が当該派遣元事業主に登録している場合であっても、当該派遣労働者が１週間の所定労働時間が20時間以上となる労働条件での最後の派遣就業に係る雇用契約期間の終了日の翌日に被保険者資格を喪失したものとして取り扱う。

(1) 労働者が以後同一派遣元において１週間の所定労働時間が20時間以上となる労働条件での派遣就業を希望しない旨を明らかにした場合

(2) 事業主が派遣就業に係る雇用契約の終了時までに、１週間の所定労働時間が20時間以上となる労働条件での次の派遣就業を指示しない場合（労働者が以後同一派遣元事業主の下で派遣就業を希望する場合を除く。）

(3) 最後の雇用契約期間の終了日から１か月程度以内に１週間の所定労働時間が20時間以上となる労働条件での次の派遣就業が開始されなかった場合（11「臨時的・一時的に週所定労働時間が20時間未満となる場合」の本文に該当する場合、最後の雇用契約期間の満了日から１か月程度経過時点においてその後概ね２か月程度以内に１週間の所定労働時間が20時間以上となる労働条件での次の派遣就業が開始されることが確実である場合を除く。）

(4) 労働者が他の事業所において被保険者となった場合又は被保険者となるような求職条件での求職活動を行うこととなった場合（行政手引20606）

**（有期契約労働者）**

有期契約労働者について、１週間の所定労働時間が20時間以上となる労働条件での雇用が開始されることが見込まれる場合には、被保険者資格は継続させる。

ただし、当初の予定と異なり、次の(1)から(3)のいずれかの事由が生じた場合においては、当該労働者が１週間の所定労働時間が20時間以上となる労働条件での最後の雇用契約期間の終了日の翌日に被保険者資格を喪失したものとして取り扱う。

(1) １週間の所定労働時間が20時間以上となる労働条件での雇用の開始までの期間が、概ね３か月程度を超えることが明らかとなったこと、又は結果的に超えるに至ったこと

(2) 以後1週間の所定労働時間が20時間以上となる労働条件での雇用が開始されないことが明らかとなったこと
(3) 他の事業所において被保険者となったこと又は被保険者となるような求職条件での求職活動を行うこととしたこと

（行政手引20606）

## 11 臨時的・一時的に週所定労働時間が20時間未満となる場合

一般被保険者又は高年齢被保険者が、1週間の所定労働時間が20時間以上となる労働条件に復帰することを前提として、臨時的・一時的に1週間の所定労働時間が20時間未満となる場合には、被保険者資格を喪失させず、被保険者資格を継続させる。

ただし、この場合において、次のいずれかに該当することとなったときは、当該適用基準に該当しなくなった時点において被保険者資格を喪失したものとして取り扱う。

(1) 従前の就業条件への復帰が、当初の予定と異なり、「臨時的・一時的」と考えられる期間を超えることが明らかとなった場合又は結果的に超えるに至った場合
(2) 結果的に当該適用基準に該当する就業条件に復帰しないまま離職した場合

（行政手引20605）

## 12 離職証明書の記載事項

離職証明書には、事業主が、当該被保険者に関する離職の日以前の賃金支払状況等を記載する欄のほか、当該被保険者の離職理由を記入する欄（離職証明書に記載された複数の離職理由から事業主が離職理由を選択する欄）が設けられており、離職者は事業主が記入（選択）した離職理由について、異議あり又は異議なしのいずれかを選択することになっている。

なお、離職理由については、求職の申込みの際に離職者本人に再確認することになっており、離職票には、離職者が離職理由を記入する離職者記入欄（離職票に記載された複数の離職理由から離職者が離職理由を選択する欄）も設けられており、その欄に自ら記載した事項について間違いがないことを認める旨を明記することになっている。

# 第2章　失業等給付

## 1 雇用継続交流採用職員であった期間

雇用継続交流採用職員であった期間については、以下のように取り扱われる。

(1) 雇用継続交流採用職員であることにより引き続き30日以上民間企業から賃金の支払を受けることができなかった被保険者については、算定対象期間が4年を限度として延長される。
(2) 雇用継続交流採用職員であった期間は、算定基礎期間には含まれない。
(3) 事業主は、その雇用する被保険者が雇用継続交流採用職員でなくなったときは、当該事実のあった日の翌日から起算して10日以内に、雇用継続交流採用終了届をその事業所の所在地を管轄する公共職業安定所の長に提出しなければならない。 H28-1D

（則12条の2、則18条4号、官民人事交流法22条）

## 2 認定手続

**（認定日が就職日の前日である場合）**

失業の認定は、原則として前回の認定日以後、当該認定日の前日までの期間について行うものであるが、認定日が、就職日の前日である場合、受給期間の最終日である場合又は支給終了日である場合は、当該認定日を含めた期間（前回の認定日から当該

認定日までの期間）について失業の認定をすることもできる。ただし、この場合、当該認定日に就労することも考えられるから、当日就労する予定がないことを確認し、かつ、当日就労した場合には直ちに届け出て基本手当を返還しなければならない旨を告げておく。 R5-2C （行政手引51251）

**（就職しているものとする期間）**

次の期間は、実際に就労しない日を含めて就職しているものとして取り扱う。

(1) 一の雇用契約において被保険者（特例高年齢被保険者を含む）となっている期間

(2) 契約期間が7日以上の一の雇用契約における週所定労働時間が20時間以上であって、かつ、1週間の実際に就労する日が4日以上の場合は、当該一の雇用契約に基づいて就労が継続している期間

上記(1)及び(2)以外の場合は、当該一の雇用契約に基づいて就労している場合であっても、実際に就労した日ごとの契約とみなして取り扱う。 （行政手引51255）

**（1日に複数の異なる就労がある場合）**

1日のうちに複数の異なる就労がある場合は、それらの労働時間を合算した時間で判断し、一の就労が複数の日にわたる場合は、当該就労の最初の日の就労に属する労働時間として取り扱う。 （同上）

## 3 自己の労働による収入

### 1．労働時間にかかわらず、自己の労働による収入とみなす場合

次の場合は、1日の労働時間にかかわらず、自己の労働による収入とみなして取り扱う。

(1) 公選による地方公共団体の議員の報酬及び期末手当

(2) 離職に当たり、未払賃金、退職金等の弁済として原材料等を受け、これを加工販売している場合であって売上額のうちそれに使用した原材料等の価格（弁済を受けた当時の評価額により定める。）を超える部分

(3) 業としておらず、たまたま依頼されて行ったものについての原稿料

(4) 障害者が授産施設や小規模作業所等での就労によって得た賃金 （同上）

### 2．自己の労働によって収入を得たと判断されない場合

次の場合は、就職に該当しないことはもちろん、自己の労働によって収入を得た場合とは判断されない。

(1) 扶助金、恩給、退職手当、社会保険給付金、財産収入等を受けた場合

(2) 懸賞応募等により懸賞金等を受けた場合（通常）

(3) 労働施策総合推進法第18条の規定に基づく職業転換給付金を受けた場合等

（同上）

### 3．法第19条第1項の減額支給の対象となる場合

次の場合は、基本手当の減額支給の対象となる。

(1) 待期中に内職に従事し、待期中に収入を得た場合

(2) 待期中に内職に従事し、支給開始後に収入を得た場合

（昭和53.9.22雇保発32号）

### 4．法第19条第1項の減額支給の対象とならない場合

次の場合は、基本手当の減額支給の対象とならない。

(1) 待期中に内職に従事し、給付制限期間中に収入を得た場合

(2) 給付制限期間中に内職に従事し、支給開始後に収入を得た場合

(3) 給付制限期間中に内職に従事し、給付制限期間中に収入を得た場合 （同上）

## 4 遡及適用期間の特例

### 1．資格取得手続等

(1) 事業主は、法第22条第5項［遡及適用期間の特例］に規定する者であって、被

保険者となった日が法第９条第１項の規定による被保険者となったことの確認があった日の２年前の日より前にあるものに係る被保険者となったことの届出については、資格取得届に一定の書類※を添えてその事業所の所在地を管轄する公共職業安定所の長に提出しなければならない。

⑵　法第22条第５項［遡及適用期間の特例］に規定する者であって、被保険者となった日が法第９条第１項の規定による被保険者となったことの確認があった日の２年前の日より前にあるものが被保険者となったことの確認の請求を文書で行う場合は、その者は、確認の請求書に一定の書類※を添えて、その者を雇用し又は雇用していた事業主の事業所の所在地を管轄する公共職業安定所の長に提出しなければならない。

⑶　⑵の確認の請求を口頭で行う場合は、その者は、一定の事項をその者を雇用し又は雇用していた事業主の事業所の所在地を管轄する公共職業安定所の長に陳述し、一定の書類※を提出しなければならない。

※　一定の書類とは次のいずれかの書類をいう。

・労働基準法に規定する賃金台帳その他の賃金の一部が労働保険料として控除されていることが証明される書類

・所得税法に規定する源泉徴収票又は法人税法施行規則に定める帳簿書類のうち賃金の一部が労働保険料として控除されていることが証明されるもの

（則６条６項、則８条５項、７項、則33条の２）

## 2. 資格喪失手続等

⑴　事業主は、法第22条第５項［遡及適用期間の特例］に規定する者であって、被保険者でなくなった日が法第９条第１項の規定による被保険者となったことの確認があった日の２年前の日より前にあるものに係る被保険者でなくなったことの届出については、資格喪失届に**1.**※印のいずれかの書類を添えてその事業所の所在地を管轄する公共職業安定所の長に提出しなければならない。

⑵　法第22条第５項［遡及適用期間の特例］に規定する者であって、被保険者でなくなった日が法第９条第１項の規定による被保険者となったことの確認があった日の２年前の日より前にあるものが被保険者でなくなったことの確認の請求を文書で行う場合は、その者は、確認の請求書に**1.**※印のいずれかの書類を添えて、その者を雇用し又は雇用していた事業主の事業所の所在地を管轄する公共職業安定所の長に提出しなければならない。

⑶　⑵の確認の請求を口頭で行う場合は、その者は、一定の事項をその者を雇用し又は雇用していた事業主の事業所の所在地を管轄する公共職業安定所の長に陳述し、**1.**※印のいずれかの書類を提出しなければならない。

（則７条４項、則８条６項、８項、則33条の２）

## 3. 被保険者となった日とみなす日

⑴　法第22条第５項［遡及適用期間の特例］の「厚生労働省令で定める日」は、雇用保険法施行規則第33条の２各号に定める書類（**1.**※印の書類。以下「賃金台帳等」という。）に基づき確認される被保険者の負担すべき額に相当する額がその者に支払われた賃金から控除されていたことが明らかとなる最も古い日とする。（則33条１項）

⑵　賃金台帳等に基づき⑴の最も古い日を確認することができないときは、賃金台帳等に基づき確認される被保険者の負担すべき額に相当する額がその者に支払われた賃金から控除されていたことが明らかとなる最も古い月の初日を、⑴に規定する最も古い日とみなす。（則33条２項）

(3) (2)の規定により、当該最も古い月の初日を(1)の最も古い日とみなした場合に、当該最も古い月の初日が直前の被保険者でなくなった日よりも前にあるときは、(2)の規定にかかわらず、当該直前の被保険者でなくなった日を(1)の最も古い日とみなす。 (則33条3項)

(イメージ図)

A社雇用期間について、被保険者の負担すべき保険料相当額が賃金から控除されていたことが明らかとなる最も古い月の初日を「最も古い日（被保険者となった日）」とみなす場合、A社雇用の被保険者とみなす日が他の被保険者期間と重複する（B社雇用の▬部分）ときは、B社を離職した日の翌日を最も古い日とみなす。

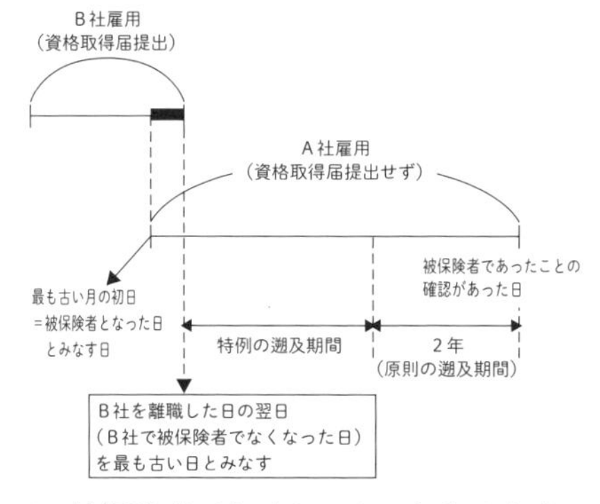


### 4. 被保険者でなくなったこととみなす日

(1) 法第22条第5項［遡及適用期間の特例］に規定する者は、賃金台帳等に基づき確認される被保険者の負担すべき額に相当する額がその者に支払われた賃金から控除されていたことが明らかである時期の直近の日の翌日に被保険者でなくなったこととみなす。 (則33条4項)

(2) 賃金台帳等に基づく確認において、(1)の直近の日を確認することができないときは、賃金台帳等に基づき確認される被保険者の負担すべき額に相当する額がその者に支払われた賃金から控除されていたことが明らかである時期の直近の月の末日の翌日に被保険者でなくなったこととみなす。 (則33条5項)

(3) (2)の規定により、当該直近の月の末日の翌日をその者が被保険者でなくなった日とみなした場合に、当該直近の月のうちに被保険者となった日があるときは、(2)の規定にかかわらず、当該被保険者となった日に被保険者でなくなったこととみなす。 (則33条6項)

(イメージ図)

C社雇用期間について、被保険者の負担すべき保険料相当額が賃金から控除されていたことが明らかである時期の直近の月の末日の翌日に被保険者でなくなったこととみなす場合、C社雇用の被保険者とみなす日が他の被保険者期間と重複する（D社雇用の▬部分）ときは、D社で被保険者となった日にC社で被保険者でなくなったこととみなす。

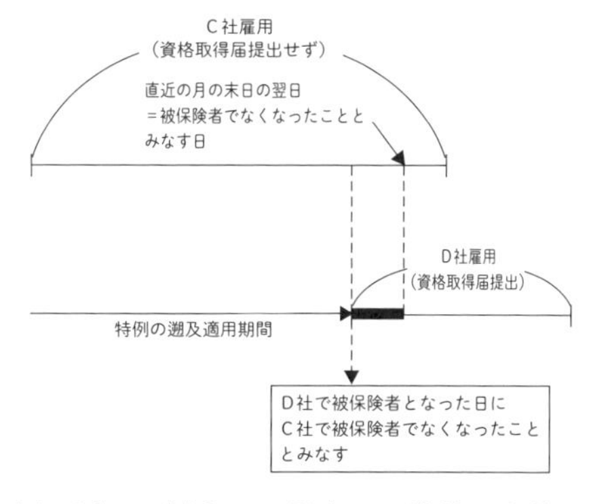


(4) (1)から(3)までの規定は、法第9条第1項［確認］の規定による被保険者となったことの確認があった日の2年前までの時期については、適用しない。 (則33条7項)

## 5 個別延長給付・初回受給率

1. 「その地域における基本手当の初回受給率」とは、毎月、**その月前3月間**に、当該地域において離職（激甚災害法第25条第3項の規定により離職したものとみなされる場合を含む。以下同じ。）をし、当該地域を管轄する公共職業安定所において基本手当の支給を受けた初回受給者（その受給資格に係る離職後最初に基本手当の支給を受けた受給資格者をいう。以下同じ。）の合計数を、当該期間内の各月の末日において当該地域に所在する事業所に雇用されている一般被保険者の合計数で除して計算した率をいう。

（令５条の2,1号イ）

2．「全国平均の基本手当の初回受給率」とは、毎年度、当該年度の**前年度以前３年間**における全国の初回受給者の合計数を当該期間内の各月の末日における全国の一般被保険者の合計数で除して計算した率をいう。（令５条の2,1号ロ）

## 6 広域延長給付・初回受給率

1．「その地域における基本手当の初回受給率」とは、毎月、その月前４月間に、当該地域において離職し、当該地域を管轄する公共職業安定所において基本手当の支給を受けた初回受給者（その受給資格に係る離職後最初に基本手当の支給を受けた受給資格者をいう。）の合計数を、当該期間内の各月の末日において当該地域に所在する事業所に雇用されている一般被保険者の合計数で除して計算した率をいう。（令６条１項１号）

2．「全国平均の基本手当の初回受給率」とは、毎年度、当該年度の前年度以前５年間における全国の初回受給者の合計数を、当該期間内の各月の末日における全国の一般被保険者の合計数で除して計算した率をいう。（令６条１項２号）

## 7 全国延長給付・受給率等

1．「受給率」とは、連続する４月間（「基準期間」という。）内の各月における基本手当の支給を受けた受給資格者の数を、当該受給資格者の数に当該各月の末日における一般被保険者の数を加えた数で除して得た率をいう。（令７条１項１号）

2．「初回受給率」とは、基準期間内の各月における初回受給者の数を、当該各月の末日における一般被保険者の数で除して得た率をいう。（令７条１項２号）

## 8 地域延長給付・「厚生労働省令で定める基準」

次のいずれにも該当することとする。

(1) 四半期ごとに公表される労働力調査の**直近の結果**による**その地域に係る労働力人口**に対する**最近１箇月**における**当該地域内に居住する求職者**（(2)において「**地域求職者**」という。）の数の割合が、当該労働力調査の平成21年１月時点の結果による**全国の労働力人口に対する同月時点における全国の求職者の数の割合以上**であること。

…有効求職者割合が、平成21年１月時点の全国の有効求職者割合以上であること

(2) **最近１箇月**における地域求職者の数に対するその地域内に所在する事業所に係る求人の数の比率が平成21年１月時点における全国の求職者の数に対する同月時点における全国に所在する事業所に係る求人の数の比率以下であること。

…有効求人倍率が、平成21年１月時点の全国の有効求人倍率以下であること

(3) **最近１箇月**におけるその地域において基本手当の支給を受けた受給資格者の数を、当該受給資格者の数に当該各月の末日における一般被保険者の数を加えた数で除して得た率が、平成21年１月時点における全国における基本手当の支給を受けた受給資格者の数を、当該受給資格者の数に同月の末日における一般被保険者の数を加えた数で除して得た率の平均以上であること。

…基本手当受給率が、平成21年１月時点の全国平均以上であること

(4) **最近1箇月**において、その地域を管轄する公共職業安定所において求職の登録をした者であって就職したもの（公共職業安定所の紹介した職業に就いた者に限る。以下「求職登録就職者」という。）のうち、その地域において就職した者の割合が**50%に満たない**地域にあっては、当該地域以外の地域であって、求職登録就職者の数が最も多いものが(1)から(3)のいずれにも該当すること。

…地域を管轄する公共職業安定所の管轄内で就職した者の割合が50%に満たない地域にあっては、当該管轄の外の地域であって、就職者の数が最も多い地域（大規模な商業圏に隣接するベッドタウン）についても、(1)から(3)を満たさなければならない。（則附則21条）

## 9 移転費の支給額

(1) 鉄道賃は、普通旅客運賃相当額（一定距離以上に限り、普通急行料金又は特別急行料金相当額を加えた額）が支給される。

(2) 船賃は、2等運賃相当額（鉄道連絡線にあっては、普通旅客運賃相当額）が支給される。

(3) 航空賃は、現に支払った旅客運賃の額とする。

(4) 車賃は、1キロメートルにつき37円が支給される。

(5) 移転料は、親族を随伴する場合は、その親族数の多寡にかかわらず、移転の距離区分ごとに一定額（93,000円～282,000円）が支給される。ただし、親族を随伴しないで単独で移転する場合（独身者が移転する場合を含む）は、その額の2分の1相当額を支給する。

なお、受給資格者等及びその者が随伴する親族が就職先の事業主等が所有する自動車等を使用して住所又は居所を変更する場合にあっては、鉄道賃、船賃、航空賃及び車賃は、受給資格者等及びその者が随伴する親族が支払った費用に基づき算定した額（以下「実費相当額」という）とする。ただし、実費相当額が上記(1)から(4)までの規定により計算した額（以下「計算額」という）を超えるときは、計算額を上限とする。

（則87条2項、則88条、則89条、行政手引57603）

# 第3章　その他

## 1 雇用安定事業

**(事業活動の縮小時の雇用安定事業)**

**政府**は、**雇用安定事業**として、**景気の変動**、**産業構造の変化**その他の**経済上の理由**により**事業活動の縮小**を**余儀なく**された場合において、**労働者を休業**させる**事業主**その他**労働者**の**雇用の安定**を図るために**必要な措置**を講ずる**事業主**に対して、必要な助成及び援助を行うことができる。

（法62条1項1号）

当該規定に基づいて支給される助成金には、**雇用調整助成金**※がある。（則102条の2）

※ **雇用調整助成金**は、**景気の変動**、**産業構造の変化**等に伴い、**事業活動の縮小**を**余儀なく**されて**休業**、**教育訓練**又は**出向**等を行った**事業主**に対して、**休業手当**、**賃金**又は**出向労働者**に係る**賃金負担額**の一部を助成するもので、**失業の予防**を目的としている。（則102条の3）

**(再就職促進のための雇用安定事業)**

**政府**は、**雇用安定事業**として、**離職**を**余儀なく**される**労働者**に対して、労働施策総合推進法第26条第1項に規定する**求職活動をするための休暇**を与える事業主その他当該労働者の**再就職**を促進するために必要な措置を講ずる事業主に対して、必要な助成及び援助を行うことができる。

（法62条1項2号）

当該規定に基づいて支給される助成金に

は、**早期再就職支援等助成金**がある。

（則102条の４）

**（高年齢者等の雇用安定事業）**

**政府**は、**雇用安定事業**として、**定年の引上げ**、高年齢者等雇用安定法第９条に規定する継続雇用制度の導入、同法第10条の２第４項に規定する**高年齢者就業確保措置**の実施等により高年齢者の**雇用を延長**し、又は同法第２条第２項に規定する高年齢者等（以下単に「高年齢者等」という。）に対し**再就職の援助**を行い、若しくは高年齢者等を**雇い入れる事業主**その他高年齢者等の**雇用の安定**を図るために必要な措置を講ずる**事業主**に対して、必要な助成及び援助を行うことができる。（法62条１項３号）

当該規定に基づいて支給される助成金には、**特定求職者雇用開発助成金及びトライアル雇用助成金等**がある。

（則102条の４、則103条、則109条）

**（同意地域高年齢者就業機会確保計画に係る雇用安定事業）**

政府は、高年齢者等雇用安定法に規定する**同意地域高年齢者就業機会確保計画**に係る事業（国が実施する高年齢者の雇用に資する事業に関するもの）のうち雇用の安定に係るものを行うことができる。

（法62条１項４号）

**（地域における雇用安定事業）**

**政府**は、**雇用安定事業**として、**雇用機会を増大**させる必要がある地域への事業所の移転により新たに労働者を雇い入れる**事業主**、**季節的に失業する者**が多数居住する地域においてこれらの者を**年間を通じて雇用**する**事業主**その他雇用に関する状況を改善する必要がある地域における労働者の**雇用の安定**を図るために必要な措置を講ずる**事業主**に対して、必要な助成及び援助を行うことができる。 H29-7E （法62条１項５号）

当該規定に基づいて支給される助成金には、**地域雇用開発助成金等**がある。

（則111条）

**（その他の雇用安定事業）**

**政府**は、**雇用安定事業**として、**障害者**その他**就職が特に困難な者**の**雇入れの促進**、**雇用**に関する**状況**が**全国的に悪化**した場合における労働者の**雇入れの促進**その他**被保険者等**の**雇用の安定**を図るために必要な事業であって、厚生労働省令で定めるものを行うことができる。（法62条１項６号）

当該規定に基づいて支給される助成金には、**早期再就職支援等助成金**、**特定求職者雇用開発助成金**、トライアル雇用助成金及び両立支援等助成金等がある。また、「専門実践教育訓練を受けている者の当該専門実践教育訓練の受講を容易にするための資金の貸付けに係る保証を行う一般社団法人又は一般財団法人に対して、当該保証に要する経費の一部補助を行うこと」も当該規定に基づいて行われる事業である。 H28-6C

（則115条）

## 2 能力開発事業

**（事業主等の行う職業訓練に対する助成及び援助）**

職業能力開発促進法に定める認定職業訓練その他事業主等の行う職業訓練を振興するために必要な助成及び援助を行うとともに、当該職業訓練を振興するために必要な助成及び援助を行う都道府県に対して、これらに要する経費の全部又は一部の補助を行っている。（法63条１項１号）

当該規定に掲げる事業として、**広域団体認定訓練助成金**及び**認定訓練助成事業費補助金**を交付する事業が行われている。

（則121条）

また、当該規定に基づいて支給される助成金には**人材開発支援助成金等**がある。

（則124条）

**（公共職業能力開発施設等の設置・運営）**

公共職業能力開発施設※1（宿泊施設を含む。）又は職業能力開発総合大学校（宿泊施設を含む。）を設置又は運営するとともに、公共職業能力開発施設を設置又は運営する都道府県に対してこれらに要する経費の全部又は一部の補助※2を行っている。

※1　上記の公共職業能力開発施設とは、具体的には、職業能力開発促進センター、職業能力開発短期大学校及び職業能力開発大学校をいう。

※2　都道府県に対する経費の補助の事業として、都道府県が設置する職業能力開発校、職業能力開発短期大学校、職業能力開発大学校及び職業能力開発促進センターの施設及び設備に要する経費に関する補助金並びにこれらの運営に要する経費に関する交付金を交付するものとされている。

（法63条1項2号、令12条、則127条1項）

**（再就職を容易にするための職業講習等の実施）**

求職者及び退職を予定する者に対して、再就職を容易にするために必要な知識及び技能を習得させるための講習（職業講習）並びに作業環境に適応させるための訓練を実施している。（法63条1項3号）

当該規定に掲げる事業として、**職場適応訓練**及び**介護労働講習**が行われている。

（則129条）

**（有給教育訓練休暇を与える事業主に対する助成及び援助）**

職業能力開発促進法第10条の4第2項に規定する**有給教育訓練休暇**を与える事業主に対して、必要な助成及び援助を行っている。H29-7C（法63条1項4号）

当該規定に基づいて支給される助成金には**人材開発支援助成金**がある。（則124条）

**（公共職業訓練等の受講の奨励）**

職業訓練（公共職業能力開発施設又は職業能力開発総合大学校の行うものに限る。）又は職業講習を受ける労働者に対して、当該職業訓練又は職業講習を受けることを容易にし、又は促進するための交付金を支給するとともに、その雇用する労働者に認定職業訓練等を受けさせる事業主に対して必要な助成を行っている。（法63条1項5号）

当該規定に基づいて支給される助成金には**人材開発支援助成金**がある。（則124条）

**（キャリアコンサルティングの推進）**

キャリアコンサルティングの機会を確保する事業主に対する必要な援助及び労働者に対するキャリアコンサルティングの機会の確保を行うことができるものとされている。（法63条1項6号）

**（技能検定の実施に対する助成）**

技能検定※の実施に要する経費負担、技能検定を行う法人その他の団体への助成を行っているほか、技能検定を促進するために必要な助成を行う都道府県に対して、これに要する経費の全部又は一部の補助を行っている。（法63条1項7号）

※　技能検定は、技能及びこれに関する知識について一定の基準を設け、労働者の技能がその基準に達しているかを判定する制度であり、職業能力開発促進法に基づいて実施されている。また、技能検定は同法の定めるところにより、厚生労働省令で定める職種ごとに一定の等級区分で**実技試験及び学科試験**によって行われる。（職業能力開発促進法44条）

**（同意地域高年齢者就業機会確保計画に係る能力開発事業）**

政府は、高年齢者等雇用安定法に規定する同意地域高年齢者就業機会確保計画に係る事業（国が実施する高年齢者の雇用に資する事業に関するもの）のうち労働者の能力の開発及び向上に係るものを行うことができる。（法63条1項8号）

**（その他の能力開発事業）**

その他労働者の能力の開発及び向上に必要な事業として、労働者の職業の安定を図るための講習及び当該講習に係る受講給付金の支給、職業訓練の受講を促進するための講習等が行われている。

（法63条1項9号、則138条）

# 索　引

## あ行


育児休業給付 ..... 240
育児休業給付金 ..... 240
育児休業等給付 ..... 64
育児休業等給付の給付制限 ..... 277
育児休業の回数制限 ..... 245
育児時短就業給付 ..... 264
一般教育訓練 ..... 192
一般教育訓練に係る教育訓練給付金の支給申請手続 ..... 204
一般の受給資格者 ..... 114
一般被保険者 ..... 23
一般被保険者等に切り替えない者 ..... 313
一般被保険者等への切替 ..... 29,32
一般被保険者に対する求職者給付 ..... 140
移転費 ..... 183
移転費の支給額 ..... 321
移転費の返還 ..... 185
延長給付 ..... 128
延長給付間の調整 ..... 137
延長給付間の優先順位 ..... 136
延長給付に関する調整 ..... 136
延長給付の打切り ..... 133,134
延長給付の給付制限 ..... 283


## か行


介護休業給付金 ..... 232
介護休業給付金の支給回数 ..... 235
介護休業給付の給付制限 ..... 277
解雇等による離職者 ..... 116
確認の通知 ..... 36
家事使用人 ..... 15
管掌 ..... 5
寄宿手当 ..... 141
季節的に雇用される者の意義 ..... 313
技能習得手当 ..... 140
基本手当等の給付制限 ..... 274
基本手当との調整 ..... 168
基本手当日額 ..... 89,95
基本手当日額の算定 ..... 95
基本手当の減額 ..... 96
基本手当の支給 ..... 87
基本手当の受給期間及び給付日数 ..... 100
基本手当の受給資格要件 ..... 66
基本手当の受給手続 ..... 77
休業・所定労働時間短縮開始時賃金証明書 ..... 52
休業・所定労働時間短縮開始時賃金証明書の提出 ..... 52
休業・所定労働時間短縮開始時賃金証明票の交付 ..... 53
休業開始時賃金証明書 ..... 51
休業開始時賃金証明書の提出 ..... 51
休業開始時賃金証明票の交付 ..... 51
求職活動関係役務利用費 ..... 189
求職活動支援費 ..... 186
求職活動の確認 ..... 81
求職活動費が支給された場合 ..... 187
求職者給付 ..... 61
求職者給付の給付制限 ..... 274
求職者給付の種類 ..... 61
給付制限に伴う受給期間の延長 ..... 287
給付費の負担 ..... 295
教育訓練給付 ..... 62,192
教育訓練給付金制度 ..... 192
教育訓練給付の給付制限 ..... 276
教育訓練支援給付金 ..... 212
強制適用事業 ..... 8
行政不服審査法による不服申立て ..... 302
訓練延長給付 ..... 128
原則及び公共職業訓練等受講者の特例 ..... 83
広域延長給付 ..... 133,320
広域求職活動費 ..... 186
公課の禁止 ..... 270
公共職業訓練等を受ける場合の特例 ..... 157
控除額の変更 ..... 99
高年齢求職者給付金 ..... 148
高年齢雇用継続給付 ..... 216
高年齢雇用継続基本給付金 ..... 217
高年齢雇用継続給付の給付制限 ..... 276

高年齢再就職給付金 226
高年齢受給資格 148
高年齢被保険者 23
高年齢被保険者に対する求職者給付 148
国庫負担 295
子ども・子育て支援納付金 298
個別延長給付 130,319
雇用安定事業 290,321
雇用関係 7
雇用関係に中断がある事例 313
雇用継続給付 63,216
雇用継続給付の給付制限 276
雇用継続交流採用職員であった期間 316
雇用保険二事業 290

## さ行

再就職後の支給対象月 228
再就職手当 172
再就職手当の支給を受けた場合の特例 175
再審査請求 301
在宅勤務者に係る事業所勤務労働者との同一性 312
最低・最高限度額の適用 93
最低賃金日額の算定方法 99
最低保障額の算式 92
雑則等 304
31日以上雇用されることが見込まれる者 312
算定基礎期間 123
算定基礎期間に含めない期間 125
算定困難等の場合の処理 93
算定対象期間 66
暫定任意適用事業 9
暫定任意適用事業の保険関係 10
算定の原則 90
資格取得届 43,55
資格取得届の提出 43
資格喪失届 46
資格喪失届の提出 46
資格喪失日 47,315
支給単位期間 235,248
支給要件期間 196
事業等の利用 290
事業主事業所各種変更届 40
事業主に対する罰則 308
事業主の責務 304
事業を開始した受給資格者等に係る受給期間の特例 109
時効 304
自己の労働による収入 97,317
失業等給付の種類 60
失業の認定 77
失業の認定の意義 77
失業の認定日 83
失業の認定日の変更 84
指定教育訓練実施者 273
自動的変更 98
自動変更対象額 99
自動変更対象額の変更 98
事務費の負担 297
就業促進手当の種類 170
就業促進定着手当 177
就職拒否等による給付制限 281
就職拒否による日雇労働求職者給付金の給付制限 282
就職拒否又は受講拒否による給付制限 281
就職困難な受給資格者 114,123
就職支度費が支給された場合 185
就職促進給付 62,170
就職促進給付の給付制限 275
就職への努力 62
受給期間 100
受給期間延長の申出 104,108
受給権の保護 270
受給資格の決定 77
受給資格要件 66
受給資格要件の緩和 67
受給資格要件の特例 67
宿泊料 187
受講後の訓練延長給付 129
受講中の訓練延長給付 129
受講手当 140
出生後休業支援給付 259
出生時育児休業給付金 252
譲渡等の禁止 270

傷病手当……143
証明書による認定……86
証明書の交付……306
常用就職支度手当……180
職業訓練受講給付金の支給……291
職業指導拒否による給付制限……282
職業紹介事業者等……273
職業に就くことができない状態……7
職業に就けない場合の特例……105
所定給付日数……113
所定の受給期間……100
書類の保存……305
資料の提供等……307
審査請求……300
審査請求及び再審査請求……299
船員……17
船員に関する給付事務等……312
船員について……313
全国延長給付……134,320
専門実践教育訓練……192
専門実践教育訓練に係る教育訓練給付金の支給申請手続……208
遡及適用期間の特例……126,317
訴訟との関係……302
その他の給付制限……280

## た行

待期……112
待期中及び受講中の訓練延長給付……128
待期中の訓練延長給付……129
代理人選任・解任届……40
代理人による基本手当の受給……88
立入検査……307
短期訓練受講費……188
短期雇用特例被保険者……28
短期雇用特例被保険者に対する求職者給付……153
地域延長給付……135,320
着後手当……184
賃金支払基礎日数……73
賃金日額……90
賃金日額の算定の基礎となる賃金……91
通所手当……141
通則……270
定年退職者等の特例……101
適用区域……31,32
適用事業……8
適用事業所設置（廃止）届……38
適用事業所に関する届出……38
適用除外……18,313
適用対象期間の延長……195
鉄道賃、船賃、航空賃及び車賃……187
鉄道賃、船賃、航空賃、車賃及び移転料……184
転勤届……54
同居の親族……15
倒産等による離職者……115
登録型派遣労働者……315
特定一般教育訓練……192
特定一般教育訓練に係る教育訓練給付金の支給申請手続……205
特定就業促進手当受給者……176
特定受給資格者……114,115
特定の法人に係る手続の電子申請義務化……43
特定理由離職者……119
特定理由離職者Ⅰ……120
特定理由離職者Ⅱ……120
特例一時金……153
特例給付……164
特例給付と普通給付の調整……167
特例給付による日雇労働求職者給付金の支給日数……166
特例給付による日雇労働求職者給付金の日額……166
特例受給資格……153

## な行

日給・時給等の場合の最低保障……92
認可申請……34
認定手続……79,316
能力開発事業……291,322

## は行

罰則……308
発動基準……132

被保険者期間……72
被保険者期間の算定……72
被保険者資格の確認……35
被保険者証の交付等……45
被保険者であった期間から除外する期間……74
被保険者等に対する罰則……309
被保険者に関する届出のまとめ……42
被保険者の個人番号の変更の届出……54
被保険者の定義……14
日雇受給資格……159
日雇労働求職者給付金の給付制限……274
日雇労働求職者給付金の支給日数等……162
日雇労働求職者給付金の日額及び自動的変更……161
日雇労働者……30
日雇労働被保険者……30,31
日雇労働被保険者以外の被保険者に関する届出……43
日雇労働被保険者であった者に係る被保険者期間の特例……314
日雇労働被保険者手帳の交付……55
日雇労働被保険者に関する届出等……55
日雇労働被保険者に対する求職者給付……159
日雇労働被保険者任意加入の申請……55
日雇労働被保険者の資格継続……34
費用の負担……295
不正受給による給付制限……274
不正利得の返還命令等……272
普通給付……159
不服申立て……299
不服理由の制限……302
不利益取扱いの禁止……304
併給調整……167
平均給与額……98
報告等の命令……305
保険料……297
募集情報等提供事業を行う者……273


## ま行


未支給の基本手当の請求手続……271
未支給の失業等給付……271
みなし被保険者期間……234,242,254
目的……4


## や行


有期契約労働者……315


## ら行


離職・失業の定義……6
離職証明書の記載事項……316
離職証明書の添付及び交付……48
離職票の交付……49
離職理由による給付制限……284
両罰規定……309
臨時的・一時的に週所定労働時間が20時間未満となる場合……316
労審法による不服申立て……299
労働基準監督官の権限……308
労働者性の判断を要する場合……14
労働政策審議会への諮問……6
労働の意思……7
労働の能力……7
労働保険事務組合に対する処罰……309

# 条文索引


法１条……4
法２条……5
法３条……4
法４条……6,14,89
法５条……8
法６条……18,22
法７条……35
法８条……35
法９条……35
法10条……60,61,62,63,216
法10条の２……62
法10条の３……271
法10条の４……150,156,272,273
法11条……270
法12条……270
法13条……66,67,71,76,119
法14条……72,74,247
法15条……77,81,83,84,86
法16条……95
法17条……90,92,93
法18条……98,99
法19条……96,99
法20条……100,101,104,105
法20条の２……109
法21条……112,113
法22条……113,123,181,247
法23条……113,115
法24条……128,129,140,141,157
法24条の２……130,132
法25条……133,134
法26条……134
法27条……134
法28条……136,137
法29条……281,283
法30条……87
法31条……271
法32条……281,282
法33条……143,284,287
法34条……274
法36条……140,141,143,184,274,281,283,284
法37条……143,144,145,146,274,281,283,284
法37条の２……23,150
法37条の３……148,149
法37条の４……149,150,151,152,274,281,283,284
法37条の５……25
法37条の６……151
法38条……28,35
法39条……153,155
法40条……155,156,157,274,281,283,284,286
法41条……157,158,284,286
法42条……30
法43条……18,30,31,32,35,315
法45条……159
法46条……168
法47条……159
法48条……161
法49条……161,162
法50条……162
法51条……159,161
法52条……274,282
法53条……164
法54条……166
法55条……164,167,168
法56条……314
法56条の２……314
法56条の３……170,171,172,173,174,177,178,179,180,181,182,183,275
法57条……175
法58条……183,184
法59条……186
法60条……275
法60条の２……23,193,196,197,198
法60条の３……276
法61条……216,217,222,224
法61条の２……172,216,226,228,230,231
法61条の３……276
法61条の４……232,235,236,247
法61条の５……277
法61条の６……64

法61条の７ .........123,151,240,241,243,245,247,248,249,251,252
法61条の８ ... 123,151,246,248,251,252,253,255,256
法61条の９ ............................................ 277,278
法61条の10 .......................................259,261,262
法61条の11 ...................................................278
法61条の12 ................................264,265,266,267
法61条の13 ...................................................279
法62条.........................................290,291,321,322
法63条............................................291,322,323
法64条..........................................................291
法64条の２ ...................................................290
法65条..........................................................290
法66条.................................................. 295,297
法67条..........................................................295
法67条の２ ...................................................295
法68条..........................................................297
法68条の２ ...................................................298
法69条..........................................................299
法70条..........................................................302
法71条..........................................................302
法72条.......................................................... 6
法73条..........................................................304
法74条..........................................................304
法75条..........................................................306
法76条.................................................. 305,306
法77条の２ ...................................................307
法78条..........................................................307
法79条..........................................................307
法79条の２ ...................................................312
法81条.......................................................... 5
法83条.........................................305,306,308
法84条..........................................................308
法85条..........................................................309
法86条..........................................................309

法附則２条.................................................9,11
法附則３条....................................................153
法附則４条....................................................114
法附則５条.....................135,136,137,281,282,283
法附則８条....................................................156
法附則10条 ...................................................175
法附則11条 ..................................................193
法附則11条の２ ......................62,212,213,215,276
法附則12条 ..................................................236
法附則13条 ......................................... 295,297
法附則14条 ..................................................297
法附則16条 ..................................................298

令１条.......................................................... 5
令２条.......................................................... 21
令４条....................................128,140,141,157
令５条..........................................................129
令５条の２......................................... 132,320
令６条................................................. 133,320
令７条................................................. 134,320
令８条..........................................................134
令10条..........................................................144
令11条..........................................................157
令12条..........................................................323

令附則２条.................................................9,11
令附則４条....................................................157

則１条.......................................5,6,25,35,46,272
則２条.......................................................... 89
則３条.......................................................... 9
則３条の２.................................................... 18
則４条...................................................21,22,313
則６条..........................................43,44,45,318
則７条..........................................46,48,69,318
則８条................................................... 35,318
則９条.......................................................... 36
則10条.......................................................... 45
則11条.......................................................... 36
則12条の２ ..................................................316
則13条.......................................................... 54
則14条.......................................................... 54
則14条の２ ................................................51,52
則14条の３ ................................................52,53
則16条.......................................................... 48
則17条.......................................................49,50
則17条の２ ..................................................271
則18条................................................... 67,316

則19条……77,79
則19条の２……119
則20条……79
則21条……84
則22条……79,80
則23条……84,85
則24条……83,85,87
則25条……86
則26条……86
則27条……87
則28条……86
則28条の２……81,82
則28条の５……99
則29条……98
則30条……105
則31条……109
則31条の２……101,102,104
則31条の３……104
則31条の４……110
則31条の５……111
則31条の６……112
則32条……123,181
則33条……318,319
則33条の２……318
則34条……115
則35条……115,116
則36条……116,117,118,119
則37条……129
則38条の３……132
則38条の４……132
則38条の５……132
則40条……134
則43条……87
則44条……88
則45条……88
則46条……88
則47条……272
則48条……287
則48条の２……287
則49条……81
則50条……79
則54条……79
則56条……140
則57条……140
則59条……141
則60条……142
則61条……142
則63条……145
則65条……146
則65条の４……149
則65条の５……149
則65条の６……25
則65条の７……25
則65条の８……25,27
則65条の10……27
則65条の11……27
則65条の12……28
則65条の14……28
則66条……36
則68条……155
則69条……155
則70条……157
則71条……55
則72条……55
則73条……55,56
則74条……34
則75条……160,161
則79条……164,165
則81条……314
則81条の２……314
則82条……172,173,180
則82条の２……172
則82条の３……180,181
則82条の４……170,172,180
則82条の５……170
則82条の７……174,175
則83条……174
則83条の２……177
則83条の３……178
則83条の４……178
則83条の５……178
則83条の６……181
則84条……180,182
則85条……182

則85条の２ ........175
則86条 ........184
則87条 ........183,321
則88条 ........321
則89条 ........321
則90条 ........184
則91条 ........185
則92条 ........185
則93条 ........185
則94条 ........185
則95条 ........185
則95条の２ ........186
則96条 ........186
則97条 ........186,187
則98条 ........187
則98条の２ ........187
則99条 ........188
則100条 ........188
則100条の２ ........188,189
則100条の３ ........189
則100条の４ ........189
則100条の５ ........189
則100条の６ ........189
則100条の７ ........190
則100条の８ ........191
則101条の２の２ ........197
則101条の２の３ ........193
則101条の２の５ ........193
則101条の２の６ ........197
則101条の２の７ ........192,198
則101条の２の８ ........198,203
則101条の２の９ ........198
則101条の２の10 ........198
則101条の２の11 ........204,205
則101条の２の11の２ ........205,207
則101条の２の12 ........203,208,211
則101条の２の13 ........205
則101条の３ ........221
則101条の５ ........225
則101条の７ ........231,232
則101条の16 ........234,235
則101条の17 ........233
則101条の18 ........234
則101条の19 ........238
則101条の22 ........243,245,247
則101条の29 ........242
則101条の29の２ ........245
則101条の29の３ ........243
則101条の30 ........251,252
則101条の31 ........254,255
則101条の32 ........254
則101条の33 ........257,258
則102条の２ ........321
則102条の３ ........293,294,321
則102条の４ ........322
則103条 ........322
則109条 ........322
則110条の３ ........292
則111条 ........322
則115条 ........322
則120条 ........293
則120条の２ ........291,293
則121条 ........322
則123条 ........293
則124条 ........322,323
則127条 ........323
則129条 ........323
則130条 ........293
則138条 ........323
則139条の４ ........291
則141条 ........38,39
則142条 ........40
則143条 ........305
則143条の３ ........306
則145条 ........40

則附則１条の２ ........79
則附則18条 ........114
則附則19条 ........135
則附則21条 ........321
則附則23条の２ ........175
則附則24条 ........203
則附則25条 ........212
則附則26条 ........212

則附則27条 214,215
則附則28条 215
則附則29条 215

平成22年厚労告154号 18,28
平成26年厚労告292号 92,93
令和６年厚労告250号 93,95,217,226,267
令和６年厚労告251号 96
令和６年厚労告252号 217,224,226,231

徴収法22条 161,162,166

徴収法附則２条 10

徴収則72条 305

労基法102条 308

労審法７条 301
労審法８条 301
労審法９条 301
労審法９条の２ 301
労審法17条の２ 301
労審法25条 301
労審法38条 301
労審法39条 301
労審法49条 301
労審法50条 301

行審法２条 302
行審法４条 302
行審法12条 302
行審法18条 302
行審法19条 302

求職者支援法９条 270
求職者支援法10条 270

職業能力開発促進法44条 323

官民人事交流法２条 69
官民人事交流法21条 69
官民人事交流法22条 316

国等の債権債務等の金額の端数計算に関する法律２条 95

年齢計算に関する法律２項 218

行政手引1070 26
行政手引1080 26
行政手引1230 27
行政手引1360 26
行政手引2270 150
行政手引20002 9
行政手引20004 7
行政手引20051 8
行政手引20104 9
行政手引20105 10,11
行政手引20106 10
行政手引20303 19,20,21,312
行政手引20351 14,15,16,312
行政手引20352 16,17,18
行政手引20401 24
行政手引20451 29,30
行政手引20452 313
行政手引20551 44,45
行政手引20553 44
行政手引20554 44
行政手引20555 29,44
行政手引20556 44
行政手引20557 44
行政手引20601 48
行政手引20605 316
行政手引20606 48,315,316
行政手引21454 73,74
行政手引21752 54
行政手引22001 9
行政手引22101 39,40
行政手引22102 39
行政手引22701 20,30
行政手引22702 20,30
行政手引22752 313
行政手引23052 313

行政手引23522 .......... 35
行政手引50101 .......... 66
行政手引50102 .......... 66,83
行政手引50103 .......... 74
行政手引50152 .......... 68,69,76
行政手引50153 .......... 71,76
行政手引50271 .......... 107,108,143
行政手引50272 .......... 107,108
行政手引50273 .......... 109
行政手引50281 .......... 104
行政手引50286 .......... 104
行政手引50292 .......... 110
行政手引50293 .......... 110,111
行政手引50302 .......... 126
行政手引50304 .......... 123
行政手引50305 .......... 123
行政手引50305-2 .......... 120
行政手引50451 .......... 91
行政手引50453 .......... 91
行政手引50501 .......... 90
行政手引50502 .......... 90
行政手引50503 .......... 90,91
行政手引50601 .......... 91,92
行政手引50609 .......... 91
行政手引50801 .......... 174
行政手引51101 .......... 112
行政手引51102 .......... 112,113
行政手引51202 .......... 7
行政手引51203 .......... 7
行政手引51204 .......... 7
行政手引51251 .......... 317
行政手引51252 .......... 80
行政手引51253 .......... 80
行政手引51254 .......... 82,83
行政手引51255 .......... 81,98,317
行政手引51256 .......... 81
行政手引51351 .......... 85
行政手引51401 .......... 86,87
行政手引51652 .......... 97
行政手引52156 .......... 283
行政手引52202 .......... 286
行政手引52203 .......... 287
行政手引52205 .......... 284,285
行政手引52206 .......... 288
行政手引52355 .......... 130
行政手引52405 .......... 133
行政手引52412 .......... 134
行政手引52453 .......... 134
行政手引52851 .......... 140
行政手引52854 .......... 141
行政手引52901 .......... 142
行政手引52902 .......... 142
行政手引53002 .......... 143,144
行政手引53003 .......... 143,144
行政手引53004 .......... 146,147
行政手引53006 .......... 146
行政手引53007 .......... 146
行政手引53103 .......... 272
行政手引54102 .......... 148
行政手引54131 .......... 150
行政手引54201 .......... 150
行政手引55102 .......... 154
行政手引55103 .......... 154
行政手引55104 .......... 154
行政手引55151 .......... 156
行政手引55301 .......... 156
行政手引55357 .......... 156
行政手引56401 .......... 158
行政手引56403 .......... 158
行政手引57002 .......... 171
行政手引57051 .......... 172
行政手引57052 .......... 172,173
行政手引57101 .......... 174
行政手引57151 .......... 175,179
行政手引57253 .......... 175
行政手引57263 .......... 178
行政手引57264 .......... 178,179
行政手引57351 .......... 181
行政手引57352 .......... 180,181
行政手引57551 .......... 184
行政手引57603 .......... 321
行政手引57604 .......... 184
行政手引57801 .......... 187
行政手引57802 .......... 187

行政手引57962 ................................................189
行政手引58012 ................................................197
行政手引58014 ................................................198
行政手引58015 ................................................204
行政手引58021 ................................................195
行政手引58022 ................................................195
行政手引58024 ................................................195
行政手引58031 ................................................204
行政手引58115 ................................................204
行政手引58132 ................................................204
行政手引58151 ................................................207
行政手引58214 ................................................203
行政手引58215 ................................................198
行政手引58216 ................................................204
行政手引58232 ................................................204
行政手引58238 ................................................211
行政手引58511 ................................................213
行政手引58522 ................................................214
行政手引58615 ................................................213
行政手引59011 ........................................ 219,222
行政手引59143 ................................................221
行政手引59311 ................................................223
行政手引59314 ................................................230
行政手引59503 ................................................253
行政手引59503-2 ............................... 241,242,247
行政手引59524 ................................................251
行政手引59573 ................................................251
行政手引59603 ................................................241
行政手引59802 ................................................233
行政手引59861 ................................................235
行政手引90002 ................................................ 32
行政手引90251 ............................................33,34
行政手引90253 ................................................314
行政手引90401 ................................................159
行政手引90458 ................................................160
行政手引90502 ................................................164
行政手引90555 ................................................161
行政手引90602 ................................................165
行政手引90603 ................................................165
行政手引90702 ................................................282
行政手引90802 ................................................314
行政手引90851 ................................................168
行政手引90912 ................................................161
行政手引90914 ................................................161
行政手引90916 ................................................161

昭和24.1.19職発72号.......................................281
昭和53.9.22雇保発32号.................. 10,11,145,317
昭和61.8.30雇保発34号...................................145

執　　筆：伊藤浩子（TAC教材開発講師）
編集補助：高橋比沙子（TAC専任講師、上級本科生担当）
跡部大輔（TAC教材開発講師）

本書は、令和６年10月10日現在において、公布され、かつ、令和７年本試験受験案内が発表されるまでに施行されることが確定されているものに基づいて執筆しております。

なお、令和６年10月11日以降に法改正のあるもの、また法改正はなされているが施行規則等で未だ細目について定められていないものについては、下記ホームページにて順次公開いたします。

TAC出版書籍販売サイト「サイバーブックストア」
https://bookstore.tac-school.co.jp

2025年度版　よくわかる社労士　合格テキスト４　雇用保険法

（平成24年度版　2011年12月20日　初版　第１刷発行）
2024年11月８日　初　版　第１刷発行

編著者　ＴＡＣ株式会社（社会保険労務士講座）
発行者　多田敏男
発行所　ＴＡＣ株式会社　出版事業部（TAC出版）
〒101-8383 東京都千代田区神田三崎町3-2-18
電話　03(5276)9492(営業)
FAX　03(5276)9674
https://shuppan.tac-school.co.jp
印　刷　株式会社　ワコー
製　本　東京美術紙工協業組合


ISBN 978-4-300-11374-5
N.D.C. 364



乱丁・落丁による交換,および正誤のお問合せ対応は,該当書籍の改訂版刊行月末日までといたします。なお,交換につきましては,書籍の在庫状況等により,お受けできない場合もございます。
また,各種本試験の実施の延期,中止を理由とした本書の返品はお受けいたしません。返金もいたしかねますので,あらかじめご了承くださいますようお願い申し上げます。

## はじめる前に体験できる。だから安心! 無料体験入学

### 実際の講義を無料で体験! あなたの目で講義の質を実感してください。

お申込み前に講座の第1回目の講義を無料で受講できます。講義内容や講師、雰囲気などを体験してください。ご予約は不要です。開講日につきましては、TACホームページまたは講座パンフレットをご確認ください。

※教室での生講義のほか、TAC各校舎のビデオブースでも体験できます。ビデオブースでの体験入学は事前の予約が必要です。詳細は各校舎にお問合わせください。

https://www.tac-school.co.jp/ → 社会保険労務士へ

## まずはこちらへお越しください 無料公開セミナー・講座説明会

### 予約不要・参加無料　知りたい情報が満載!
### 参加者だけのうれしい特典あり

参加者に入会金免除券プレゼント!

専任講師によるテーマ別セミナーや、カリキュラムについて詳しくご案内する講座説明会を実施しています。終了後は質問やご相談にお答えする「個別受講相談」を承っております。実施日程はTAC HPまたはパンフレットにてご案内しております。ぜひお気軽にご参加ください。

## Web上でもセミナーが見られる! TAC動画チャンネル

### セミナー・体験講義の映像など
### 役立つ情報をすべて無料で視聴できます。

●テーマ別セミナー　●体験講義　等

https://www.tac-school.co.jp/ → TAC動画チャンネル へ

## PCやスマホで快適に閲覧 デジタルパンフレット

### 紙と同じ内容のパンフレットをPCやスマートフォンで!
### 郵送も待たずに今すぐにご覧いただけます。

⬇登録はこちらから

https://www.tac-school.co.jp/ → デジタルパンフ登録フォームに入力

コチラからもアクセス!▶▶

## 資料請求・お問い合わせはこちらから!

電話でのお問い合わせ・資料請求　通話無料 0120-509-117（ゴウカク イイナ）

※携帯・自動車電話からもご利用いただけます。

【受付時間】
10:00～19:00(月曜～金曜)
10:00～17:00(土曜・日曜・祝日)
※営業時間は変更の場合がございます。詳しくはTAC HPをご確認ください。

TACホームページからのご請求　https://www.tac-school.co.jp/

# TAC出版 書籍のご案内

TAC出版では、資格の学校TAC各講座の定評ある執筆陣による資格試験の参考書をはじめ、資格取得者の開業法や仕事術、実務書、ビジネス書、一般書などを発行しています！

## TAC出版の書籍

＊一部書籍は、早稲田経営出版のブランドにて刊行しております。

### 資格・検定試験の受験対策書籍

- 日商簿記検定
- 建設業経理士
- 全経簿記上級
- 税　理　士
- 公認会計士
- 社会保険労務士
- 中小企業診断士
- 証券アナリスト
- ファイナンシャルプランナー(FP)
- 証券外務員
- 貸金業務取扱主任者
- 不動産鑑定士
- 宅地建物取引士
- 賃貸不動産経営管理士
- マンション管理士
- 管理業務主任者
- 司法書士
- 行政書士
- 司法試験
- 弁理士
- 公務員試験(大卒程度・高卒者)
- 情報処理試験
- 介護福祉士
- ケアマネジャー
- 電験三種　ほか

### 実務書・ビジネス書

- 会計実務、税法、税務、経理
- 総務、労務、人事
- ビジネススキル、マナー、就職、自己啓発
- 資格取得者の開業法、仕事術、営業術

### 一般書・エンタメ書

- ファッション
- エッセイ、レシピ
- スポーツ
- 旅行ガイド（おとな旅プレミアム/旅コン）

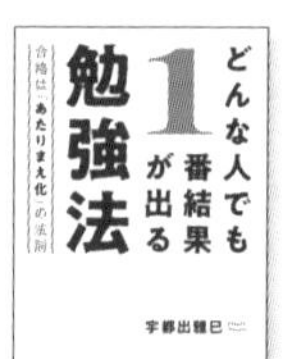

# 書籍の正誤に関するご確認とお問合せについて

書籍の記載内容に誤りではないかと思われる箇所がございましたら、以下の手順にてご確認とお問合せをしてくださいますよう、お願い申し上げます。
なお、正誤のお問合せ以外の**書籍内容に関する解説および受験指導などは、一切行っておりません。**
そのようなお問合せにつきましては、お答えいたしかねますので、あらかじめご了承ください。

## 1 「Cyber Book Store」にて正誤表を確認する

TAC出版書籍販売サイト「Cyber Book Store」の
トップページ内「正誤表」コーナーにて、正誤表をご確認ください。

CYBER BOOK STORE TAC出版書籍販売サイト

**URL:https://bookstore.tac-school.co.jp/**

## 2 1の正誤表がない、あるいは正誤表に該当箇所の記載がない ⇒ 下記①、②のどちらかの方法で文書にて問合せをする

★ご注意ください★

**お電話でのお問合せは、お受けいたしません。**
①、②のどちらの方法でも、お問合せの際には、「お名前」とともに、
「対象の書籍名(○級・第○回対策も含む)およびその版数(第○版・○○年度版など)」
「お問合せ該当箇所の頁数と行数」
「誤りと思われる記載」
「正しいとお考えになる記載とその根拠」
を明記してください。
なお、回答までに1週間前後を要する場合もございます。あらかじめご了承ください。

**① ウェブページ「Cyber Book Store」内の「お問合せフォーム」より問合せをする**

**【お問合せフォームアドレス】**

**https://bookstore.tac-school.co.jp/inquiry/**

**② メールにより問合せをする**

**【メール宛先 TAC出版】**

**syuppan-h@tac-school.co.jp**

**※土日祝日はお問合せ対応をおこなっておりません。**
**※正誤のお問合せ対応は、該当書籍の改訂版刊行月末日までといたします。**

乱丁・落丁による交換は、該当書籍の改訂版刊行月末日までといたします。なお、書籍の在庫状況等により、お受けできない場合もございます。
また、各種本試験の実施の延期、中止を理由とした本書の返品はお受けいたしません。返金もいたしかねますので、あらかじめご了承くださいますようお願い申し上げます。

TACにおける個人情報の取り扱いについて
■お預かりした個人情報は、TAC(株)で管理させていただき、お問合せへの対応、当社の記録保管にのみ利用いたします。お客様の同意なしに業務委託先以外の第三者に開示、提供することはございません(法令等により開示を求められた場合を除く)。その他、個人情報保護管理者、お預かりした個人情報の開示等及びTAC(株)への個人情報の提供の任意性については、当社ホームページ(https://www.tac-school.co.jp)をご覧いただくか、個人情報に関するお問い合わせ窓口(E-mail:privacy@tac-school.co.jp)までお問合せください。

(2022年7月現在)